2024 「時事力」基礎編
公式テキスト＆問題集

ニュース検定

＝公式テキスト＆問題集＝

3・4級

監修：日本ニュース時事能力検定協会
発売：毎日新聞出版

目次 Contents

2024年度版　ニュース検定　公式テキスト＆問題集３・４級

ニュース検定とは ………… 4
この本の構成と使い方 ………… 5
期限迫る 折り返しのＳＤＧｓ ………… 6

政治

1 私たちの民主主義 ………… 8
民意を代表者に託す「選挙」／18、19歳の投票率は低迷／１票の格差／政治や選挙の仕組み

2 日本国憲法の行方 ………… 12
「改憲勢力」衆参で３分の２超／「９条」と「緊急事態条項」／憲法と象徴天皇

3 どうなる 外交と防衛 ………… 16
アメリカとの同盟を重視／防衛費 ＧＤＰ比２％へ大幅増／日米同盟と在日米軍／国の「領域」

4 地方自治のいま ………… 20
人口の３割が東京圏に集中／ふるさと納税の課題／地方自治のイロハ／地方自治の理想と現実

経済

5 足踏みする日本経済 ………… 24
2023年も値上げラッシュ／日銀に迫る軌道修正／ＧＤＰの基礎知識／国の財政の仕組み

6 混迷する世界経済 ………… 28
インフレなお高水準／イギリスがＴＰＰに参加／貿易の基礎知識／対立深めるアメリカと中国

7 日本産業のいま ………… 32
続く円安で家計と企業を圧迫／増える訪日客／日本産業の特徴／現代に不可欠な「半導体」

8 脱炭素社会への道のり ………… 36
2050年までに「実質ゼロ」／原発を「最大限活用」／再エネの特徴と課題／「火力」頼みの日本

暮らし

9 減り続ける日本の人口 ………… 40
「４人に１人以上」が高齢者／止まらない少子化

10 社会保障のこれから ………… 42
保険制度は「支え合い」／医療に介護に 広がる「応能負担」／基本を知ろう 社会保険制度

11 働くということ ………… 46
憲法が保障 基本の三つの権利／ハラスメントをなくすために／どう変わってきた 日本の働き方

12 消費生活を豊かに ………… 50
消費者を守る仕組みとは／加速するキャッシュレス化

最新ニュースはこちらから　このテキストの発売後に起きたニュースを集めた「News ピックアップ」は、最終ページにある二次元コードとURLからアクセスできます。ぜひご活用ください。

社会・環境

13 子どもと教育のいま …… 52
不登校・いじめ増／日本が抱える子どもの課題／子どもの権利条約／これからを見据える教育

14 共に生きる社会へ …… 56
結婚を巡る平等／人権擁護への一歩／全ての人が暮らしやすい社会へ／男女平等 日本の課題は

15 司法と私たちの社会 …… 60
法律は何のためにある？／「袴田事件」にみる再審／刑事事件の捜査と裁判／市民感覚を司法に

16 情報社会に生きる …… 64
「まるで人間」チャットＧＰＴ／対策進むネットの誹謗中傷／メディアリテラシーを身につけよう

17 いのちの現場から …… 68
節目迎えた新型コロナ対策／大麻「使用罪」創設へ／免疫とワクチンの仕組み／がんと認知症

18 災害と日本 …… 72
豪雨災害の原因といま／迫る巨大地震／防災・減災のために／過去の大震災／原発事故と復興

19 地球環境を守るために …… 76
地球温暖化の対策は／環境汚染とプラスチックごみ／地球規模の環境問題／生物多様性はいま

国際

20 平和な世界どうやって …… 80
「分断」進む ウクライナ侵攻以降の世界／パレスチナ 暴力の連鎖止まらず／国連と安保理の役割

21 核兵器と向き合う世界 …… 84
核保有国の取り組み鈍く／問われる日本の「本気度」／核兵器／冷戦とその後の世界

22 大国と国際社会の行方 …… 88
アメリカ 次のリーダーは／中国 続く強権体制／米中の政治の仕組み／つながる国々 成長と課題

練習問題 …… 92
正解と解説 …… 126
2024年はあれから何年？ …… 137
ニュースのことば …… 138
索引 …… 142

▼ピックアップ　多分野にまたがるトピックを紹介します

社会のデジタル化
- 現代に不可欠な「半導体」 …… 35
- 加速するキャッシュレス化 …… 51
- 進む学校のＩＣＴ化 …… 55
- 情報社会に生きる …… 64～67

男女平等への課題
- 少ない日本の女性議員 …… 9
- 女性の給与はなぜ低い …… 47
- ジェンダーと生きづらさ …… 59
- 世界で立ち遅れる日本 …… 59

N検 NEWS 時事能力検定

ニュース時事能力検定(N検)とは

今の時代を生きるために欠かせない、ニュースを読み解き、活用するチカラをつける検定です。

ニュース時事能力検定(ニュース検定、N検)は、新聞やテレビのニュース報道を読み解き、活用する力「時事力」を養い、認定する検定です。

時事力とは現代社会のできごとを多角的・公正に理解・判断し、その課題をみんなで解決していく礎となる総合的な力(知識、思考力、判断力など)です。大きく変動し、先行き不透明な時代に、人生を切り開くために不可欠な力です。

※2023年12月現在までの累計

■ 受検級のめやす

級	5級	4級	3級	準2級	2級	1級
対象	小学生	小学生・中学生	中学生・高校生	高校生・大学生・一般	高校生・大学生・一般	大学生・一般

■ 出題形式

四肢択一

※1級は一部記述あり

検定時間　50分(各級45問)

合格の目安

100点満点中	
1級	80点程度
2～5級	70点程度

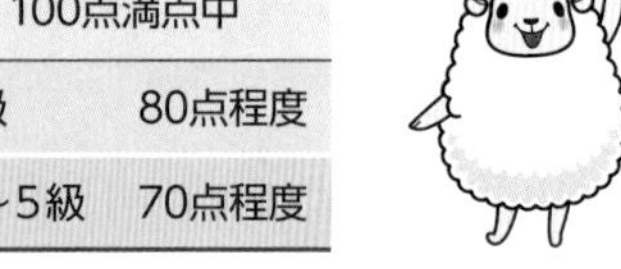

■ 出題範囲

各回、検定日の約1カ月前(目安)までのニュースを、[政治／経済／暮らし／社会・環境／国際]の五つの分野から出します。

2024年度に実施される3、4級の検定問題の約6割は「2024年度版公式テキスト&問題集基礎編＝3・4級対応」から出題されます(掲載された問題のほか、テキスト本文の内容を基に作成した問題を含みます)。これらの出題は、掲載された問題そのままとは限らず、関連・類似問題を含みます。

■ 検定料 ※全て税込み

1級	2級	準2級	3級	4級	5級
7,400円	5,300円	4,300円	3,800円	3,300円	3,200円

公式テキストで合格は目の前!

ニュース検定にチャレンジするあなたを公式テキスト・問題集が応援します。公式教材は毎年、最新ニュースを盛り込んで編集し直しています。この公式テキストをじっくりと読み込んで、練習問題に挑戦すれば、合格は目の前です!

社会、学校とつながる検定・テキスト

ニュース検定や公式テキスト・問題集で学ぶと、日々のニュースや、学校の学習の理解がぐっと深まります。中学校社会科(公民的分野)、高校の公民科目の学習にもうってつけです。

■ 教科書対照表はこちら

中学・高校の教科書(主な内容)とこのテキストの対応がひと目でわかる「教科書対照表」は、ニュース検定公式サイトでご覧になれます(右の二次元コード)。

N検 NEWS 時事能力検定

この本の構成と使い方

TOPICS テーマのポイントです。このポイントを頭に入れて、解説を読みましょう。

SDGs 国際連合「持続可能な開発目標（SDGs）」の17目標のうち、関連するものを掲載しています。SDGsのアイコン一覧は6㌻に掲載しています。

POINT 解説の内容をさらに掘り下げたり、要点をまとめたりしています。ニュースのもやもやを解消します。

解説 テーマを理解するための分かりやすい解説は、この本の中心です。じっくり読みましょう。

WORD ニュースを読み解くキーワードです。これを押さえるだけでも「時事力」がぐんと上がります。

PLUS テーマに関連するトピックを取り上げました。解説ですくいきれない視点を提供し、理解を多角的に深めます。

時事力Basic 制度の基本や論議のポイントなどを解説しています。テーマの内容や日々のニュースを理解する手助けにもなります。

3級 Check 3級合格を目指す人はこのコーナーもしっかり読んでおきましょう。

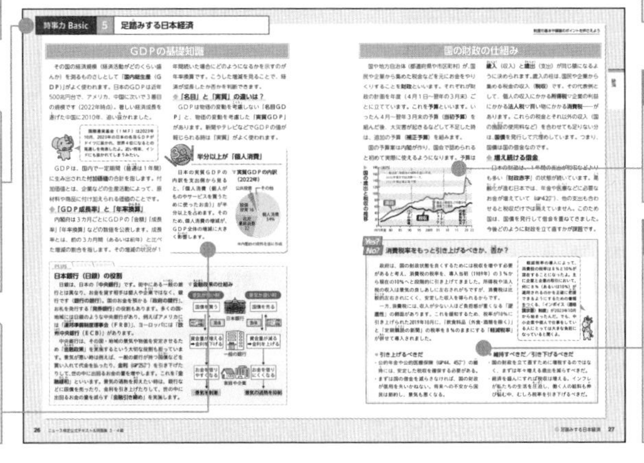

グラフや図解 解説の理解を助けるグラフや図解をたくさん載せています。忘れずに目を通しましょう。

Yes? No? 賛否が割れている時事問題について、賛成、反対それぞれの意見の例などを簡潔に紹介します。探求学習や主権者教育の資料としてもご活用いただけます。

練習問題 ニュース検定と同じ四肢択一です。テキスト本文の理解を助ける問題もあります。力試しをして、本番に備えましょう。

正解と解説 コンパクトな解説を用意しました。目を通して、理解を深めましょう。

■**この本で使う用語**（人名や団体名、国名・地名などの固有名詞を含む）は原則として、一般の新聞・テレビのニュースで日ごろ使われている表記（略称を含む）にならっています。ただし、報道機関によって表記が異なる場合は、毎日新聞の表記にならっています。一部の用語はその見開きで初めに出てきた時に限り正式名称を使っています。海外のできごとの日付は原則として、現地時間に基づいて表記しています。

■**この本の内容**は、原則として2023年末までのニュースに基づいて編集しています。ただし、一部のテーマはそれ以降の動きも踏まえています。

期限迫る 折り返しのSDGs

国際連合（国連）の持続可能な開発目標（SDGs）は、達成期限（2030年）まであと６年。採択された2015年からの「折り返し」を過ぎました。世界で、日本で、どの程度進んでいるか知っていますか？

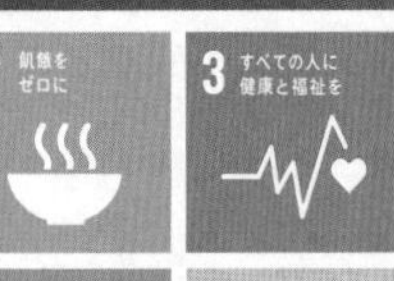
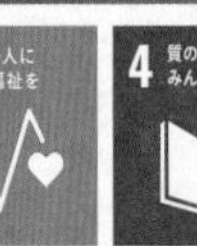

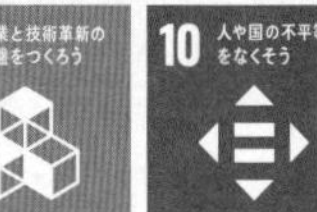

SUSTAINABLE DEVELOPMENT GOALS

「順調」わずか15%

国連の報告書（2023年）によると、世界で達成に向けて順調なのはわずか15%。進み具合の遅れは深刻で、いち早く軌道修正し、取り組みを加速させることが必要だとしました。

▼目標達成に向けた進み具合

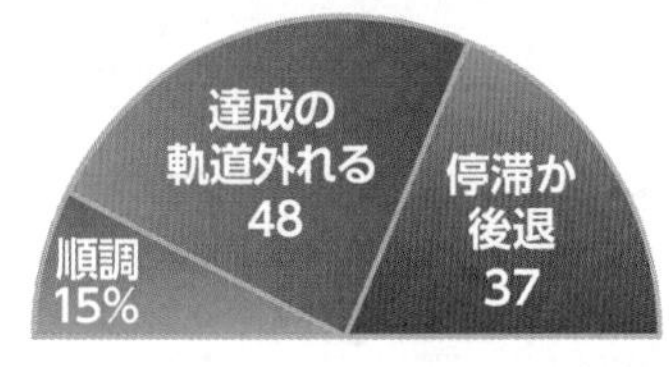

ターゲットごとに設けられた「SDGグローバル指標」に基づき、各国は目標達成に向けてどのくらい進んでいるかを報告しています。そこからは、停滞や後退する目標に加えて、進み具合の足りないターゲットも多い現状がうかがえます。

達成が「危機的」な目標は？

2 飢餓をゼロに

新型コロナウイルスの世界的流行や、ロシアによるウクライナ侵攻の影響で、食料の値段の高騰が続いています。このままでは2030年もなお、**６億人以上**が飢餓に直面するとも予測されています。

◀飢餓状態の乳児＝アフガニスタンで2021年

16 平和と公正をすべての人に

▲ロシアの攻撃で破壊されたウクライナの集合住宅＝2022年

ウクライナでの戦争を背景に、紛争に関連した民間人の死者が**50%以上**増えました。また、紛争や迫害で故郷を追われた人の数も、**１億人**を超えています（2022年末時点）。

◀紛争で故郷を追われた難民が一時的に住む「難民キャンプ」の様子＝バングラデシュで2020年

SDGsの基礎知識

国連が「人類が2030年までに達成すべき目標」として2015年に採択した、17の目標、169のターゲットです。「誰一人取り残さない」ことを原則に、先進国も途上国も共に取り組みます。地球上のさまざまな課題は互いに関連しているとして、経済、社会、環境の三つの側面から総合的に達成することを目指しています。

SDGs タイムライン

年	その年の出来事
1987	環境と開発に関する世界委員会で、「**持続可能な開発**」の概念を初めて提唱
1992	国連環境開発会議（地球サミット）で、「**アジェンダ21**」を採択
2001	「国連ミレニアム宣言」（2000年）を基に、**国連ミレニアム開発目標（MDGs）**まとまる
2012	国連持続可能な開発会議（**リオ＋20**）でMDGsを発展させたSDGsの策定に合意
2015	国連サミットで「持続可能な開発のための2030アジェンダ」採択、SDGs誕生
2030	SDGs達成期限

MDGsは途上国を対象に、極度の貧困と飢餓の撲滅などの八つの目標を掲げていたよ。達成期限は2015年で、これを発展させたのがSDGsなんだ。

停滞(ていたい)する日本の現状

国際機関がまとめる報告書*で、日本のSDGs達成度（2023年）は166カ国中21位。2017年の11位以降は順位が下がり、達成度も横ばいです。17の目標のうち、最低評価の「深刻な課題がある」とされた五つの目標は、いずれも最低評価の常連――。達成度を再び上昇(じょうしょう)させるには、何が必要でしょうか。

＊報告書は各国の取り組みの進み具合を「スコア」として算出し、17の目標ごとに「達成済み」「課題が残る」「重要な課題がある」「深刻な課題がある」の４段階で評価している

▼主要7カ国（G7）のSDGs達成度の推移（達成=100）

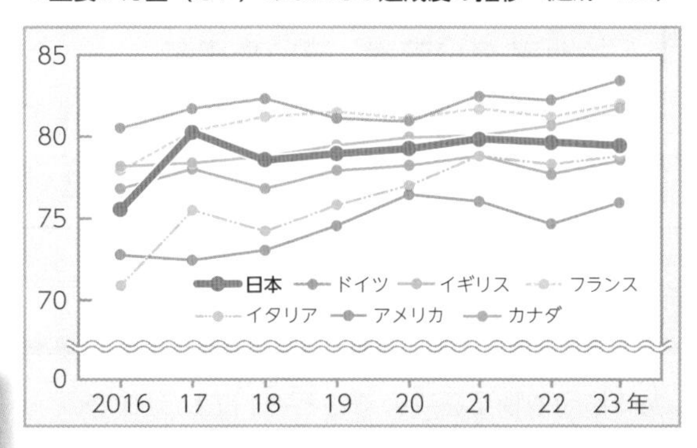

少しずつ達成度が上がっている国が多いけど……これで2030年までに達成できるのかな？

日本の課題はどこに？

達成済み

深刻な課題あり

ジェンダー平等を実現しよう

▶日本の内閣（上、2023年9月時点）とカナダの内閣（下、2023年時点、ロイター／アフロ）の顔ぶれ

特に政治・経済分野における男女格差が指摘(してき)されています。例えば、国会議員に占める女性の割合や、男女の平均賃金の差です。

岸田文雄(きしだふみお)内閣（2023年９月時点）では、過去最多に並ぶ５人の女性が国務大臣に就きました。しかし、これは全体の３割にも届きません。同じＧ７の国の中では、ドイツやカナダが男女半々なのに比べると、かなり見劣(みおと)りします。

つくる責任、つかう責任

日本はこれまで、大量の汚(よご)れたプラスチックごみ（プラごみ）を中国などに輸出してきました。しかし、輸出先ではプラスチックのリサイクルを巡(めぐ)り、劣悪(れつあく)な労働環境や児童労働の問題、あるいは不法投棄(とうき)やダイオキシンの発生などの環境問題が起きました。日本の輸出量は2013年をピークに減少していますが、2022年は約56万㌧。大半を東南アジアなどの途上国に輸出しています。

▶ベトナムの埋(う)め立て処分場でプラごみを集める女性＝2021年。ベトナムは主な輸出先の一つだ

その他の目標の課題の例

気候変動に具体的な対策を
化石燃料の燃焼などに伴(ともな)う二酸化炭素排出量(はいしゅつりょう)

海の豊かさを守ろう
漁業などによる水産資源への悪影響、海洋汚染

陸の豊かさも守ろう
生物多様性に重要な淡水域(たんすいいき)や、絶滅危惧種(ぜつめつきぐしゅ)の保護

テキストの各テーマには関連するSDGsのアイコンを掲載(けいさい)しています。社会課題とその解決に向けて、さらなるヒントを探してみよう。

1 私たちの民主主義

TOPICS

- ▶投票率 低い若者、高い高齢者(こうれいしゃ)
- ▶衆院選の定数「10増10減」へ
- ▶理解しよう 日本の政治や選挙の特徴(とくちょう)

練習問題 92ページへ

民意を代表者に託(たく)す「選挙」

ある集団で物事を決めることを、広い意味で**政治**といいます。その方法はいくつかあります。多くの場合は、集団に属する人々（構成員）が話し合いなどで物事を決める、という方法がとられています。こうした制度や考え方を**民主主義**といいます。

例えば、学校の文化祭でクラスの出し物を決める時、学級会で議論することも民主主義の一例です。構成員全員が物事を決める手続きに関わる方法を**直接民主主義**といいます。

国のように集団の規模が大きくなる場合は、構成員が自分たちの意見を代弁してくれる代表者を選んで、その代表者が政治を担う方法もあります。これを**間接民主主義**といいます。特に、複数の代表者たちが議会で話し合って物事を決めるやり方を**議会制民主主義**と呼び、日本をはじめ多くの国々で採用されています。代表者を選ぶことを**選挙**といい、民主主義を支える重要な仕組みです。

できるだけ多くの国民が納得する政治が行われるためには、国民の多様な意見が議会に反映される必要があります。選挙の仕組みがうまく機能すればよいのですが、現実には必ずしもそうなっていません。どんな課題があるのでしょうか。

POINT

「18歳(さい)選挙権」への道のり

日本では現在、18歳以上の男女に選挙権（選挙で投票する権利）があります。このように、一定の年齢(ねんれい)に達した全国民が選挙権を持つことを、**普通選挙**(ふつう)といいます。普通選挙は今日では当然のように思われます。しかし、日本では昔、財産（納税額）などで選挙権が制限されたり、女性には与(あた)えられなかったりしました。男女普通選挙が実現したのは、第二次世界大戦後のことです。この時に選挙権を得たのは「20歳以上」。2016年に「18歳以上」に引き下げられたことは大きなニュースになりました。2022年４月からは成人年齢も18歳となり（☞50ﾍﾟ）、積極的な社会参加が期待されています。

▲初の男女普通選挙となった衆議院議員選挙で投票する女性＝東京都で1946年

Yes? No? 投票したい政党や候補者が見当たらない…「棄権(きけん)や白票で抗議(こうぎ)」する？ しない？

■ する

- 「投票」が意思表示なら、投票しない「棄権」や何も書かない「白票」も立派な意思表示だ。
- 魅力的(みりょくてき)な公約を示すのは政党や候補者の責務だ。棄権や白票が多ければ彼(かれ)らは危機感を持つ。

■ しない

- 棄権や白票は組織的に票を集める陣営(じんえい)を有利にする。全政党・候補者への警告にはならない。
- 何を伝えたいのか他人に分からない。「よりましな政党や候補者」に投票すべきだ。

18、19歳の投票率は低迷

課題としてまず挙げられるのが投票率です。**衆議院議員**や**参議院議員**を選ぶ選挙（☞10ページの図）の投票率は近年、おおむね50％台で推移し、有権者の約半数が棄権している状況です。中でも10～20代の若者の投票率の低さが目立ちます。例えば、2022年の参院選（選挙区）の18、19歳の投票率は35.42％（抽出調査）で、全体平均の52.05％を大きく下回りました。

若者の投票率が低い一方、高齢者は高い傾向です。2021年の衆院選（小選挙区）の投票率は、20代が36.50％だった一方、60代は71.43％で全体平均（55.93％）を大きく上回りました（☞左下のグラフ）。少子高齢化（☞40、41ページ）を背景に、若者の数は高齢者よりも少なくなっています。そのうえ投票率も低ければ、若者の意思はますます政治に反映されにくくなるという心配もあります。

選挙の投票は、日本国憲法で保障された国民の権利です。同時に憲法は、保障された権利を守るために国民は絶えず努力しなければならない、とうたっています。**期日前投票**や**不在者投票**など、投票しやすくするための制度も整えられています。有権者の皆さんは活用してみましょう。

▼衆議院議員選挙の年代別投票率の推移

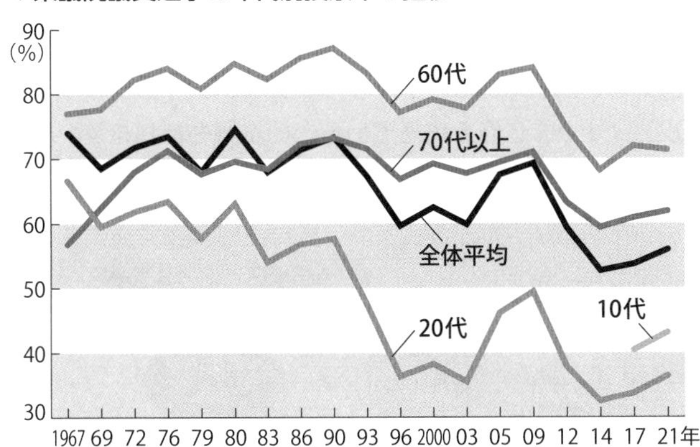

少ない日本の女性議員

日本では「女性の議員が少ない」という課題もあります。例えば衆議院議員に占める女性の割合は10.3％、参議院議員は26.6％（2024年１月時点）です。特に衆議院の数字は186カ国中166位（2023年12月時点）で、世界的にみても低いです。

女性議員を増やすためにはまず、選挙に立候補する女性を増やす必要があります。そこで2018年、**政治分野における男女共同参画推進法**が施行されました。政党などに対して、国や地方での選挙の候補者数をできる限り男女均等にする努力をするよう求める法律です。

この法律が施行されてから２回目となる2022年の参院選では、女性の立候補者は全候補者（545人）の33.2％で、衆院選を含めた国政選挙で初めて３割を超えました。

ただ、現状の議員割合は男女均等には程遠いと言えます。政治分野における男女共同参画推進法に罰則はなく、政党の自主的な努力に任せるのは限界だ、という指摘もあります。

WORD

期日前投票と不在者投票

◆**期日前投票**……多くの場合は自分の住民票がある市区町村（選挙人名簿登録地）の期日前投票所で、事前に投票できる仕組みです。投票日当日に仕事や旅行などの理由で投票所へ行けない人が利用できます。

◆**不在者投票**……選挙期間中に選挙人名簿登録地の市区町村にいない人が、投票用紙などを取り寄せて滞在先で投票できる仕組みです。例えば、住民票を実家に残したまま就職や進学などで親元を離れた人が利用できます。

1票の格差 縮める対策

選挙を巡(めぐ)る課題には「**1票の格差**」もあります。格差が「日本国憲法に違反(いはん)するかどうか」を判断する最高裁判所は、これまで複数回の国政選挙について「違憲」や「違憲状態(いけん)」との判断を下してきました。これを受けて、国は格差を縮めようと、選挙区ごとの定数やその配分の見直しを何度も行ってきました。

例えば参議院議員選挙では、鳥取県と島根県、徳島県と高知県の選挙区をそれぞれ統合した「**合区**」(☞139ページ)を導入(2015年)したほか、各選挙区の定数見直しを進めてきました。

衆議院議員選挙では、都道府県別の小選挙区の定数を「**10増10減**」とすることを決め(2022年)、ほかに10道府県で小選挙区の区割りを見直します。「10増10減」とは、議員1人当たりの有権者数が多い地域(東京都など都市部の5都県)の定数を10増やし、少ない地域(地方の10県)の定数を10減らすことです。2024年以降の衆院選から適用されます。

こうした対策を講じることで、衆院選では、1票の格差が前回(2021年の最大2.08倍)と比べて最大1.999倍にまで縮まると見込(こ)まれます。ただ、都市部への人口集中と地方の過疎化(かそか)(☞20ページ)が進む中、2023年の人口動態調査に基づくと、「10増10減」を適用しても格差はすでに2倍を超(こ)えているとの試算もあります。

WORD

1票の格差

有権者が投じる1票の価値が選挙区によって異なる場合、その状態を「**1票の格差**」がある、と言います。

ある選挙で、右の表のように議員を選ぶとします。議員1人当たりの有権者数(=有権者数÷定数)は、A選挙区が3万人、B選挙区が6万人です。議員1人当たりの有権者数が多いということは、その分だけ有権者一人一人の意見が議員に届きにくくなると言えるので、1票の価値は小さくなります。3万人で1人を選ぶA選挙区と、6万人で1人を選ぶB選挙区の間には、1票の価値に2倍の格差があると言えます。

	A選挙区	B選挙区
有権者数	6万人	18万人
定数	2	3
議員1人当たりの有権者数	3万人	6万人

1票の格差 2倍

国会議員を選ぶ選挙では、人口が多い都市部と、少ない地方の間で格差が生じています。1票の価値に違(ちが)いがあると民意が正しく反映されない場合もあり、憲法14条が定める「**法の下(もと)の平等**」に違反する、などと問題視されています。

▼国会議員を選ぶ選挙の仕組み

	衆議院(定数465/任期4年/解散あり) 小選挙区	衆議院 比例代表	参議院(定数248/任期6年/3年ごとに半数を改選) 選挙区	参議院 比例代表
選挙の範囲	289の選挙区ごと(選挙区ごとに1人選ぶ)	11のブロックごと(ブロックによって6~28人を選ぶ)	45の選挙区ごと(選挙区によって1~6人を選ぶ)	全国共通(全国で50人を選ぶ)
投票の仕方	候補者1人の名前を書く	政党名を一つ書く	候補者1人の名前を書く	政党名と候補者名のどちらか一つを書く
当選者の決め方	得票が1位の人*	①得票数に応じて、各政党に議席を割り振る ②各政党の候補者名簿で、順位の高い人から当選する	得票が多い順	
	289人が当選	176人が当選	74人が当選	50人が当選

比例代表選挙(参議院)の仕組み
①得票数(政党名の得票と、その政党に所属する候補者名の得票の合計)に応じて、各政党に議席を割り振る
②各政党の中で、候補者名の得票が多い人から順に当選する。ただし、特定枠(設定するかどうかは各政党が決められる)の候補者は、他の候補者に優先する

*衆議院の場合、政党に所属する小選挙区候補者は同時に、比例代表にも立候補できる。小選挙区で落選しても、一定の条件を満たせば比例代表で当選できる場合がある(「復活当選」とも呼ばれる)

日本の政治や選挙の仕組み

◆ 三つの機関が互いにチェック

日本の政治は、国の働きのうち**立法**を**国会**、**行政**を**内閣**、**司法**を**裁判所**が担い、チェックし合う仕組みになっています（☞右の図）。これを**三権分立**といい、憲法（☞15ページ）が定めています。一つの機関が強い力を持つと国民の権利を脅かしかねないため、三つの機関に分け、監視させ合う狙いがあります。

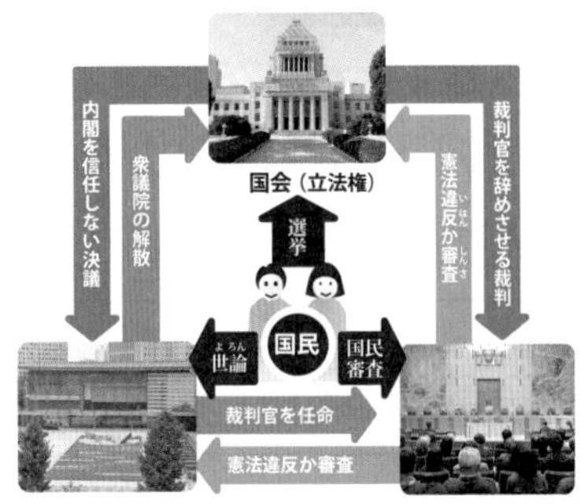

「**唯一の立法機関**」である国会は**衆議院**と**参議院**からなる**2院制**です。議員は「**全国民の代表**」として国民の選挙で選ばれます。内閣のトップである**内閣総理大臣（首相）**は、国会議員の中から国会の議決で指名され、天皇が任命します。このように国会と内閣が深い関係にある制度を**議院内閣制**といいます。

◆ 衆議院と参議院の特徴は？

衆議院は、参議院と比べた場合、選挙を通じて民意をきめ細かく反映できるとされています。議員の任期は衆議院（4年）のほうが参議院（6年）より短く、衆議院議員を全員辞めさせる「解散」という制度もあるためです。こうした考え方は「**衆議院の優越**」として、いくつかの制度に反映されています。代表的なのは、首相の指名方法です。衆参それぞれの議院の首相指名選挙で、異なる人が指名された時は、最終的に衆議院の指名が優先されます。どの政党を中心に内閣をつくるのかは、衆議院の中の力関係でほぼ決まるわけです。

一方、参議院には、政党の利害にとらわれず長期的な視野で衆議院の審議をチェックする「**良識の府**」としての役割が期待されます。ただ、政党所属議員が多数を占めるようになり、「衆議院のコピー」との批判もあります。

◆ 政党の役割は？

議会や選挙で大きな役割を果たすのが**政党**です。国民の意思を政治に反映させるため、同じ考えを持つ人たちが政権獲得を目指して団結した政治集団のことです。選挙で多くの国民の支持を得た政党が議会の多数派となり、政権を担当します（**政党政治**）。多数派で政権を担う政党を「**与党**」、それ以外を「**野党**」といいます。複数の政党が政策を取り決めて組織する政権もあります。これを「**連立政権**」といいます。

PLUS

行政のデジタル化へ 鍵はマイナカード

政府は、デジタル庁（☞140ページ）を中心に**行政手続きのデジタル化**を進めています。その鍵として位置づけているのが**マイナンバーカード**（マイナカード）です。マイナカードは、国民に割り当てられた12桁の個人番号（マイナンバー）や、住所、氏名が書かれたカードです。

健康保険証を2024年12月に廃止してマイナカードと一体化させる法律が成立し、政府は普及に力を入れています。マイナカードを持っている人の割合は人口の7割を超えました（2023年末時点）。

一方、2023年には、行政の窓口などで他人の個人情報をマイナカードに誤って登録するなどのミスが相次ぎました。マイナカードには、住所変更の手続きを一度で済ませられるといったメリットが期待されますが、こうしたトラブルもあって不安が広がっており、信頼回復が急がれます。

2 日本国憲法の行方

TOPICS

- ▶改正されず76年 憲法論議の今
- ▶「内閣の権限強化」に慎重意見も
- ▶皇室制度の維持 どうやって

練習問題 93ページへ

「改憲勢力」衆参で3分の2超

日本国憲法は第二次世界大戦後の1947年に施行されて以降、一度も改正されていません。改正されていない憲法としては「世界一の長寿」だと言われます。

憲法を巡っては、「9条のおかげで日本はこれまで戦争に巻き込まれなかった」など、その役割を評価し、今の憲法を変えずに守っていこう（**護憲**）とする意見があります。一方で、「施行後に日本社会は大きく変わった。時代に合わせてアップデートする必要がある」など**憲法改正**（**改憲**）を求める意見もあります。

国会では、改憲に前向きとされる四つの政党（与党第1党の自民党、公明党、日本維新の会、国民民主党）が、衆議院と参議院の両方で3分の2以上の議席を占めています（2024年1月時点）。改憲案の**発議**（国会が改憲案を決めて国民に提案すること）には、衆参各議院で「**総議員の3分の2以上**」の賛成が必要（☞**下の囲み**）で、現在は4党でその数に達しています。

これらの党は「改憲勢力」と呼ばれ、国会での改憲の議論をリードしています。ただし、「どの条文をどのように変えるか」といった意見は党によって異なります。

改憲テーマや各党の主張について、次ページ以降で詳しくみていきましょう。

◀会見で質問に答える岸田文雄内閣総理大臣（首相）。自民党の総裁（党首）でもある岸田さんは、改憲を目標に掲げている＝首相官邸で2023年11月

改正原案を国会に提出	衆議院100人以上、参議院50人以上の賛成が必要
↓ 衆参各議院の憲法審査会で審査	出席議員の過半数の賛成が必要
↓ 衆参各議院の本会議で可決	総議員の3分の2（衆議院310人、参議院166人）以上の賛成が必要
↓ 国会の発議	国民投票の広報・周知 ・公報 ・新聞、放送広告 国民投票運動 ・原則自由、方法の制限なし（投票日14日前からはテレビ・ラジオCM禁止） ・公務員や教育者の地位を利用した運動は禁止
↓ 発議から60日以後180日以内 国民投票	満18歳以上の国民が投票 有効投票総数の過半数の賛成で承認
↓ 憲法改正の公布	

POINT

法改正よりも高い改憲のハードル

改憲について憲法96条では、衆参各議院で「総議員の3分の2以上」の賛成を得て国会が発議し、国民の承認を得なければならない、と定められています。承認には、**国民投票**で賛成票が**過半数**を占める必要があります。

改憲のハードルが法律の改正（原則として衆参各議院で出席議員の過半数が賛成すれば成立）よりも高く設定されている背景には、憲法は国のあり方の基本を定めているので、簡単に改正されると政治が混乱する、といった考え方があります。

改憲の具体的な手続きは「**国民投票法**」で定められています。投票できる年齢は「**18歳以上**」です。

「9条」と「緊急事態条項」

改憲で大きな争点となってきたのが、平和主義（☞15ページ）の象徴である憲法9条❓です。

例えば、「**戦力の不保持**」を定めた9条2項と自衛隊の関係をどう考えるか、といった議論があります（☞下の「PLUS」）。自民党は、9条1項と2項には手を加えず、自衛隊の存在を明記する条文を新たに加える案を示しています。これに対して野党の一部には「9条や自衛隊のあり方が変わってしまう」という反対意見があります。また、「他国から攻撃された場合の自衛権はどこまで認められるか」も論点となってきました（☞138ページの「安全保障関連法」の項目）。

■「国民の権利」とのバランスは

近年は、大きな自然災害など緊急時の対応をまとめた「**緊急事態条項**」を憲法で定めるかどうか、についても議論が続いています。

具体策の一つは「**国会議員の任期を延長する**」という方法です。緊急事態が起きて、選挙が実施できないうちに国会議員の任期が切れると、国会が十分に機能しなくなる。そうならないよう備えておくべきだ、という考え方に基づきます。「国会議員の任期延長は必要だ」という点で改憲勢力は一致しています。

また「**内閣の権限を強める**」ことも検討されています。例えば、緊急事態で国会が開けず法律などを定められなくなったとき、内閣が法律と同じ効力を持つルールを定められるようにします。改憲勢力のうち自民党など3党は賛成していますが、公明党は、内閣に全てを任せることには慎重な立場です。

ただ、現在の憲法に、緊急事態に対応する規定がまったくないわけではありません。衆議院の解散中に緊急事態が起きて衆議院議員選挙ができないときは、「内閣が参議院議員を召集できる」と定められています（参議院の緊急集会）。改憲勢力以外の野党は「今ある規定で対応すべきだ」「内閣の権限を強めると国民の権利が損なわれる恐れがある」などと主張しています。

WORD

❓憲法9条

1項　日本国民は、正義と秩序を基調とする国際平和を誠実に希求し、国権の発動たる戦争と、武力による威嚇又は武力の行使は、国際紛争を解決する手段としては、永久にこれを放棄する。

2項　前項の目的を達するため、陸海空軍その他の戦力は、これを保持しない。国の交戦権は、これを認めない。

▶能登半島地震の被災地でがれきを撤去する自衛隊員＝石川県輪島市で2024年

PLUS

自衛隊の活動 憲法との関係は？

日本の平和と独立を守る**自衛隊**。前身となる「警察予備隊」は朝鮮戦争をきっかけに1950年、連合国軍総司令部（GHQ）の指令により発足しました。その後1954年に「自衛隊」となり、担当する国の役所として防衛庁（現在の防衛省）も発足しました。

自衛隊の任務には、日本を**侵略**（外国が攻めてくること）**から守る**ことのほか、大規模な自然災害などが起きた時に人々の生命や財産を守ること（**災害派遣**）や、国際平和のために海外へ行くこと（**国際平和協力活動**）などがあります。

憲法は9条2項で「戦力の不保持」を定めています。このため「自衛隊は事実上の戦力に当たり、その存在は憲法違反（違憲）ではないか」との「違憲論争」が長く続いてきました。

政府は「自衛のための必要最小限度の実力組織は、『戦力』に当たらない」として、自衛隊は憲法違反ではない（合憲）としています。

さまざまな改憲テーマ

日本国憲法改正（改憲）のテーマは、前ページで触れた「９条」や「緊急事態条項」以外にもたくさんあります（☞下の表）。

自民党は2018年、改憲案として４項目を挙げました。そのうち二つが「自衛隊の明記」「緊急事態条項の創設」で、残りが参議院議員選挙における選挙区の「**合区**（☞139㌻）」**解消**▽経済的な理由にかかわらず教育を受けられるようにする「**教育の充実**」――です。

他の政党では、例えば日本維新の会が「教育無償化」や「憲法裁判所の設置」を改憲によって実現すべきだ、と主張しています。また、立憲民主党は「内閣総理大臣（首相）による衆議院の解散権」や「臨時国会の召集期限」について議論を深める必要がある、との立場です。

政党間で異なるのは重視するテーマだけではありません。「改憲を急ぐべきか、焦らずじっくりと議論すべきか」といったスピード感も、まちまちです。一方、共産党や社民党は「改正せずに今の憲法を守るべきだ」と訴えています。

参議院の選挙制度 	参議院議員を「全国民の代表」（憲法43条）ではなく都道府県の代表にすれば、参院選での「１票の格差」の問題はなくなる。自民党は県をまたぐ「合区」の解消を主張している
教育無償化 	日本維新の会は、改憲案で「全ての国民は経済的理由によって教育を受ける機会を奪われない」と明記し、全ての学校教育の無償化を盛り込んだが、各党で温度差がある
憲法裁判所 	個別の法律が違憲かどうかを裁判所に直接問うことは基本的にできず、現行憲法は特別裁判所の設置を認めていない。憲法裁判所の設置など違憲審査権を充実すべきか
首相による解散権の制約 	衆議院解散の大半は憲法７条の規定（内閣の助言と承認による天皇の国事行為）に基づき、首相の「専権事項」とされる。ただ「解散権の乱用だ」として制約すべきだとの意見も
臨時国会の召集期限の明記 	憲法53条は、衆参いずれかの議院の総議員の４分の１以上が要求すれば、内閣は臨時国会の召集を決定しなければならないと定めるが、召集期限がなく事実上無視されたことも
環境権 	憲法制定時に想定していなかった新しい人権の一つとされる。対象を自然環境に限定するか、文化的・社会的環境まで含めるかで意見が分かれている

PLUS

「新しい人権」もテーマに

憲法を巡る議論のテーマには「**新しい人権**」もあります。憲法の制定時には想定されていなかったものの、社会のあり方や価値観の変化を受けて主張されるようになった権利のことです。

例えば、環境問題の深刻化に伴う「**環境権**」や、国民が権力に妨げられずに自由に情報を得る「**知る権利**」があります。近年はＳＮＳ（ネット交流サービス）の普及を背景に、個人情報保護などに関する「**プライバシー権**」を重視する声も強まっています。

新しい人権について、「憲法を改正して書き込むべきだ」とか「憲法は変えずに法律などで対応すべきだ」といった意見があります。

Yes? No? 憲法の改正に賛成？ 反対？

■賛成だ

・現在の憲法は連合国軍総司令部（ＧＨＱ）に押しつけられた。自主憲法を制定すべきだ。

・憲法の３大原理（☞15㌻）は守りつつ、社会の変化に対応できるように改正すべきだ。

■まず冷静に議論すべきだ

・「改憲派」と「護憲派」が単に主張をぶつけ合うのではなく、憲法が果たしてきた歴史的な役割を正当に評価したうえで、過不足がないか冷静に論じ合うべきだ。

■反対だ

・憲法は議会でも議論されてできたもので押しつけではない。国民にも広く浸透している。

・改憲派が指摘する憲法のさまざまな課題は、法律の改正で十分対応できる。

基本を確認しよう 日本国憲法

憲法は第二次世界大戦後の1946年11月３日に**公布**（国民に広く知らせること）され、翌1947年５月３日に**施行**（効き目を持つこと）されました。それぞれ「**文化の日**」「**憲法記念日**」として国民の祝日になっています。

◆ ３大原理

憲法は「**国民主権**」「**基本的人権の尊重**」「**平和主義**」の三つを基本原理としています。

国民主権とは「国の政治の決定権は国民が持ち、政治は国民の意思に基づいて行われるべきだ」という考え方です。「基本的人権」とは、人間が生まれながらに持っている基本的な権利のことで、憲法は「永久不可侵の権利」としています。平和主義とは、国際協調によって世界平和を維持するという考えです。

◆ 最高法規

憲法は「**国の最高法規**」とされ、国が定める法律や規則・命令はその下に位置づけられます。このため、憲法の規定に反する法律などは効力を持ちません。

憲法と象徴天皇

「**象徴天皇制**」も憲法の特徴です。天皇は「**日本国の象徴**」「**日本国民統合の象徴**」であり、その地位は「主権の存する日本国民の総意」に基づくと定められています。また、天皇は**国事行為**（☞下の「３級Check」）のみを行うとし、政治への関わりは禁じられています。

◆ 大日本帝国憲法との違いは？

日本国憲法は国民が定めた憲法（民定憲法）であるのに対して、明治時代に定められた大日本帝国憲法（明治憲法）は天皇が定めた憲法（欽定憲法）です。明治憲法の下で天皇は国の元首（国のトップ）とされ、政治の大きな権限（大権）が与えられていました。軍の指揮命令権（統帥権）も持っていました。国民は臣民（天皇の臣下）とされ、その権利は法律の範囲内で認められるに過ぎませんでした。

天皇の「公務」とは？

天皇の活動のうち、「**国事行為**」は憲法で定められています。具体的には、国会の指名に基づき首相を任命する▽国会を召集したり、衆議院を解散したりする――などです。国事行為は「**内閣の助言と承認**」による、つまり内閣が責任を持つと定められています。

憲法の条文には書かれていませんが、国の象徴としての立場に基づく「**公的行為**」と呼ばれる活動もあります。例えば、被災地への訪問▽戦没者慰霊▽外国から来た要人との会見――などです。

国事行為と公的行為を合わせて、天皇の「**公務**」と呼ばれます。

PLUS

皇室制度の課題

天皇と皇族を合わせて「皇室」といいます。皇室制度を巡って近年、いくつもの課題が指摘されています。

現在の決まりでは、皇位（天皇の位）を受け継げるのは男性皇族に限られています。天皇陛下より若い人では、秋篠宮さま（天皇陛下の弟）と、2024年９月に18歳で成年皇族となるその長男、悠仁さまだけです。一方、女性皇族は天皇・皇族以外と結婚すると皇室から離れる決まりなので、今後、皇族が減り、１人当たりの公務負担が重くなる心配もあります。

政府の有識者会議は2021年、皇族の数を確保するため、女性皇族が結婚後も皇室に残れるようにする▽天皇の子孫である男性の民間人を新たに皇族とする――の２案を出しました。皇室制度に対する考え方はさまざまで、制度の維持に向けてさらなる議論が求められます。

3 どうなる 外交と防衛

TOPICS

- ▶中国を意識する日本の外交
- ▶防衛費増額の財源は増税などで
- ▶ウクライナ侵攻で日露関係に影

練習問題 95ページへ

アメリカとの同盟を重視

日本は、アメリカとの関係を外交や防衛の基本と位置づけています。岸田文雄内閣総理大臣（首相）は、**日米安全保障条約**（☞18㌻）を土台とする日本とアメリカの同盟関係について、強化する必要がある、と主張しています。

その背景にあるのが中国の動きです。日本とアメリカが「自由」「民主主義」などの価値観を重んじる点で共通するのに対して、中国はこれらの価値観とは一線を画しています。また、軍事力を急速に強めています。このままでは日本の平和と安全が脅かされかねない――。こうした考えから、政府は防衛費を増やしたり（☞17㌻）、自衛隊とアメリカ軍の協力を深めたりする方針を打ち出しています。

近年は中国を意識して、アメリカだけでなく、価値観を共有する他の国々との連携強化にも動いています。例えば韓国やオーストラリア、西ヨーロッパの国々です。また、**グローバルサウス**（☞88㌻）と呼ばれる新興国や途上国との関係も重視しています。

一方、中国に対しては、経済など互いの利益になる分野では話し合って協力しよう、という立場です。ただ、**尖閣諸島**（☞19㌻）の問題など、両国間には多くの課題があります。

日中関係では、東京電力福島第１原子力発電所（原発）の「処理水」の海洋放出（☞75㌻）について、中国が強く非難していることも気がかりだよ。

韓国・北朝鮮との関係は

日本と韓国の関係は少し前まで、「国交正常化（1965年）以降で最悪」とも言われるほど冷え込んでいました。その要因の一つは**徴用工問題**（☞140㌻）です。日本は韓国の対応に不信感を募らせていました。2022年に大統領に就任した尹錫悦さんが解決策を示すと(2023年)、日本はこれを評価し、関係改善が進みました。

両国間にはほかにも、**竹島**を巡る領土問題（☞19㌻）など課題が山積しています。それでも、日本は韓国を「極めて重要な隣国」と位置づけています。韓国は日本と同様にアメリカと同盟を結んでいて、中国や北朝鮮と向き合ううえでは日韓関係も大切だからです。

一方、日本は北朝鮮を「差し迫った脅威」と位置づけています。ミサイルを含めた核兵器関連の技術を高め続けているからです。実際、北朝鮮の弾道ミサイル発射に対して警戒や避難を呼びかける「全国瞬時警報システム（**Jアラート**）」がたびたび発令されています。また、北朝鮮による**拉致問題**（☞141㌻）は、解決の糸口が見えないまま長期化し、被害者家族の高齢化が進んでいます。

▲3カ国の首脳会談に際して記念撮影する（左から）アメリカのバイデン大統領、岸田首相、韓国の尹大統領＝広島市で2023年５月

▣ 防衛費 GDP比2％へ大幅増

政府は2022年末、「防衛費をこれまでよりも大幅に増やす」との方針を決めました。日本を取り巻く環境が厳しさを増しており（☞16ページ）、防衛力を強化する（例えば、日本へ飛んできたミサイルを撃ち落とすための装備を買う）必要があるからだ、と説明しています。

防衛費はここ20年ほど、５兆円前後で推移してきました。国内総生産（ＧＤＰ、☞26ページ）の約１％に相当する金額です。これを2023年度から2027年度の５年間で段階的に増やし、関連する費用を含めてＧＤＰ比で２％にする、としています。この方針を踏まえて、国の2023年度当初予算（一般会計）には防衛費として約6.8兆円が盛り込まれました。2022年度（約5.4兆円）と比べると約1.4兆円の増加です。また、政府の2024年度当初予算案ではさらに増え、約7.9兆円とされました。防衛費を増やすためのお金（財源）について政府は、支出の無駄を削ったり、増税したりしてまかなうとしています。増税は法人税、所得税、たばこ税が対象で、実施時期は未定です。

ただ、一連の政策に対しては例えば「日本が防衛力を強化すれば、周辺の国々が脅威に感じて『ならば自国も』と軍事力を強め、かえって緊張を高める恐れがある」といった、不安や批判の声も聞かれます。

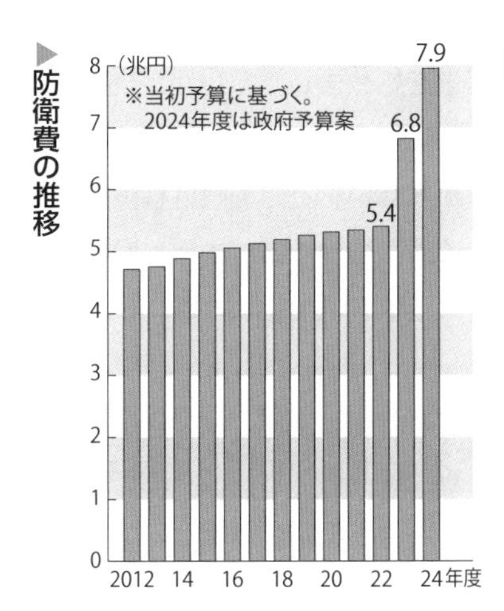

Yes? No? 防衛費の大幅増額に賛成？ 反対？

■賛成だ

・日本を取り巻く環境は厳しさを増している。それに応じて、国を守るためのお金も増やす必要がある。

・「自分の国は自分で守る」のが国のあり方の基本だ。アメリカに頼り過ぎるべきではない。

■反対だ

・日本が防衛費を増やせば、周辺の国々も対抗して軍事費を増やすだろう。軍備拡張競争に陥って、日本周辺は逆に不安定になる。

・防衛よりも、少子化対策など子ども関連の政策にお金を優先的に使うべきだ。

PLUS

ウクライナを支援 ロシアには制裁

日本はロシアによる軍事侵攻を受けているウクライナ（☞80ページ）に対して▽お金や物資（食料、医薬品、防弾チョッキなど）を提供する▽ウクライナからの避難民を受け入れる――などの支援をしています。2023年には、岸田首相がウクライナを訪問して連帯の気持ちを示しました。ウクライナのゼレンスキー大統領も、広島で開かれた主要７カ国（Ｇ７、☞139ページ）の首脳会議（サミット）に合わせて来日し、支援への感謝を伝えました。

一方、ロシアに対しては経済制裁（☞139ページ）を科し、日本とロシアの間の貿易を制限するなどしています。

◀平和記念公園を訪れて原爆慰霊碑に献花したゼレンスキー大統領（左）＝広島市で2023年5月

ウクライナ侵攻は**北方領土**（北方四島、☞19ページ）の問題に大きな影響を及ぼしています。日本の経済制裁にロシアが反発し、平和条約の締結に向けた交渉を中断すると発表しました。侵攻を機に日本とロシアの関係は悪化し、領土問題の解決は一層遠のいたと言えます。

時事力 Basic　3　どうなる 外交と防衛

日米同盟と在日米軍基地

日本はアメリカと**日米安全保障条約**🔑を結んでいます。この条約に基づいて日本は、アメリカ軍（米軍）に施設や土地を無償提供しています。こうした**在日米軍基地**は全国に76カ所あり、うち31カ所が沖縄県にあります（2023年１月時点、以下同じ）。面積で計算すると、基地の約70%が、国土面積では0.6%ほどの沖縄に集中しています。日本全体を守るための在日米軍基地ですが、基地による騒音や危険の負担は沖縄の人たちが負ってきたと言えます。

沖縄の基地問題では長年、**普天間飛行場**（宜野湾市）＝**写真**＝が焦点になってきました。

普天間飛行場は、周囲に住宅や学校などが密集し、「世界一危険な飛行場」とも呼ばれます。アメリカは1996年、返還を約束しましたが、代わりの飛行場を造ること（移設とも呼ばれます）が条件とされ、移設先には名護市**辺野古**の沿岸部が選ばれました。

政府は「辺野古移設が唯一の解決策だ」との立場で、2018年に沿岸部の埋め立て工事を始めました。しかし、県民の中には「それでは負担軽減につながらない」として県外移設を求める声も根強くあります。県は政府に工事の中止を求めています。

WORD

🔑 日米安全保障条約

日本とその周辺の平和と安全を守ることを目的とした、日本とアメリカの軍事行動の取り決めです。1951年に署名され、1952年に発効。1960年に改定されました。日本が外国から攻撃を受けた時、米軍は自衛隊と一緒に日本を守る▽代わりに日本は、在日米軍に施設や土地を提供する——というのが主な内容です。

国の「領域」と海の主な分類

国の**主権**（外国から支配されずに、自国のあり方を決める権利）がおよぶ範囲を**領域**といい、**領土**、**領海**、**領空**（領土と領海の上空）から成ります（☞**右下の図**）。

海は主に、海岸から近い順に▽**領海**▽**排他的経済水域**（ＥＥＺ）▽**公海**——に分類されます*。

領海は海岸から12カイリ（約22キロ）までです。外国の船は、沿岸国の平和などを害さなければ通れます。ＥＥＺは海岸から200カイリ（約370キロ）までで、領海の外側です。魚や海底資源（石油など）を沿岸国が独占できます。外国船は自由に行き来できますが、勝手に漁や資源の採掘をすることはできません。公海はＥＥＺの外側で、どの国にも属していません。ルールさえ守れば、どの国も漁ができます。

日本には、海岸線が100メートル以上の島が約１万4000もあります。このため領海とＥＥＺを合わせた面積は約447万平方キロと世界６位で、国土面積（約38万平方キロで、世界61位）の10倍以上です。

※数字は海岸からの距離で、単位はカイリ（１カイリは1.852キロ）

領空　12　200
0
領土　領海　排他的経済水域（EEZ）　公海
海

＊この他、領海の外側（ただし海岸から24カイリ＝約44キロ＝まで）に「接続水域」が設定される場合もあります。

日本の領土を巡る現状

◆ 北方領土

歯舞群島、**色丹島**、**国後島**、**択捉島**の４島から成ります。日本政府の立場では、昔から日本の領土です。しかし1945年、第二次世界大戦で日本が敗北を認めた直後、ソ連（現在のロシア）が占拠を始めました。ソ連は日本と国交を回復した1956年、「将来、日本と平和条約を結んだら、歯舞群島と色丹島を引き渡す」と約束しました（**日ソ共同宣言**、☞140㌻）。しかし、平和条約はいまだに結ばれず、返還の見通しも立っていません。

◆ 竹島

二つの小島などから成ります。隠岐諸島の北西約160㌔の日本海にあり、島根県隠岐の島町に属します。日本政府と島根県は1905年、竹島を日本に組み入れる正式な手続きをしました。第二次世界大戦後、韓国は「独島（竹島の韓国名）は我々の領土なのに、日本が韓国を植民地にする過程で奪った」と主張。警備隊を派遣し、現在までとどまり続けています。日本は「竹島問題の解決を国際司法裁判所に頼もう」と提案したことがありますが、韓国は断りました。

◆ 尖閣諸島

５島と岩から成ります。石垣島の北約170㌔の東シナ海にあり、沖縄県石垣市に属します。日本政府は1895年、外国の支配が及んでいないことを慎重に確かめて、領土に組み入れました。中国、台湾は、周辺の海底に石油資源がある可能性が分かった後の1971年から、領有権を主張しています（中国は「釣魚島」、台湾は「釣魚台」と呼んでいます）。日本政府は「歴史的にも国際ルール上も明らかに日本の領土なので、領土問題は存在しない」という立場で、二つの領土問題（北方領土、竹島）とは区別しています。

PLUS

緊張続く尖閣　中国船が領海へたびたび侵入

尖閣諸島周辺では近年、領有権を主張する中国との間で緊張状態が続いています。日本政府は2012年、尖閣諸島のうち３島を、民間人から買って国有化しました。これに中国は猛反発。日中関係は冷え込みました。国有化以降、周辺の海には中国公船（政府の船）が頻繁に現れるようになり、2023年には合計で42日間、領海に侵入しました（☞右のグラフ）。

▼尖閣諸島周辺での中国公船の活動状況

※海上保安庁の資料を基に作成

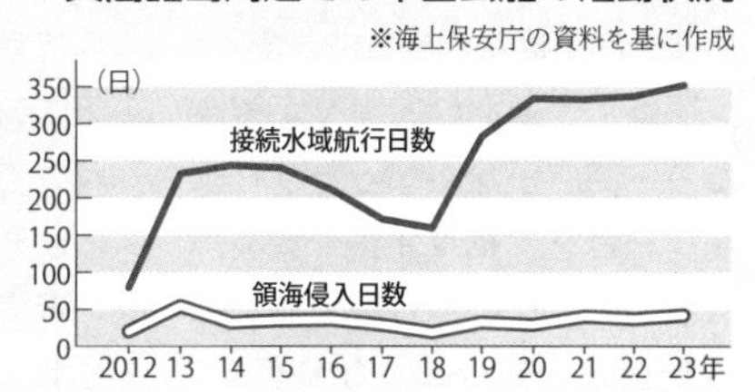

4 地方自治のいま

TOPICS

▶止まらぬ「東京一極集中」と「過疎化」

▶制度の是非を考えよう ふるさと納税

▶ポイント解説 地方自治の基本

練習問題 96ページへ

人口の3割が東京圏に集中

日本の人口は減り続けています（☞40、41ページ）。それにもかかわらず、都市部、とりわけ東京圏（東京都、神奈川県、埼玉県、千葉県）には大勢の人が住み、日本の人口の約3割が東京圏に集中しています。

一般に、都市部には多くの企業があり、住民の暮らしを支えるサービス業も盛んです。大学も都市部に集まっています。就職や進学を機に若者などが地方から都市部へやって来て、そのまま住み続ける場合も多いです。人口が都市部、特に東京圏に集まる**東京一極集中**が進んできた背景には、こうした事情があります。

一方、この現象は地方の立場からすれば、人が東京圏などの都市部へ流出し続けてきた、と言えます。人口が減れば働き口も減り、地方の人々は仕事を求めて都市部へ移り住みます。このように、「地方から都市部へ」という人の流れが長年にわたって続いてきたのです。

同様の傾向は今後も見込まれます。国の推計によると、東京圏の人口は2025年をピークに減少に転じるものの、全国の人口に占める割合は上がり続けるとされます。

▼東京一極集中は今後も続く見込みだ

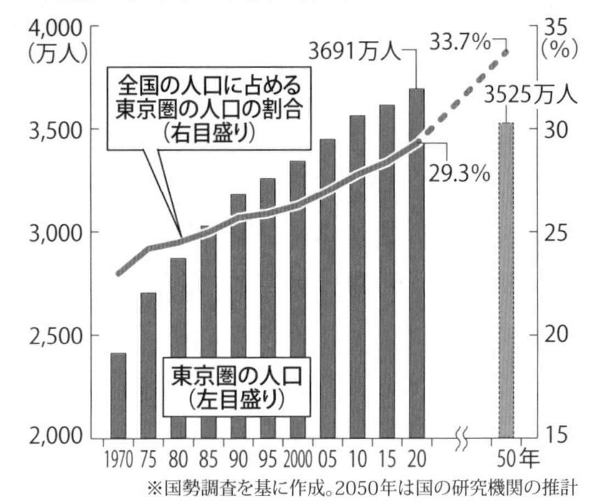

※国勢調査を基に作成。2050年は国の研究機関の推計

POINT

過疎化でどうなる？

人口が減った地域の中には、**過疎化**が深刻なところも少なくありません。過疎化は、人口が極端に減り、生活に必要な地域の仕組みが損なわれることです。

過疎化が進むと、産業が衰えたり、商店がなくなったりします。税金を支払う住民や企業が減るので、その地方自治体が得る税金収入も少なくなります。すると、税金などで費用をまかなう行政サービスが、縮小・廃止される場合もあります。例えば図書館が廃止されたり、水道料金が高くなったりします。

ほかにも▽鉄道やバスの利用者が減って、運行本数が減らされたり路線が廃止されたりして、移動が不便になる▽子どもや若者が減って、学校が統廃合されてなくなったり、祭りなどの伝統行事を受け継ぐのが難しくなったりする——などの問題も生じています。

▲廃校になった小学校＝長野県で2023年

ふるさと納税の現状と課題

地域の人口減少による課題に対して、国や自治体はさまざまな手を打ってきました。その一つが**ふるさと納税**❓です。

ふるさと納税については「自治体の創意工夫を促し、地域の魅力をアピールする機会を作っている」「住民以外からお金を得られて、自治体の収入増につながっている」と評価する声があります。一方で課題も指摘されています。

例えば**返礼品**の問題です。

各地の自治体はより多くのお金を集めようと、寄付をした人への「お礼の品」を充実させています。ブランド肉や魚介類といった特産品から、その地域に行かなければ体験できない活動まで、バラエティーに富んでいます。ただ、寄付額に比べて豪華な品物や商品券を返礼品に用意した自治体など、一部に寄付金が集中するようになりました。

こうした中で国は、自治体間で「返礼品競争」が過熱する事態を問題視。「自治体の取り組みを応援するという制度の目的と矛盾する」との理由から2019年に制度を改め、「返礼品は寄付額の３割以下で、地域の特産品に限る」としました。その後も国は制度を見直し続けており、ルールに違反した自治体を制度から外すといった厳しい対応をとっています。

しかし、国の規制に対しては「自治体の努力を妨げている」などの批判も上がっています。

住んでいる自治体(主に**都市部の自治体**)**の税収が減る**ことも問題になっているんだ。例えば東京都世田谷区では、2023年度に得られるはずだった税金のうち、100億円近くが区外に「流出」したよ。ごみ収集や保育所の運営など、行政サービスにはお金がかかるから困っているんだ。

WORD

❓ふるさと納税

応援したい自治体（自分の故郷など）にお金を寄付すると、住んでいる自治体などに納める税金がその分、減額される制度です。減額されるのは手数料2000円を除いた金額で、収入や家族の人数に応じて上限があります。実質的に、住んでいる自治体とは別の自治体に「納税」する形になるため、このように呼ばれます。

▼ふるさと納税の仕組み

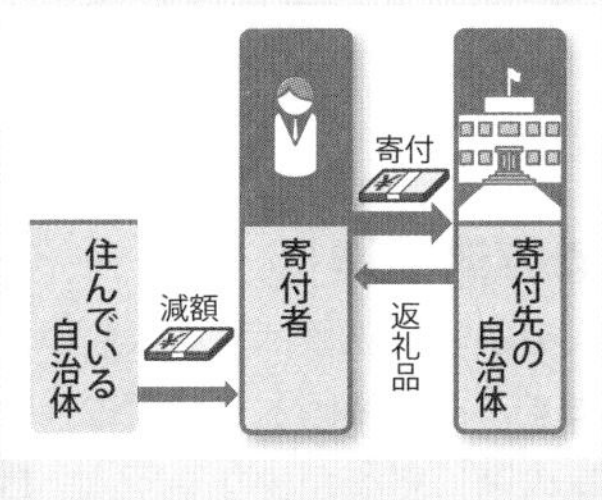

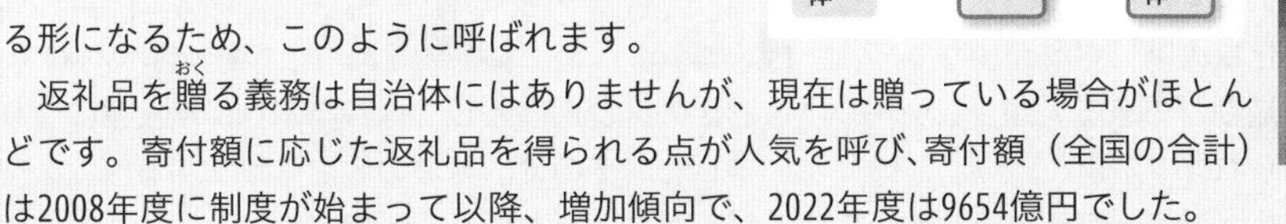

返礼品を贈る義務は自治体にはありませんが、現在は贈っている場合がほとんどです。寄付額に応じた返礼品を得られる点が人気を呼び、寄付額（全国の合計）は2008年度に制度が始まって以降、増加傾向で、2022年度は9654億円でした。

▲返礼品の例

Yes? No? 国による返礼品の規制に賛成？ 反対？

■**賛成だ**

・ふるさと納税は本来、自治体やその政策を応援するための制度だ。返礼品の豪華さで寄付先や寄付額が左右されるのは問題だ。

・いくら創意工夫が大事だとはいえ、商品券などを返礼品にするのは論外だ。一定のルール作りが必要だ。

■**反対だ**

・国の規制は、創意工夫の意欲を自治体から奪うことになる。日本国憲法が掲げる地方自治の理念とも相いれない。

・実態として、制度を利用する人の多くが返礼品によって寄付先を決めている。国民の選択肢をむやみに狭めるべきではない。

地方自治のイロハ

生活に密着した地域の課題は、住民が参加して意見を反映させ、解決していくことが基本です。地域の政治についてのこうした考え方や仕組みを**地方自治**といいます。

◆ 住民が選挙で代表を選ぶ

地方自治は、都道府県や市区町村といった**地方公共団体**（**地方自治体**）を単位とします。各自治体では住民と同様に、**首長**と**議会**が重要な役割を担っています。

首長とは都道府県知事や市区町村長のことで、執行機関（役所や役場）の長として行政を取り仕切ります。議会は議員で構成され、予算の議決や**条例**（その自治体の中だけで適用されるルール、☞23ﾍﾟｰｼﾞ）の制定などをします。

「地方自治は民主主義の学校」と言われることもあるよ。地方自治の経験を通して、民主主義の担い手が育つ、という意味なんだ。

▼地方自治の主な仕組み

◆ 国の政治との相違点・共通点

首長と議会の議員は、それぞれ住民による選挙で直接選ばれます。どちらも住民の代表として地域の政治に携わり、互いの仕事をチェックします。この仕組みは**二元代表制**と呼ばれます。一方、国の場合、選挙で国民から選ばれるのは国会議員のみで、行政のトップ（内閣総理大臣）は国会議員の中から国会の指名で決まります（☞11ﾍﾟｰｼﾞ）。ただ、選挙で選んだ代表者に政治を託す（この仕組みは**間接民主制**と呼ばれます）点では共通しています。

PLUS

なり手不足で増える「無投票」

近年、地方議会の議員の選挙に立候補する人が減り、問題になっています。その要因として▽政治への関心が低い▽仕事の割に報酬が少ない▽人口減少が進み、議員活動ができる人が少ない――といったことが挙げられます。

選挙に立候補する人が減り、定数以下しかいなければ投票なし（無投票）で当選者が決まります。総定数に占める無投票当選者の割合（無投票率）は高い状態が続いており、2023年の**統一地方選挙**（**統一選**）*では▽道府県議会議員選挙25.0％▽町村議会議員選挙30.3％――などを記録しました。都市部も例外ではなく、東京都中央区では、東京23区の区長選挙としては29年ぶりに無投票になりました。その分、地域の政治に参加する機会を有権者が失ったということです。

◀無投票が決まったことを知らせる紙が張られたポスター掲示板＝東京都中央区で2023年

議員のなり手を増やそう、という試みもみられます。例えば、議会を休日や夜間に開いたり、報酬を増やしたりする自治体があります。また、法律の改正によって2023年には、地方議員がこれまでよりも兼業（他の仕事と兼ねること）しやすくなりました。

＊**統一地方選挙（統一選）**……4年に1度、首長や議員の任期（4年）が終わる時期が近い全国の自治体の選挙をできるだけそろえて実施することです。経費の節約などが狙いです。有権者の関心を高めることも目的の一つですが、投票率は低い状態が続いています。また、首長の辞職や議会の解散などで時期がずれ、2023年の統一選で実施された選挙は、全ての地方選挙のうち3割弱でした。

地域の政治に直接参加

住民が地域の政治に参加する方法は、選挙以外にもあります。

一つは**直接請求**です。一定数以上の有権者の署名を集めて▽条例を定める▽首長や議員を辞めさせる▽議会を解散させる——といったことを求めることができます。

特定の問題について住民の意見を問う**住民投票**もあります。多くの場合、投票結果に自治体が従う義務はありませんが、自治体が政策について判断する材料の一つになり得ます。

ともに住民が政治に直接参加する**直接民主制**の仕組みで、間接民主制（☞22ページ）を補います。

地方自治の理想と現実

◆地域のことは地域で

自治体の仕事は、教育、消防、警察、上下水道など、住民の生活や福祉に直接関わります。このため、各自治体が地域の事情に応じて取り組むのが望ましい姿です。

地方自治の理念は第二次世界大戦後、日本国憲法に盛り込まれて保障されました。ただし実態としては、国が細かい部分まで口を出す**中央集権**がその後も長く続きました。

1990年代になると、「国と自治体は対等だ」「地域のことは地域で決めるべきだ」という考え方が強まりました。このため、自治体に任せられる仕事は自治体に、という**地方分権**の動きが進み、現在まで続いています。

◆地方税が基本だが…

自治体の仕事にかかるお金は、住民や企業などから集める税金（地方税）でまかなうのが、あるべき姿です。しかし、実際に自治体に入る税金は、必要なお金の３～４割しかなく、不足分は国から配分されるお金や、借金でまかなっています。都市部と地方の間で、税金収入に大きな開きがあるのも課題です。

▼地方自治体の主な収入

地方税	住民や企業などから集める税金。自治体が自由に使える
地方交付税	国が収入の少ない自治体に手厚く配るお金。使い道は自治体が自由に決められる
国庫支出金	国が使い道を指定して、自治体に配るお金
地方債	自治体の借金

特色ある各地の条例　「国より先にルール化」の例も

条例は、憲法や法律（国のルール）に反しなければ、国の定めたルールより範囲を広げたり、国のルールにはない罰則を設けたりすることもできます。例えば、京都府亀岡市の「レジ袋提供禁止条例」（プラスチック製レジ袋を店が提供することを、有料でも禁止する）や、神奈川県川崎市の「ヘイトスピーチ禁止条例」（外国人や外国にルーツのある人たちへの差別や憎悪をあおる言動を、罰則付きで禁止する）などがあります。

自治体が国に先駆けてルールを定めることもあります。請求に応じて公文書を公開する「情報公開条例」は1980年代初め以降、各地で制定されました。国の情報公開法（2001年施行）に先行した動きです。他人のたばこの煙を吸わされる受動喫煙（☞71ページ）の防止でも、一定規模の飲食店などに禁煙または分煙を義務づける条例を神奈川県が2009年に作った後で、国が2018年、同じような法律を整備しました。

5 足踏みする日本経済

TOPICS

- ▶相次ぐ値上げ…経済成長の足かせに
- ▶「金融緩和」維持の日銀 迫る軌道修正
- ▶2024年度予算案 2年連続で110兆円台

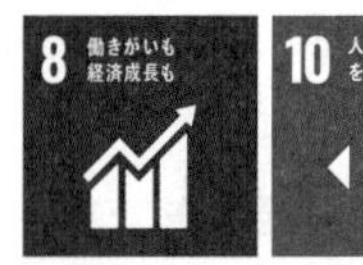

練習問題 98ページへ

2023年も値上げラッシュ

日本は2022年４月以降、ものの値段が上がり続ける「**インフレーション（インフレ）**」の傾向にあります。2023年も値上げラッシュが止まらず、食料品だけでも延べ３万品目以上が値上げされました。

総務省（国の役所）が公表している「**消費者物価指数**」によると、2020年の全国の**物価**（☞下の囲み）の平均を100とした場合、2023年（総合指数、全国平均）は105.6でした。

例えば、値上げが目立った食料品のうち、上昇幅が大きかった牛乳は、牛の飼料代の上昇が主な要因です。日本は牛の餌となる穀物の大半を輸入に頼っていますが、**円安**（☞32ページ）によって値段が高騰しているのです。

宿泊料などサービスの値段も上がっています。原油などエネルギー資源の高騰で光熱費が上がっているほか、人を雇うためにかかるお金も増えていることなどが要因です。

■約13兆円の補正予算が成立

日本では新型コロナウイルスの流行がようやく落ち着き、経済活動も活発化しています。しかし、値上げラッシュで企業も消費者も「値上げ疲れ」をしていて、経済成長の足かせになっています。このため2023年11月、経済状況を改善するための対策費用を含む、計約13兆円の2023年度**補正予算**（☞27ページ）が国会で成立しました。ただし、このうち約９兆円は、国の借金である**国債**を追加発行することで賄いました。

POINT

値段はどうやって決まる？

ものやサービスの値段の動きを知りたい時は「消費者物価指数」を見てみて！　毎月公表されるから、みんなも確認してみよう。

ものやサービスの値段は、「**需要**」（それを欲しがる人がどれだけいるか）と、「**供給**」（それを欲しがる人に提供できる量）のバランスで決まります。供給が需要を上回れば値段は下がり、逆に需要が供給を上回れば値段は上がるのが基本的な仕組みです。

ものやサービス全体の値段の平均値を、一定の方法を使って算出したものを「物価」といいます。物価は上がりすぎても下がりすぎても、さまざまな所に悪い影響が出るため、緩やかに上昇するくらいが景気が上向くのにはちょうど良いとされます。

ただ、「良い上昇」と「悪い上昇」があります。良い上昇とは、景気が良く、ものやサービスの需要が高まった結果、物価が上がることです。一方で悪い上昇は、円安やエネルギー資源の高騰で、ものやサービスの費用がかさんだ結果、物価が上がることです。消費者の負担が増すだけなので、良い上昇とは区別されます。

▼ものの値段はこう決まる

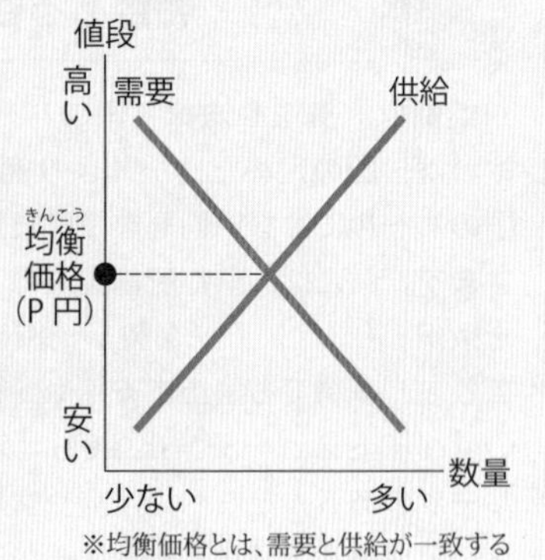

※均衡価格とは、需要と供給が一致する値段のこと

日銀 金融政策を正常な状態に…？

急速に進むインフレを抑えるため、世界の**中央銀行**の多くが2022年以降、**金融引き締め**を実施（☞26、28㌻）する中、**日本銀行**（日銀）は、2013年から実施している異次元の**金融緩和**（☞26㌻）を続けてきました。ですが、いよいよ日銀も、金融緩和から脱して金融政策を正常な状態に戻すと予想されています。

■毎年２％ずつ物価が上がる状態に

日本では昨今インフレの傾向が続いていますが、実はこれまで長い間、ものの値段が下がり続ける「**デフレーション（デフレ）**」に苦しんできました。これを問題視した安倍晋三さん（当時の内閣総理大臣）が、経済を活性化する政策の一つとして「大胆な金融緩和」を掲げました。日銀はこれを主導し、前例のない規模の金融緩和を実施して、物価が毎年「２％」ずつ上がる状態を目指してきました。

金融緩和によって世の中に出回るお金の量が増えれば、経済状況も良くなって物価も上がり、デフレから脱却できる――との想定のもと、金利❓を引き下げたり、大量の国債を買い入れたりしてきました。

■円安が進む大きな要因にも

ロシアによるウクライナ侵攻（☞80㌻）などをきっかけとしたさまざまなものの値上げの影響で、日本では2022年４月以降、物価の上昇率が日銀の目標である「２％」を超える状態が続きました。しかし、物価が上がる中で、働く人の給料の上げ幅がそのペースに追いついていない、などの理由から金融緩和を維持します。

ただ、日本で値上げが相次ぐ一因となっている「円安」が進む背景には、世界の主要な中央銀行が相次いで金利を引き上げる中で、日銀が低い金利を維持し、「金利の差が拡大したこと」があります。金利の高い国でお金を運用したほうがもうかると考えた投資家らが、金利の低い日本の円をどんどん売って、金利の高いアメリカのドルなどを買っているのです。こうした動きが急激な円安を生んでしまいました。

これを踏まえて日銀は2022年12月以降、金融緩和の大枠は維持しながら政策を微修正してきました。しかし、金融緩和による〝副作用〟は解消しておらず、金融政策を正常な状態に戻す可能性が高まっています。

WORD

❓金利

お金を借りる際、そのお金の使用料として借り手が貸手に払うお金を「利子」といいます。金利は、借りたお金に対する利子の割合のことです。日銀は、一般の銀行からお金を預かる際の金利（政策金利）を上げ下げ（**利上げ／利下げ**）することで景気の安定を図っています。

PLUS

当初予算案 112 兆円

政府の2024年度当初予算案（一般会計）は、総額112兆5717億円となりました。過去最大だった2023年度（114兆3812億円）を下回りましたが、年度当初の予算で110兆円超えは２年連続です。

歳出（支出）では例えば、高齢化の進行で膨らみ続ける社会保障費が2023年度と比べて２％、国の借金返済に必要な費用（国債費）が７％増えました。**歳入**（収入）では、**税収**（☞27㌻）などだけでは足りない35兆4490億円を、国債を新たに発行して賄う計画です。

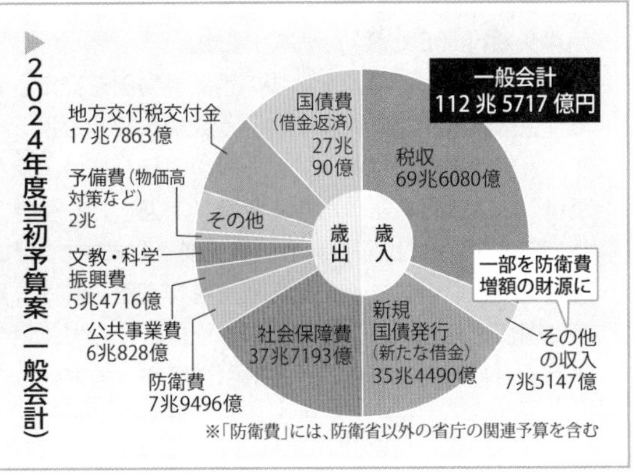

GDPの基礎知識

その国の経済規模（経済活動がどのくらい盛んか）を測るものさしとして「**国内総生産（GDP）**」がよく使われます。日本のGDPは近年500兆円台で、アメリカ、中国に次いで3番目の規模です（2022年時点）。著しい経済成長を遂げた中国に2010年、追い抜かれました。

国際通貨基金（IMF）は2023年10月、2023年の日本の名目GDPがドイツに抜かれ、世界4位になるとの見通しを発表したよ。近い将来、インドにも抜かれてしまうみたい。

GDPは、国内で一定期間（普通は1年間）に生み出された**付加価値**の合計を指します。付加価値とは、企業などの生産活動によって、原材料や商品に付け加えられる価値のことです。

◆「GDP成長率」と「年率換算」

内閣府は3カ月ごとにGDPの「金額」「成長率」「年率換算」などの数値を公表します。成長率とは、前の3カ月間（あるいは前年）と比べた増減の割合を指します。その増減の状況が1年間続いた場合にどのようになるかを示すのが年率換算です。こうした増減を見ることで、経済が成長したか否かを判断できます。

◆「名目」と「実質」の違いは？

GDPは物価の変動を考慮しない「**名目GDP**」と、物価の変動を考慮した「**実質GDP**」があります。新聞やテレビなどでGDPの値が報じられる時は「実質」がよく使われます。

半分以上が「個人消費」

日本の実質GDPの内訳を支出側から見ると、「個人消費（個人がものやサービスを買うために使ったお金）」が半分以上を占めます。そのため、個人消費の増減が、GDP全体の増減に大きく影響します。

▼実質GDPの内訳（2022年）

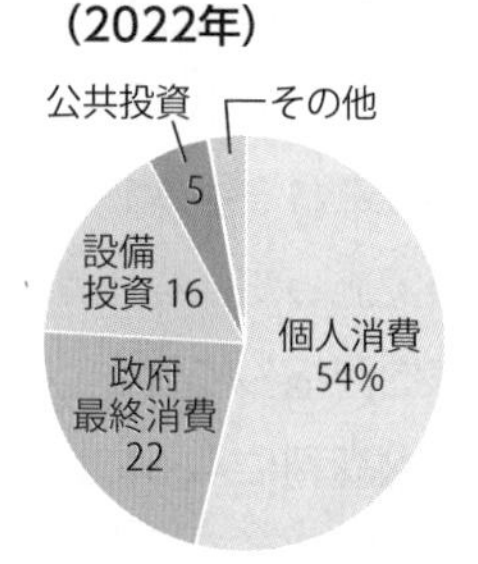

※内閣府の資料を基に作成

PLUS

日本銀行（日銀）の役割

日銀は、日本の「**中央銀行**」です。街中にある一般の銀行とは異なり、お金を貸す相手は個人や企業ではなく、銀行です（**銀行の銀行**）。国のお金を預かる「**政府の銀行**」、お札を発行する「**発券銀行**」の役割もあります。多くの国・地域には日銀のような中央銀行があり、例えばアメリカには「**連邦準備制度理事会（FRB）**」、ヨーロッパには「**欧州中央銀行（ECB）**」があります。

中央銀行は、その国・地域の景気や物価を安定させるため「**金融政策**」を実施するという大切な役割も担っています。景気が悪い時は例えば、一般の銀行が持つ国債などを買い入れて代金を払ったり、**金利**（☞25ページ）を引き下げたりして、世の中に出回るお金の量を増やします。これを「**金融緩和**」といいます。景気の過熱を抑えたい時は、銀行などに国債を売ったり、金利を引き上げたりして、世の中に出回るお金の量を減らす「**金融引き締め**」を実施します。

▼金融政策の仕組み

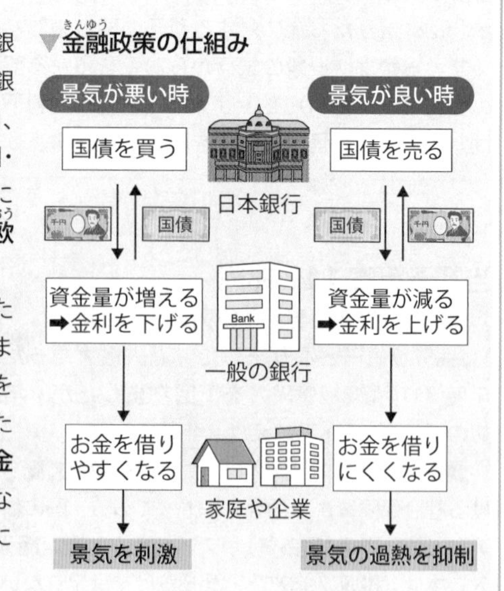

国の財政の仕組み

国や地方自治体（都道府県や市区町村）が、国民や企業から集めた税金などを元にお金をやりくりすることを**財政**といいます。それぞれが財政の計画を年度（4月1日～翌年の3月末）ごとに立てています。これを**予算**といいます。いったん4月～翌年3月末の予算（**当初予算**）を組んだ後、大災害が起きるなどして不足した時は、追加の予算（**補正予算**）を組みます。

国の予算案は内閣が作り、国会で認められると初めて実際に使えるようになります。予算は**歳入**（収入）と**歳出**（支出）が同じ額になるように決められます。歳入の柱は、国民や企業から集める税金の収入（**税収**）です。その代表例として、個人の収入にかかる**所得税**▽企業の利益にかかる**法人税**▽買い物にかかる**消費税**――があります。これらの税金とそれ以外の収入（国の施設の使用料など）を合わせても足りない分は、**国債**を発行して穴埋めしています。つまり、国債は国の借金なのです。

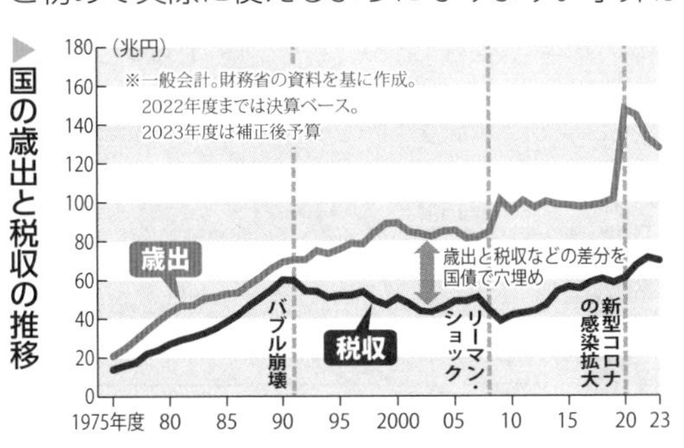

▶国の歳出と税収の推移

◆増え続ける借金

日本の財政は、1年間の支出が税収などよりも多い「**財政赤字**」の状態が続いています。高齢化が進む日本では、年金や医療などに必要なお金が増えていて（☞42ページ）、他の支出も合わせると税収だけでは賄えていません。このため国は、国債を発行して借金を重ねてきました。今後どのように財政を立て直すかが課題です。

Yes? No? 消費税率をもっと引き上げるべきか、否か？

政府は、国の財政状態を良くするためには税収を増やす必要があると考え、消費税の税率を、導入当初（1989年）の3％から現在の10％へと段階的に引き上げてきました。所得税や法人税の収入は景気の良しあしに左右されがちですが、消費税は比較的左右されにくく、安定した収入を得られるからです。

一方、消費税には、収入が少ない人ほど負担感が重くなる「**逆進性**」の側面があります。これを緩和するため、税率が10％に引き上げられた2019年10月に、「飲食料品（外食・酒類を除く）」と「定期購読の新聞」の税率を8％のままにする「**軽減税率**」が併せて導入されました。

軽減税率の導入によって、消費税の税率は8％と10％が混在することになったよ。主に企業と企業の取引において、何に8％（あるいは10％）が適用されるのかを正確に把握できるようにするための書類をつくる、「**インボイス（適格請求書）制度**」が2023年10月から始まったんだ。でも、中小企業や個人で仕事をしている人にとっては大きな負担になっていると聞くよ。

■引き上げるべきだ

- 公的年金や公的医療保険（☞44、45ページ）の維持には、安定した税収を確保する必要がある。
- まずは国の借金を減らさなければ、国の財政が信用を失いかねない。将来への不安から国民は節約し、景気も悪くなる。

■維持すべきだ／引き下げるべきだ

- 国の財政を立て直すために増税するのではなく、まずは年々増える歳出を減らすべきだ。
- 経済を盛んにすれば税収は増える。インフレが私たちの生活を圧迫し、働く人の給料も伸び悩む中、むしろ税率を引き下げるべきだ。

6 混迷する世界経済

TOPICS
- インフレと利上げで経済成長にブレーキ
- ＴＰＰにイギリスが参加へ 12カ国に
- 続くアメリカと中国の対立 思惑は？

練習問題 99ページへ

インフレ なお高い水準

2023年の世界経済は、ものの値段が上がり続ける「**インフレーション（インフレ）**」の傾向が依然として続きました。ロシアによるウクライナ侵攻（☞80ページ）で、原油などのエネルギー資源や食料の値段が急上昇した影響がなお残っているためです。

■利上げでインフレ抑制を図ったが…

世界の多くの中央銀行は、インフレを抑えようと2022年から**金融引き締め**（☞26ページ）を実施してきました。具体的には、**金利**（☞25ページ）を引き上げる「**利上げ**」と呼ばれる方法です。経済活動を抑え、インフレを落ち着かせる狙い（☞下の「Yes?No?」）がありました。

ロシアは元々、多くの資源や農産物を外国に輸出していたよ。しかし、ウクライナ侵攻をやめさせるため、アメリカなど主要な先進国がロシアに**経済制裁**（☞139ページ）を科したことで、ロシア産の資源や農産物の供給が不安定になったんだ。この結果、世界中でさまざまなものの値上げにつながったんだよ。

ただ、インフレはなかなか収まりません。利上げによって世界のインフレの度合いは2022年と比べて和らいだものの、多くの国でいまだ高い水準で推移しています（☞下のグラフ）。

▶主な国・地域の消費者物価指数の上昇率の推移

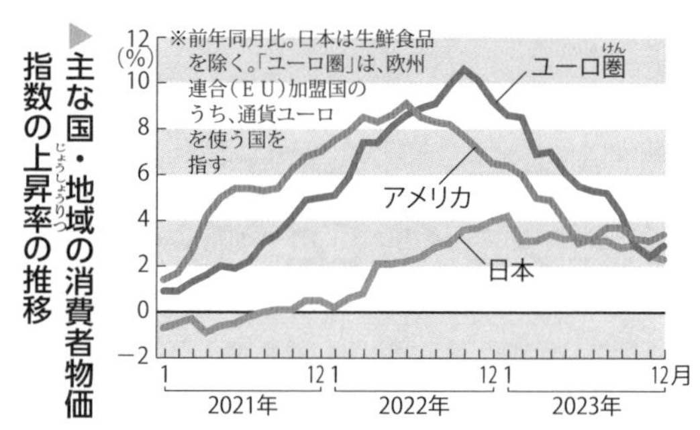

一方、インフレと利上げが続き、家庭や企業はものや原材料などを買うのを控える傾向にあります。この結果、景気が冷え込み、世界経済全体でみると成長にブレーキがかかっています。インフレを抑えつつ、景気をこれ以上冷やさないようにするにはどうしたらよいか、中央銀行は難しい判断が求められています。

Yes? No? 「利上げ」の効果と副作用

■効果
- 金利が上がると一般に、家庭や企業が銀行からお金を借りにくくなるため、ものやサービスの需要が減って、インフレを抑えられる。
- 金利を少しずつ引き上げることによって、景気の過熱を徐々に抑えることができ、日本のバブル経済（☞140ページ）崩壊の時のような急激なショックを避けられる。

■副作用
- 銀行から借りるお金や、住宅ローンなどにかかる金利も上がるため、車や家といった高額な資産の購入や、子どもの教育にかかるお金を借りる家庭の負担が増える。
- 一般に、金利が高くなるほど自国の通貨が買われやすくなり、輸出に不利な「通貨高」（ドル高、円高など）を招く（☞25、32ページ）。

拡大するＴＰＰ

日本を含むアジア太平洋地域の国々で**自由貿易**（☞30㌻）を推し進める**環太平洋パートナーシップ協定**（ＴＰＰ、☞30㌻）に、イギリスが参加することが2023年７月、正式に認められました。2018年にＴＰＰが発効後、新たに参加国が加わるのは初めてです。

イギリスの参加によって、ＴＰＰの経済圏はアジア太平洋地域からヨーロッパへと広がります。イギリスは2020年に欧州連合（ＥＵ）から離脱（☞91㌻）後、ＥＵ以外の国・地域と経済関係を強めるためＴＰＰへの参加を希望していました。今後、参加各国の国内手続きを経て、正式にＴＰＰの参加国となります。

■中国の参加は認められるか？

ＴＰＰには他に、中国、台湾、ウクライナ、中央・南アメリカのエクアドル、コスタリカ、ウルグアイが加わりたいと申し出ています（2023年末時点）。中でも、中国の参加を認めるかどうかが今後の焦点です。ＴＰＰは貿易や投資などに関する厳しいルールを設けていますが、中国は国有企業への優遇措置を行うなど、ＴＰＰにそぐわない国内ルールがいくつもあります。

ＴＰＰに加わるには全ての参加国の承認が必要です。参加交渉を通じて、中国にルールを見直すよう働きかけられるとの前向きな意見もあります。一方、ＴＰＰから抜けたアメリカに復帰を求める立場からは、対立する中国を迎え入れるのは賢明ではないとの慎重意見もあります。参加国の中には中国との関係が深い国もあり、賛否が割れる可能性があります。

▼ＴＰＰを巡る構図 ※2023年末時点

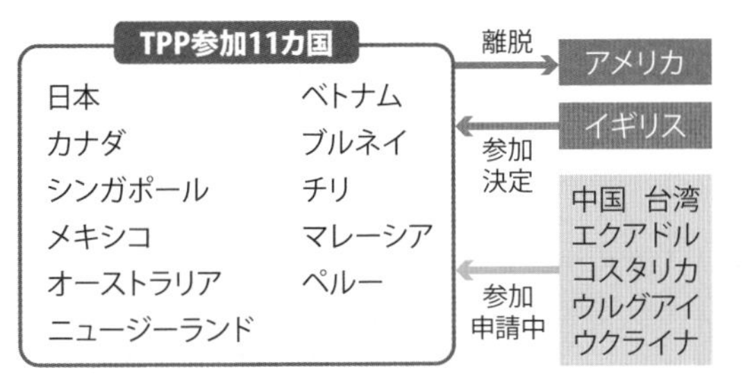

■自由貿易を守り、分断を阻止

ＴＰＰはもともと、経済的な結びつきの深い国同士で貿易を活発化させるために発足しました。ところが世界ではいま、１、２位の経済大国であるアメリカと中国の対立（☞31㌻）やロシアによるウクライナ侵攻で、「**保護主義**」のような動きも見られます。具体的には、「自国の産業や国民の生活を守るため」といった理由を盾に、自国でつくった製品を外国へ輸出することを制限したり、外国でつくられた製品に高い**関税**（☞30㌻）をかけるなどして輸入を制限したりすることです。

しかし、こうした動きが広がると世界が分断され、国同士の対立を招きかねません。日本政府はイギリスのＴＰＰ参加をきっかけとして、今後もＴＰＰの仲間を増やすことで自由貿易を守るための連携を強くしたい考えです。

PLUS

中国が日本産水産物の輸入をストップ

中国は2023年８月、日本からの水産物の輸入を全面的に停止しました。東京電力福島第１原子力発電所にたまる処理水（☞75㌻）の海洋放出が始まったことへの反発です。

中国は日本にとって最大の貿易相手国（☞**右の表**）で、水産物についても最大の輸出先です（2022年時点）。特に主要な輸出品であるホタテやナマコの漁業者や水産加工業者は大打撃を受けており、日本の水産業への影響は甚大です。政府は輸入停止をすぐにやめるよう中国に求めています。

▼日本の貿易相手国・地域トップ５（2022年時点）

貿易総額（輸出＋輸入）＝216.7兆円		
❶中国	43.9兆円	(20.2%)
❷アメリカ	30.0兆円	(13.9%)
❸オーストラリア	13.8兆円	(6.4%)
❹台湾	12.0兆円	(5.5%)
❺韓国	11.5兆円	(5.3%)

※財務省「貿易統計」を基に作成。カッコ内の数字は貿易総額に占める割合

混迷する世界経済

「貿易」の基礎知識

国境を越えて商品（ものやサービス）を売ることを**輸出**、買うことを**輸入**といい、輸出入を合わせて**貿易**といいます。国の輸出額が輸入額より多い状態を**貿易黒字**、逆に、輸入額が輸出額よりも多い状態を**貿易赤字**といいます。

◆ 保護貿易と自由貿易

国外から輸入されるものに対し、輸入国側が高い**関税***をかけるなどして、輸入を制限することを「**保護貿易**」といいます。反対に、輸出入を活発にするため、主に関税を引き下げたりなくしたりするのが「**自由貿易**」です。

かつて各国が保護貿易を実施した結果、国々の対立や景気の低迷を招き、第二次世界大戦の引き金になりました。これを教訓に、戦後の世界は自由貿易を進める方向で歩んできました。

1995年には、貿易自由化のルールづくりや、貿易を巡る国同士の争いを解決する役割を担う**世界貿易機関**（WTO、☞140ページ）が発足しているよ。2001年に中国、2012年にロシアも加盟したんだ。

◆ 自由貿易を進めるルールは？

近年は数カ国から十数カ国の間で自由貿易の協定を結ぶ動きが目立ってきました。一般に、自由貿易の協定の結び方には２種類あります。一つは、協定を結ぶ国同士の輸出入にかかる関税を引き下げたりなくしたりすることを中心とする「**自由貿易協定**（ＦＴＡ）」です。もう一つは、関税だけにとどまらず、著作権などの保護を強めたり、労働力の移動を進めたりするなど幅広い分野での協力を目指す「**経済連携協定**（ＥＰＡ）」です。

＊**関税**……国外から輸入されるものに対して輸入する側の国がかける税金のことです。関税の主な目的は、国外の安い商品に押されて国産の商品が売れにくくなるのを防ぐこと（国内の産業を保護すること）です。関税がかけられた輸入品の値段は高くなります。

POINT

日本と各国・地域の主な自由貿易交渉

日本はさまざまな国・地域とＦＴＡやＥＰＡを結び、農林水産品や、自動車などの工業製品にかかる互いの関税を引き下げたりなくしたりして貿易の活発化を図っています。

◆環太平洋パートナーシップ協定（ＴＰＰ）

アジア太平洋を囲む11カ国で協定を結び、2018年に発効。当初の交渉にはアメリカも加わっていましたが、2017年に抜けました。貿易自由化率（全ての貿易品目のうち、関税がない品目の割合）は世界最高水準です。

◆日本とＥＵのＥＰＡ（日欧ＥＰＡ）

日本と欧州連合（ＥＵ）のＥＰＡで、2019年に発効。ヨーロッパ産のチーズやワインが日本で安く買えるようになりました。

◆地域的な包括的経済連携（ＲＣＥＰ）協定

東南アジア諸国連合（ＡＳＥＡＮ、☞91ページ）加盟国など15カ国が参加しており、2022年に発効。日本にとっては貿易額が大きい中国、韓国と結んだ初めてのＥＰＡです。

▼日本を取り巻く主な自由貿易圏

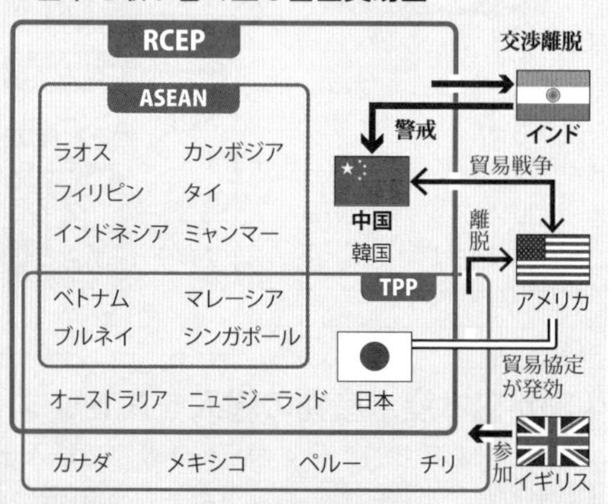

※アメリカはＴＰＰから抜けた後、日本と２国間で貿易協定を結びました（2020年発効）。

※イギリスが2023年７月、ＴＰＰに新たに加わることが決まりました（☞29ページ）。参加国での国内手続きを経て、ＴＰＰは正式に12カ国体制になります。

アメリカと中国はなぜ対立しているの？

世界１、２位の経済大国であるアメリカと中国は近年、対立を深めています。関係が悪化したきっかけは、アメリカが2018年以降、中国からの輸入品にかける関税を相次いで引き上げたことです。

当時アメリカの大統領だったトランプさんは、「国内産業の保護」と「貿易赤字の削減」を目指し、自国の利益を最優先する政策を進めました。最大の貿易相手国である中国との間に多額の貿易赤字があることを特に問題視したトランプさんは、「中国がアメリカの**知的財産**を勝手に奪っていて問題だ」などと主張し、関税を引き上げました。中国もこれに対抗し、「**貿易戦争**」と呼ばれる状態に陥りました。

WORD

知的財産

新しい技術やデザイン、植物の新品種、文学作品など、人間の知的な活動によって生み出されたアイデアや創作物のことです。これらが、創作した人の財産として一定期間守られる権利のことを「**知的財産権**」といいます。知的財産権は、産業にまつわる**産業財産権**（特許権、実用新案権、意匠権、商標権）と、文化・芸術にまつわる**著作権**の二つに大別されます。

◆ 両国の思惑は…

関税をかけ合う状態からは一旦抜け出したものの、対立は**５Ｇ**（第５世代通信規格、☞141㌻）など先端技術の分野でも続きました。2021年にバイデンさんが大統領に就任した後も、アメリカは中国への対抗姿勢を崩さず、中国への経済的な依存を減らす動きが強まっています。

このようにアメリカが対抗姿勢を崩さない理由として、中国が国を挙げて先端技術の育成に取り組んでおり、その技術が軍事などに悪用されるのではないかと恐れていることなどが挙げられます。強い軍事力と経済力で築いてきた超大国としての地位を守りたいアメリカと、代わりにトップに立ちたい中国の思惑がぶつかり合っているのです。

◆ 自由貿易促進の流れに逆行

ただ、経済大国同士の争いは両国だけの問題ではありません。アメリカとのつながりが深い国と、中国とのつながりが深い国で分断されれば、第二次世界大戦後の世界が取り組んできた「自由貿易の促進」の流れを逆行させかねません。戦前や冷戦（☞87㌻）時のように世界で分断やブロック化が進み、国同士の対立に発展するような事態は避けなければなりません。

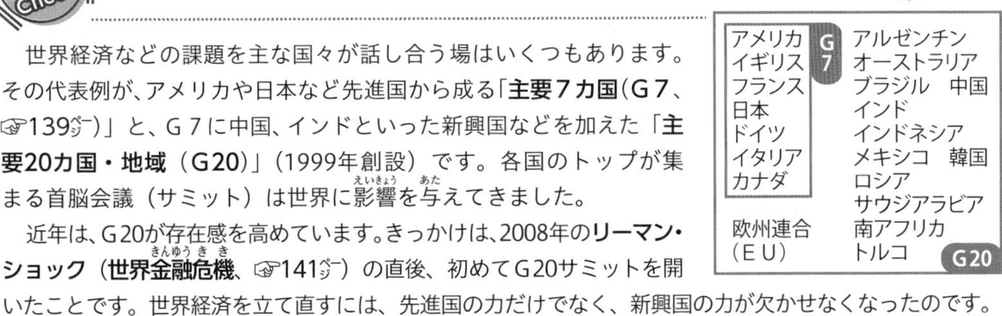

Ｇ７とＧ20 どう違う？

世界経済などの課題を主な国々が話し合う場はいくつもあります。その代表例が、アメリカや日本など先進国から成る「**主要７カ国**（Ｇ７、☞139㌻）」と、Ｇ７に中国、インドといった新興国などを加えた「**主要20カ国・地域**（Ｇ20）」（1999年創設）です。各国のトップが集まる首脳会議（サミット）は世界に影響を与えてきました。

近年は、Ｇ20が存在感を高めています。きっかけは、2008年の**リーマン・ショック**（**世界金融危機**、☞141㌻）の直後、初めてＧ20サミットを開いたことです。世界経済を立て直すには、先進国の力だけでなく、新興国の力が欠かせなくなったのです。

▼Ｇ７とＧ20　※ＥＵはＧ７サミットにも参加している

7 日本産業のいま

TOPICS

▶続く円安 負担増で生活苦しく

▶活気を取り戻す観光地 暮らしに影響も

▶デジタル化を支える半導体 国内量産へ

練習問題 101ページへ

円安で値上げ続々…

2022年から始まった**円安**の傾向がなお続き、私たちの生活を圧迫しています。円安によって輸入品の値段が上がっているからです。ものやサービスの値段が世界的に上がっていることも一因で、必要な物資*の多くを輸入に頼る日本では、円安を通じてものの値段が全体的に押し上げられてしまうのです。

＊原油などのエネルギー資源や食料のほか、農業に欠かせない肥料や家畜の餌などを指します。

企業にとっても、製品をつくるための材料にかかるお金（コスト）がかさんでいます。コストがかさんだ分は製品の値段に上乗せしないと企業の利益が減ってしまうため、多くの企業が2022年以降、値上げに踏み切っています。

■値上げできない状況が続いた

日本はそれまで、経済状況が弱く、ものの値段を上げにくい状態が続いてきました。「値上げすると買ってもらえなくなる」といった不安から、働く人の給料を下げるなどしてかさんだ分のコストを調整する例も見られました。

ただ、給料が下がると人々はお金を使わなくなり、ますますものの値段を上げづらくなります。そうなれば、企業はさらに給料を下げる可能性があり、悪循環に陥ります。これを避けるため、コストがかさんだ分は値段に反映させようとする動きが広がっているのです。

■給料の上げ幅 値上げに追いつかず

こうした中で給料は少しずつ上がる傾向にありますが、なお生活が苦しいと感じる人もいます。ものの値段が上がっているにもかかわらず、給料の上げ幅が値上げのペースに追いついていないからです。これでは、日本経済はいつまでたっても元気になりません。政府も企業に対して給料のさらなる引き上げを求めています。

WORD

円安

他国の通貨に対して、日本の円の価値が下がることです。例えば、アメリカのドルと円の場合、「1ドル＝100円」から「1ドル＝110円」になると、1ドルを得るのに必要な円が増えた（円の価値が下がった）ため、「**円安・ドル高**」になったといいます。逆に「1ドル＝90円」になると、1ドルを得るのに必要な円が減った（円の価値が上がった）ため「**円高・ドル安**」になったといいます。

円とドルに限らず、世界の通貨は交換できます。例えば、日本企業が海外の企業と貿易したり、日本人が海外へ旅行したりする時、円でその国の通貨を買い、交換します。それぞれの通貨の価値に応じた交換比率を**為替相場（為替レート）**といい、さまざまな国の通貨を交換できる**外国為替市場**で常に変動しています。

▼1万ドルの車を売るとしたら

円が1ドル＝90円なら → 90万円になる →1円の価値が高い

円↑高

円が1ドル＝100円なら → ＝100万円

円↓安

円が1ドル＝110円なら → 110万円になる →1円の価値が低い

増える訪日客 円安が追い風

新型コロナウイルスの感染拡大防止策として実施された入国制限が2022年10月に緩められて以降、日本を訪れる外国人旅行客（訪日客、**インバウンド**）が急速に増えています。観光地は活気を取り戻す一方、地元の人たちの暮らしに影響が出ている面もあります。

■2500万人台まで回復

新型コロナが流行する前の2019年、訪日客は過去最高の約3188万人でした。日本で使われたお金も約4.8兆円と、日本経済にとって良い効果をもたらしました。しかし、2020年は約412万人、2021年は約25万人、2022年は約383万人と、コロナ禍で訪日客は激減。国内旅行をする人も減ったため、観光客を相手に商売をしていた企業の中には経営が立ち行かなくなったところも少なくありません。

一方、2023年は約2507万人（推計値）にまで回復しました。新型コロナの流行が落ち着いたことや、円安が進んで訪日客にとって日本での買い物が割安になったことが大きな理由です。

1ドル＝100円の時は、1ドルを使って100円分の買い物しかできないけれど、例えば1ドル＝140円になると140円分の買い物ができるんだ。円安は訪日客にとってお得感が強いと言えるね。

▼ドルに対する円の価値は大きく変動してきた

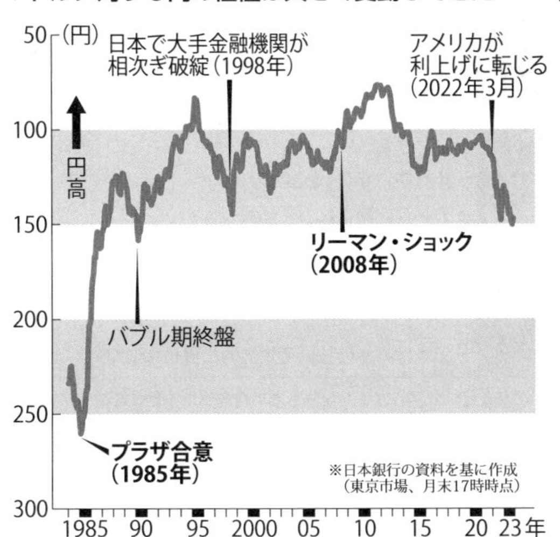

▶訪日客数の推移（月別）

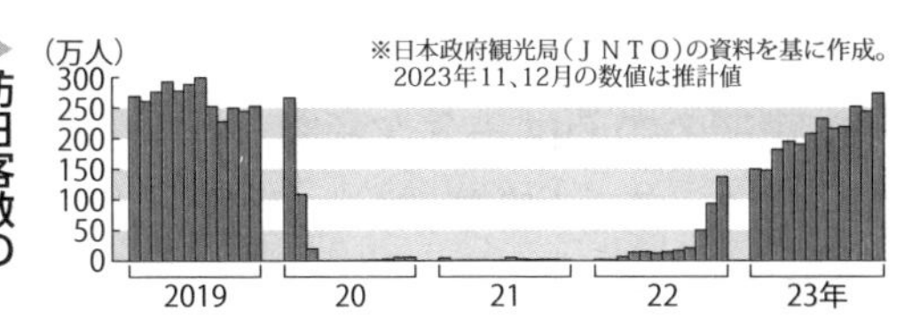

■政府が新たな目標

政府は2023年３月、「2025年までに訪日客数を2019年を超える水準に回復させる」「日本で使われるお金をできる限り早く５兆円まで増やす」という新たな目標を決めました。訪日客を積極的に受け入れることは、日本経済を上向かせるために重要な取り組みの一つだからです。

観光産業は裾野が広いので、ホテルや旅館、航空、鉄道はもちろん、飲食店や土産物店などサービス業全体に大きく関わります。訪日客をたくさん呼び込んでお金を使ってもらえばさまざまな産業が潤う、という狙いがあるのです。

■各地で見られる「観光公害」

一方、公共交通機関が観光客で常に混雑して地元の人たちが利用しづらくなったり、訪日客が日本の交通ルールを守らなかったりする例が各地で見られています。こうした観光客の過度な集中によって起こる「**オーバーツーリズム**（観光公害）」の解消もこれからの課題です。

Yes? No? 日本経済にとって円安・円高どっちがいい？

■円安がいい

- 海外で売り上げたお金を円に交換すると金額が膨らむため、輸出が多い企業は利益が増える。
- 海外の人が日本を旅行先として選ぶきっかけになる。訪日客の増加は日本経済の活性化につながる。

■円高がいい

- 輸入品の値段が下がり、物価を下げる効果が期待されるため、消費者や輸入が多い企業の負担が減る。
- 日本から海外への旅行が割安になるため、日本の旅行会社や航空会社などにとって追い風となる。

日本産業の特徴

◆ 産業の中心は第３次産業

日本では**第１次産業**（農業、林業、漁業）、**第２次産業**（製造業、建設業、鉱業など）で働く人が減る傾向にある一方、**第３次産業**（商業、金融業、サービス業など）で働く人は増えています。国の調査（2022年平均）によると、働く人のうち、第３次産業が占める割合が74.3%と最も高く、1951年（31.4%）の２倍以上になっています（☞下のグラフ）。

▼就業者数の産業別割合（1951年と2022年）

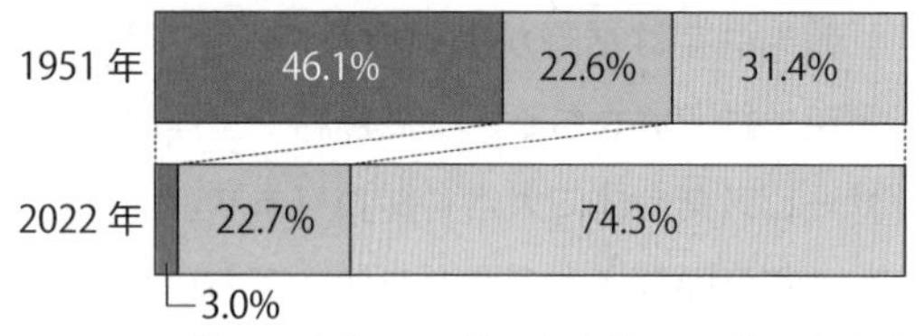

※総務省「労働力調査」を基に作成。四捨五入により合計が100%にならない場合がある

◆ 減る第１次産業の担い手

人口の減少や少子高齢化（☞40ページ）などの影響で、私たちの生活の基本を支える第１次産業の担い手が減っています。高齢になって退く人が増えており、後継者がいないといった問題もあります。担い手をどのように確保するか、ＩＴ（情報技術）などを活用して作業をいかに効率化できるかが課題です。

◆ 中小企業が９割超

企業は、資本金（会社をつくる際の元手のお金）の額や従業員の数によって「**大企業**」と「**中小企業**」に分けられます。国内にある企業全体のうち９割超を中小企業が占め、従業員数でも全体の約７割を占めています。このため、中小企業の経営状態が悪化すると、日本経済全体に直接影響してしまいます。

POINT

日本経済を支える「自動車」

自動車づくりは、日本経済を支える代表的な産業です。自動車１台当たり約３万もの部品を使うため多くの産業が関係し、たくさんの人が自動車に関わって働いています。日本の年間輸出総額（約98兆円）のうち、自動車（部品を含む）は約２割を占めており、自動車は日本にとって輸出品の中心でもあります。

◆「脱ガソリン」で進むＥＶ開発

ガソリンを動力源にして走る車が主流だった自動車業界はいま、大きな転換期を迎えています。中国やヨーロッパの国々を中心に、地球温暖化や大気汚染を防ぐため、二酸化炭素（CO_2）などを出すガソリン車の販売を制限する動きが強まっているためです。

日本政府も、国内で売られる新車について「2035年までにガソリンだけで走る車をなくし、全て『**電動車**』（☞右の表）に切り替える」との目標を掲げています。

日本では**電気自動車**（ＥＶ）の販売台数が年々増えているよ。ただ、2023年に販売された乗用車（軽自動車を除く）のうち、ＥＶの割合は２％未満で、約36％を占めるガソリン車とはまだ開きがあるんだ。

▼電動車の例とその特徴

電気自動車（ＥＶ）	・電気を動力源にして走る ・走行中にCO_2を出さない ・ガソリン車と比べて開発や生産が容易
燃料電池車（ＦＣＶ）	・水素と酸素の化学反応で得た電気を動力源にして走る ・走行中にCO_2を出さない ・ガソリン車と比べて高価
ハイブリッド車（ＨＶ）	・ガソリンと電気を動力源にして走る ・走行中にCO_2を出す（ガソリン車よりは少ない） ・日本はＨＶの技術で世界的に優位に立つ

※ＥＶやＦＣＶなど、走行中にCO_2を出さない自動車は「**ゼロエミッション車**」とも呼ばれます。ＨＶは走行中にCO_2が出るのでこれには含まれません。ちなみにエミッションとは、廃棄物のことです。

現代に不可欠な「半導体」

現代社会において国や企業が発展していくためには、ＩＴが欠かせません。新型コロナウイルスの感染拡大をきっかけに、日本でもさまざまなものがオンライン化され、**デジタル化**が一気に進みました。これを支えている重要な基盤の一つが「**半導体**＊」です。

▶半導体の種類と主な用途

種類	プロセッサー	マイコン	メモリー	センサー	パワー半導体
主な用途	パソコン	車、家電、産業用機械	パソコン、スマートフォン	カメラ、照明	モーター駆動、太陽光発電

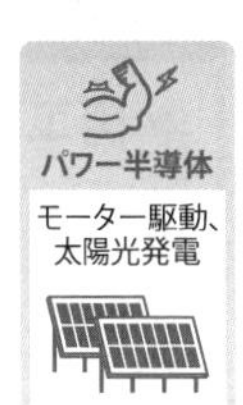

半導体はパソコンやスマートフォン、テレビなどの家電製品のほか、自動車や太陽光発電など身の回りのあらゆる機器に使われていて、世界的に需要が高まっています。

半導体は現在、台湾や韓国などアジアで多く生産され、各国がそれを奪い合っています。こうした中で各国は、政府もお金を出して半導体の国内生産を強化しています。例えば日本は、台湾の企業と話し合いを進め、熊本県に製造工場を造りました。

＊**半導体**……電気を通す「導体」と、通さない「絶縁体」の中間の性質を持つ物質や材料のことです。一つの基板にさまざまな半導体を集めた電子部品を「集積回路（ＩＣ）」といい、これも慣用的に半導体と呼びます。

POINT

経済にも安全保障？

アメリカと中国の対立（☞31ページ）や新型コロナの感染拡大、ロシアのウクライナ侵攻（☞80ページ）――。自国の経済にとって脅威となるできごとが世界で次々と起きる中、「生活や産業に不可欠なものが手に入りにくくなる状況をなるべく避けよう」という動きが各国で強まっています。具体的には政府が、不可欠なものの確保に力を入れたり、国の競争力を左右する先端技術などを守ったりすることです。こうした考え方は「**経済安全保障**」と呼ばれます。

「軍事や外交によって国の平和や独立、国民の生命や財産を他国から守る」という従来の安全保障の考え方に加え、近年は経済面で国や国民を守ることも同様に重要だと認識されるようになってきました。半導体に限らず、エネルギー資源や食料といった不可欠なものをどのようにして安定的に確保していくのかが、各国共通の課題です。

株式って？

多くの企業は、経営に必要なお金を、「**株式（株）**」を買ってもらうことで集めます。株を買った人（**株主**）は、企業の議決に参加したり、会社がもうかればお金（**配当**）をもらえたりします。

株は証券取引所などを通して自由に売り買いされます。株の値段を「**株価**」といい、業績がこれからもっとよくなるだろうと期待される企業は株価も上がります。その株を欲しがる人が多いためです。逆に業績が悪い場合、一般に株価は下がります。

ちなみに、株式市場全体の動きの目安として「**日経平均株価**」と呼ばれる指標がよく使われます。

PLUS

食料自給率低い日本…輸出は好調

日本の**食料自給率**（その国で食べられる食料のうち、国産で賄えている割合）は近年、40％（カロリーで計算）を下回っています。先進国の中でも最低水準で、大豆や小麦をはじめ、食料の半分以上を外国からの輸入に頼っている状況です。

一方、日本の農林水産物・食品の輸出額は2013年から11年連続で過去最高を更新し、近年は１兆円を突破しています。背景には海外での和食人気などがあり、政府は2030年に５兆円にすることを目指しています。

8 脱炭素社会への道のり

TOPICS

- ▶再エネの普及が最優先だが、課題も…
- ▶火力「縮小」も一定程度は必要 理由は？
- ▶原子力政策を大きく転換 政府の狙いは？

練習問題 102ページへ

2050年までに「実質ゼロ」

地球温暖化（☞78ページ）を食い止めるため、各国は原因となる温室効果ガス（二酸化炭素＝CO_2＝など、☞138ページ）の排出量を実質ゼロにする「**脱炭素社会**」への移行を急いでいます。

日本は2050年までに実現することを目指し、太陽光や風力といった**再生可能エネルギー**（再エネ、☞38ページ）の普及に「最優先」で取り組む▽再エネが主力な電源になるよう徹底する――と「**エネルギー基本計画**❓」（2021年閣議決定）に明記しています。

WORD

❓エネルギー基本計画

日本で必要なエネルギーを今後どのように確保するのか、国の中長期的な方針を示すものです。エネルギー政策基本法という法律に基づいて、2003年に初めて定められました。おおよそ3年ごとに改められていて、2024年は改定の年に当たります（前回の改定は2021年）。

■ 6割を「非化石」に

電源構成（総発電量に占める電源ごとの割合、☞下のグラフ）でみると、日本は現在、必要な電気の7割超を、**化石燃料**（石油、石炭、天然ガス、☞38ページ）を使った火力発電で賄っています。2030年度にはこれを4割に縮小し、6割を再エネや原子力、次世代エネルギーとして期待される水素・アンモニアといった「非化石」燃料を使った発電で賄う考えです。

▼日本の電源構成の推移

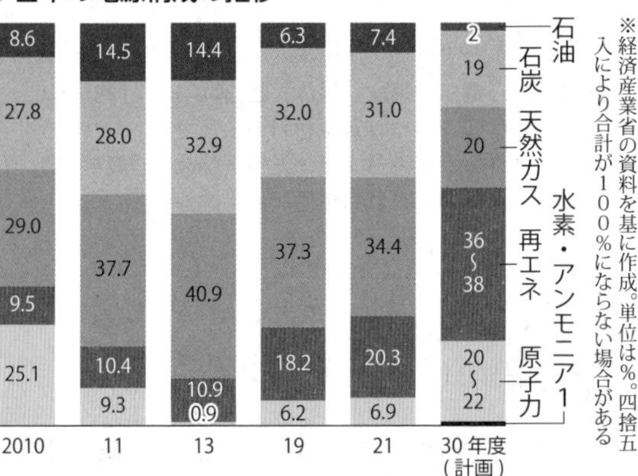

POINT

安定供給に「火力」も一定程度必要

日常生活や産業を維持していくためにエネルギー資源は不可欠です。しかし、日本は資源に乏しく、**エネルギー自給率**（石炭や太陽光など、自然界に存在する「1次エネルギー」を国内だけでどれだけ賄えているかを示す割合）は、わずか12.6%（2022年度、速報値）で、必要な資源の大半を外国からの輸入に頼っています。このため、ロシアによるウクライナ侵攻（☞80ページ）や中東・パレスチナ問題（☞81、82ページ）など、資源を多く生産する国・地域の情勢が悪化すると、安定的に資源を輸入できなくなる恐れがあります。

これを避けるため、再エネなど非化石燃料を使った発電を増やして自給率を高めていくことが求められますが、すぐには増やせないという事情もあります（☞38ページの「POINT」）。特に、再エネのうち太陽光や風力は天候によって発電量が左右されるため、電力を安定して届けるには一定程度、火力発電で補う必要があるのが実情です。

原発を「最大限活用」

政府は2022年末、今後の原子力発電所（原発）について、⑴老朽化などで廃止が決まった原発を、より安全で効率よく発電できる次世代原発に建て替える⑵原発の運転期間の延長を認める――との方針を示し、原発を「最大限活用する」としました。

政府は東京電力福島第１原発事故（2011年、☞75ページ）を受けて、原発について「できるだけ頼らないようにする」「**新規制基準**（☞140ページ）で安全が確認された原発のみ再稼働を進める」との方針を掲げ、「原発を増やしたり建て替えたりはしない」としてきました。

一方、原発は発電時にCO_2を出さないほか、天候などを問わず安定して発電できるという特徴があります。このため政府は、脱炭素社会と電力を安定して届けることの両方を実現するには原発が不可欠だ、と考えたのです。

Yes? No? 原発の最大限活用に賛成？ 反対？

■賛成だ

・原発は発電時にCO_2を出さず、再エネと比べて安定的に発電できる。

・国際情勢の悪化で化石燃料の安定的な調達ができなくなる恐れがある中、代替として原発を活用するのは適切だ。

■反対だ

・原発には事故の危険性がある。再エネなどで電力を十分に届けられる体制を整えるべきだ。

・原発から出る「**核のごみ**」（☞下の囲み）の最終処分場が決まらないまま、原発を最大限活用していく方針に転換したのは無責任だ。

■60年超の運転が可能に

原発の運転期間は「原則40年」で「**原子力規制委員会**（☞139ページ）が認めれば、例外的に最長20年延長できる」と法律で定められています。しかし、国内の原発の半分以上が運転開始から既に30年以上たっています。このままでは運転できる原発が減り続ける一方だ、といった理由から、法律を改正し、安全審査などで運転を止めた期間は運転期間に含めないこととしました（2025年６月施行、☞下の図）。

政府は、60年を超えた運転を可能にすることで既存の原発を最大限活用する考えですが、現状、60年を超えて運転している例は世界に一つもありません。原発の安全性を心配する声は根強くあり、まずは、原発が立地する地方自治体の理解を前提に進める必要があります。

▶原発の運転期間のルール

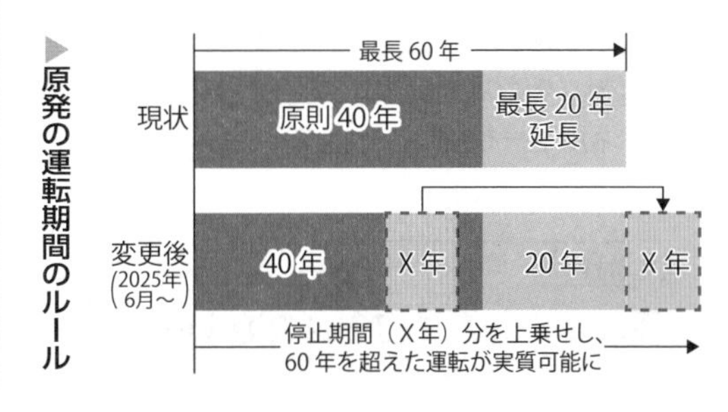

「核のごみ」最終処分場はどこに？

原子力発電の燃料となる「ウラン」は、使い終わると別の物質になって残ります。日本はこの燃えかす（**使用済み核燃料**）を再処理し、原発の燃料として再利用する仕組み（**核燃料サイクル**）の実現を目指しています。その際、再利用できずに残った廃液をガラスに混ぜて固めたものが、日本では「核のごみ」と呼ばれます。核のごみはとても強い放射能を持っていて、数値が安全なレベルに下がるまで10万年以上かかるとされます。

日本には既に大量の核のごみがあるため、これを処分する場所が必要です。政府は、核のごみを地下深くの「最終処分場」に埋める考えですが、処分場をつくる場所がまだ決まっていません。2020年に北海道の寿都町と神恵内村で処分場に適しているかどうかの調査が始まりましたが、実際に処分場ができるまでには時間がかかります。

時事力 Basic 8 脱炭素社会への道のり

再エネのメリット・デメリット

日本は、自然の力を利用する「**再生可能エネルギー（再エネ）**」による発電を増やしていくことを目指しています。石油や石炭、天然ガスといった**化石燃料***とは異なり、発電時に二酸化炭素（CO_2）がほぼ出ず、使い続けても尽きないからです。ただ、デメリットもあります。

＊**化石燃料**……何億年も前の動植物やプランクトンの死骸がバクテリアの働きや地熱などによって変化してできます。化石と同様、昔の動植物がもとになってできるため化石燃料と呼ばれます。埋蔵量には限りがあります。

	メリット	デメリット
◆**太陽光** ソーラーパネルで光を吸収して発電する。屋根やベランダにパネルを設置して発電する一般家庭も増えている	・個人でも比較的簡単に設置できる ・災害時の停電に備えられる	・夜は発電できない ・天候に左右される
◆**風力** 風の力で風車を回して発電する。近年、海の上に設置する「**洋上風力**」が注目されている	・風が吹いている限り、昼も夜も発電できる	・設置場所によっては、景観を損なったり、騒音が問題になったりする
◆**水力** 水が流れ落ちる力で水車を回して発電する。農業用水路や小さい川などの身近な水資源を使って発電する方法もある	・水が流れている限り発電できる	・河川や湖の水を利用するためには許可が必要で、法的な手続きが複雑だ
◆**地熱** 高温の水蒸気や熱水を地下から取り出し、発電用のタービンを回して発電する。火山が多い日本の国土を最大限利用できる	・天候に左右されない ・昼も夜も発電できる	・発電所の建設に時間や費用がかかる ・建設場所が火山の近くに限られ、周辺の温泉業者などとの調整が必要だ
◆**バイオマス** 生物（生ごみや動物のふんなど）から生じるエネルギーを使って発電する	・資源を有効活用でき、ごみを減らせる ・天候に左右されない	・燃料を安定的に確保する必要がある ・燃料の運搬や管理に費用がかかる

POINT

再エネの普及に立ちはだかる壁

脱炭素社会の実現に向けて、再エネによる発電を増やすことは急務ですが、課題もあります。例えば、風力発電などの大きい設備は建設に時間がかかり、すぐには増やせません。再エネの中でも比較的短期間で設置できる太陽光発電も、新たに導入するペースが落ちています。

日本は国土に占める平地の割合が約３割で、ドイツやフランスの約半分しかありません。こうした国土の特徴から、山林を切り開き、斜面に大規模な太陽光パネルを設置する例も増えています。しかし、土砂崩れや景観の悪化などへの懸念から、地域住民からは設置反対の声も出ており、250以上の地方自治体で太陽光発電所の建設を規制する条例が制定されています。

▲山を削って造られた大規模な太陽光発電所（メガソーラー）。そのすぐ近くには住宅地がある＝福岡県飯塚市で2022年９月

なぜ日本は「火力」を使い続けるのか？

日本で火力発電の割合が高まったきっかけは、東京電力福島第１原子力発電所（原発）事故（2011年、☞75㌻）です。事故前は必要な電気の３割前後を原子力発電で賄っていましたが、事故後に国内の全ての原発が止まったため、火力発電を増やして不足分を補いました。

◆世界は「脱石炭」だが…

一方、世界では脱炭素社会の実現に向けて、火力発電をなるべく使わないようにする取り組みが進んでいます。特に「石炭」については、化石燃料の中でも最も多くCO_2を出すことから、全てなくす動きがヨーロッパの国々を中心に広がっています。地球温暖化対策を話し合う国際連合「気候変動枠組み条約」の会議（2021年）でも、日本を含む加盟197カ国・地域が石炭火力を段階的に減らすことで合意しました。

こうした中でも、日本政府は石炭火力を「ベースロード電源」（発電費用が安く、安定的に発電できる電源）と位置づけ、完全にゼロにはできないと考えています。石炭は原油など他の資源よりも安価で、さまざまな国から調達できるほか、天候に左右されずに安定的に発電できるからです。このため、燃やしてもCO_2を出さない性質を持つ水素やアンモニアを使うなどして、火力発電所からCO_2が出ないようにする新技術の開発を進めています。

◆環境団体から日本に「化石賞」

これに対しては国内外で批判があり、「環境配慮は見せかけだ」「再エネへの移行を遅らせる」などとして、日本は2019年から４回連続で「化石賞」（温暖化対策に消極的な国に贈られる不名誉な賞）を受けています。脱炭素社会と電力の安定供給の両方を実現するためにはどうすればよいか、知恵を出し合う必要があります。

▶日本の化石燃料の輸入先（2022年）

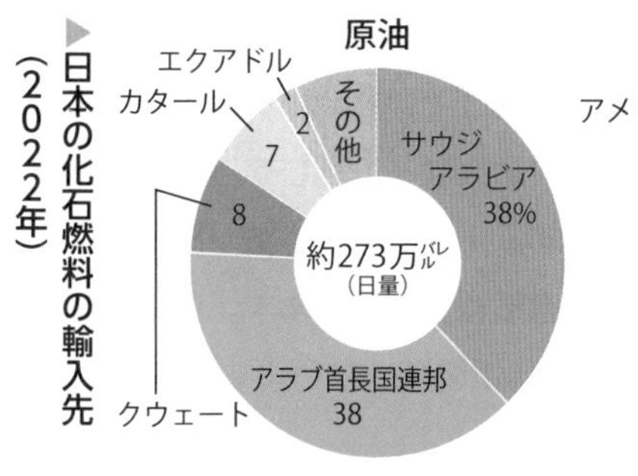

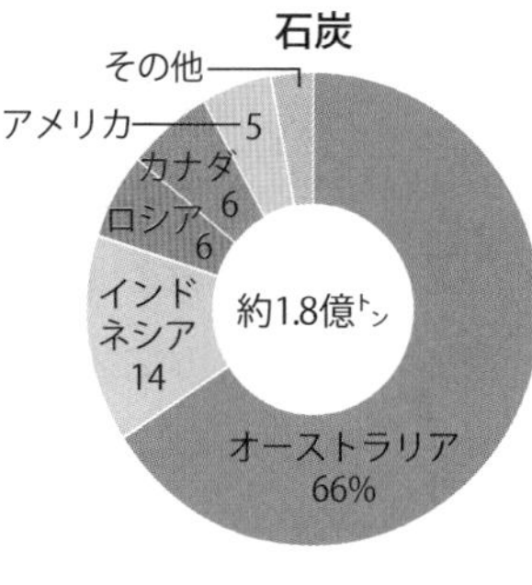

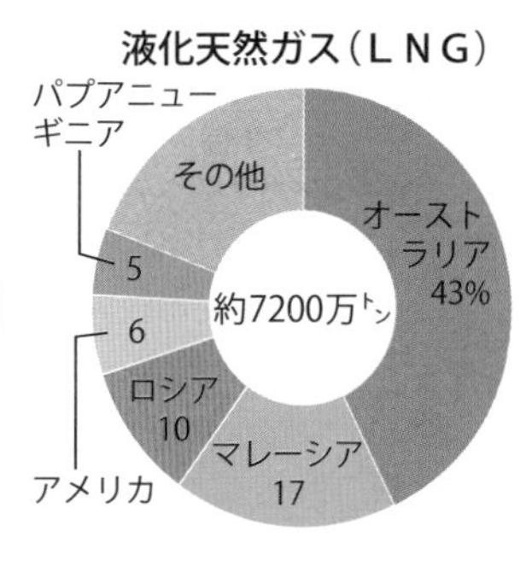

※財務省「貿易統計」、経済産業省「石油統計」を基に作成。1バレル＝約159リットル

PLUS

再エネの普及を後押しする「固定価格買い取り制度」って？

政府は2012年から、再エネの普及を後押しするため「**固定価格買い取り制度**（ＦＩＴ）」を導入しています。家庭や企業が再エネで発電した電気を一定期間、決まった値段（政府が毎年度見直して決めます）で電力会社が買い取る仕組みです。しかし、買い取りにかかる分のお金の一部は通常の電気料金に上乗せされるため、消費者にとっては大きな負担です。

政府は消費者の負担軽減のため、電力会社が買い取る値段を段階的に引き下げてきました。ただし、これは再エネで発電した家庭や企業が受け取るお金（利益）が減ることにつながるため、今後再エネによる発電に取り組もうとする人にとってのメリットが薄れてしまう面もあります。

毎月の電気料金や使用量を確認できる検針票を見てみると、「賦課金」と書かれた項目があるよ。これが、ＦＩＴによって通常の電気料金に上乗せして徴収されているお金なんだ。

9 減り続ける日本の人口

TOPICS

- 出生数初めて80万人を切る
- 世界の人口は80億人を超える
- 日本の総人口は2070年に３割減少

練習問題 104ページへ

「４人に１人以上」が高齢者

人口に占める高齢者（一般的に65歳以上の人）の割合を「高齢化率」、その割合が高まることを「高齢化」といいます。日本では急速に高齢化が進んでいます。生まれる子どもの数（出生数）が減る「少子化」も同時に進んでいます。これらを合わせた「**少子高齢化**」が、日本の大きな特徴です。

少子高齢化が続くと人口は減ります。国の推計によると、2022年の総人口（外国人を含めた日本で暮らす人の数）は１億2495万人でした。総人口のピークは2008年の１億2808万人で、2011年以降は毎年減り続けています。

▶日本の総人口と年代別の構成（2022年10月1日時点）

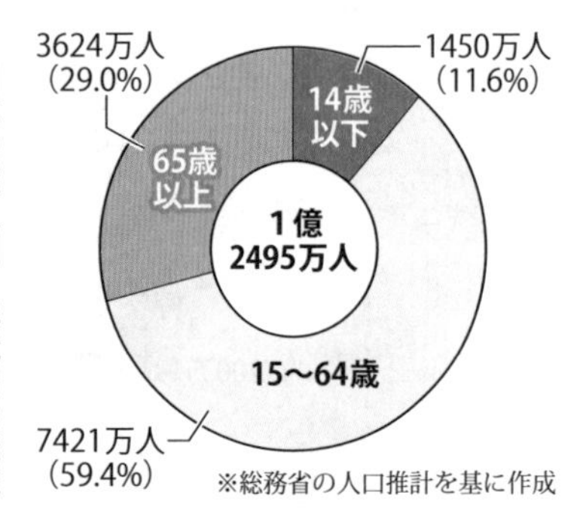

※総務省の人口推計を基に作成

■少子化、国の予測より早く

高齢化率は過去最高の29.0％で「４人に１人以上」が高齢者です（☞**左のグラフ**）。一方、2022年に生まれた日本人の子どもの数は77万759人で、統計を取り始めた1899年以降、初めて80万人を割りました。国が過去に想定していた以上の速さで減り続けています。

平均寿命が延びているとはいえ、高齢化が進めば、寿命や病気などで死亡する高齢者の数は年々増えます。１年間で死亡数が出生数より多いことを「**自然減**」といいます。日本では、自然減が2007年以降続いています。

PLUS

インドが人口世界一に

2023年の国別の人口は、長い間１位だった中国をインドが抜き、世界最多となりました。中国は少子化傾向に歯止めがかかりません。日本は前年より一つ順位を下げました。

▼人口が多い国（2023年）

1位	インド	14億2860万人
2位	中国	14億2570万人
3位	アメリカ	3億4000万人
	⋮	
12位	日本	1億2330万人

※国連機関の資料を基に作成

国際連合（国連）によると、世界の人口は2022年に推計で80億人を突破しました。2030年に85億人、2080年代に104億人になった後に横ばいになると予想されています。人口が増えている国の大部分は途上国です。衛生面の改善や栄養状態の向上で、幼い子どもの死亡率が下がっていることが背景にあります。

「超高齢社会」日本

世界保健機関（ＷＨＯ、☞140㌻）や国連は、高齢化率で高齢化の進み具合を分類しています。７％を超えた社会を「高齢化社会」、14％超を「高齢社会」、21％超を「超高齢社会」といいます。日本は1970年に高齢化社会、1994年に高齢社会、2007年に超高齢社会になり、高齢化の進展は世界でも最速ペースです。

止まらない少子化

2022年の国の統計によると、「**合計特殊出生率**」は、前年の1.30を下回る1.26となり、2005年と並んで過去最低となりました。

人口を今と同じ水準に保つには、出生率2.07程度が必要とされます。政府は「子どもを持ちたい」と願う人の希望がかなった場合の出生率を1.8として、その達成を目標にしていますが、遠く届かない数値です。

出産する世代の女性が少なくなれば、生まれる子どもの数も減ります。日本では今後若い世代がますます減っていくため、政府は「これから6～7年が状況を反転できるかどうかのラストチャンス」ととらえて「異次元の少子化対策」を進める、としています。

少子化の背景を考えてみよう。日本では、結婚しない「未婚化」、結婚する年齢が上がる「晩婚化」、出産する年齢が上がる「晩産化」が進んでいるよ。

■少子化が進むとどうなる？

少子化が進む背景にはさまざまな要素があります。大きな理由の一つとして、仕事と家庭の両立が難しいこと（☞49ページ）や、子育てにお金がかかることも指摘されます。

少子高齢化が進むと、税金や社会保険料を主に支払う「働き手世代」（15～64歳）の負担が重くなり、社会保障制度や行政サービスが続かなくなる心配があります（☞43ページ）。

少子化を食い止めるため、国は育児休業（育休、☞49ページ）制度を使いやすくしたり、幼稚園や保育所の利用料を原則無料にしたりしています。2023年度からは出産費用の補助を増額。2024年度には子どものいる家庭に配られる「児童手当」の対象や金額を拡大します。

WORD

合計特殊出生率

1人の女性が一生に産む子どもの数に当たる数値です。15～49歳の女性が1人当たり何人産んだのかを年齢別に計算し、合計します。

終戦直後の第1次ベビーブームの世代（**団塊の世代**、☞140ページ）が生まれた頃は4を超えていました。政府の目指す1.8以上を最後に記録したのは、40年前の1984年です。

POINT

2070年には総人口8700万人

国の研究所は2070年までの人口の推計を2023年に発表し、「半世紀後、総人口は今より3割少なくなる」と予測しました。推計は5年ごとに実施される国勢調査を基に発表されます。今回の推計によると、2020年に1億2615万人だった総人口は2056年に1億人を切り、2070年には8700万人となります。そのうち38.7％が65歳以上の高齢者で、生まれる子どもは50万人です。

今回の推計は、2017年に発表された推計よりも、総人口が1億人を下回る年が3年遅くなりました。平均寿命（☞141ページ）が延びること、外国人が増えることが理由です。2020年に275万人だった外国人は2070年に3.4倍の939万人に達すると予想されます。総人口の1割が外国人になる計算です。

▼日本の総人口と高齢化率の推移

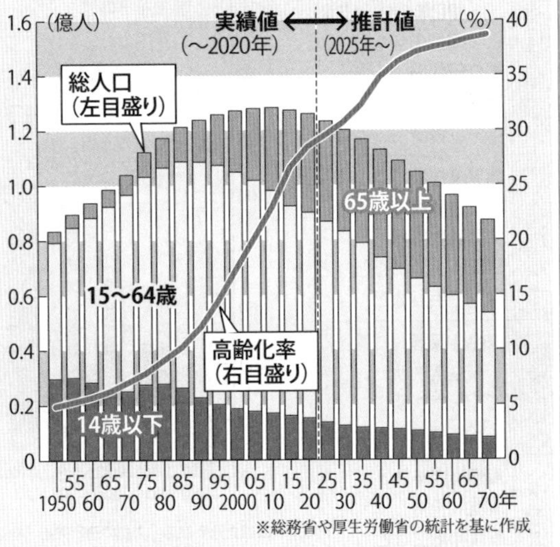

10 社会保障のこれから

TOPICS

▶膨らみ続ける「支え合い」のお金

▶持続可能な制度にするには

▶社会保険の基本を知ろう

練習問題 105ページへ

保険制度は「支え合い」

社会保障制度には、「困ったこと」の中身に応じてさまざまな種類があります。病院にかかる時に使う「**医療保険**」（一般に健康保険とも呼ばれます）のほか、主に高齢者向けでは「**年金保険**」や「**介護保険**」があります。仕事ができず生活に困っている人などを援助する「生活保護」もあります（☞43ページ）。こうした制度は日本国憲法25条で定める、全ての国民が「**健康で文化的な最低限度の生活を営む権利**」に基づいています。

サービスを受けるのに必要なお金は誰が支払っているのでしょうか。病院で診察を受けると患者は窓口でお金を支払いますが、支払うのはかかった医療費の一部（年齢などにより1～3割）です。残りのお金は、患者が加入している公的医療保険（税金や保険料）から支払われます。みんながお金を出し合って、支え合う――この仕組みが社会保障制度の骨格です。

「支え合い」にかかるお金は社会保障給付費*と呼ばれ、右肩上がりで増えています。2021年度は約139兆円で、国民1人当たり110万5500円でした。全体の40％にあたる約56兆円が年金に使われています。高齢化の進展に伴い、社会保障給付費は、今後も膨らんでいきそうです。2040年度には190兆円程度になると予測されます（☞下のグラフ）。

▼日本の社会保障制度

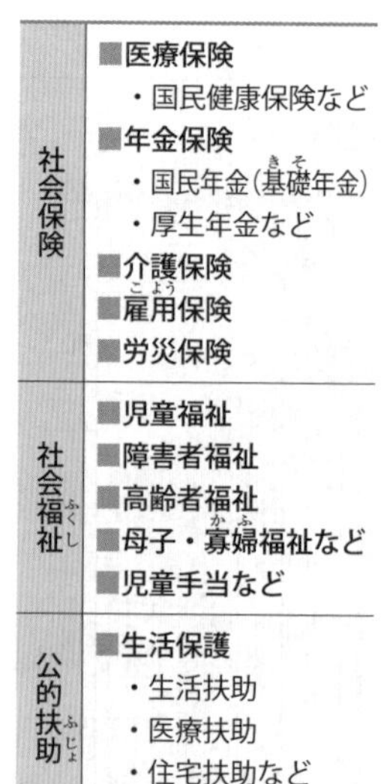

社会保険	■医療保険 ・国民健康保険など ■年金保険 ・国民年金（基礎年金） ・厚生年金など ■介護保険 ■雇用保険 ■労災保険
社会福祉	■児童福祉 ■障害者福祉 ■高齢者福祉 ■母子・寡婦福祉など ■児童手当など
公的扶助	■生活保護 ・生活扶助 ・医療扶助 ・住宅扶助など
公衆衛生	■感染症予防 ■結核予防 ■精神衛生など

▼社会保障給付費の推移と見通し

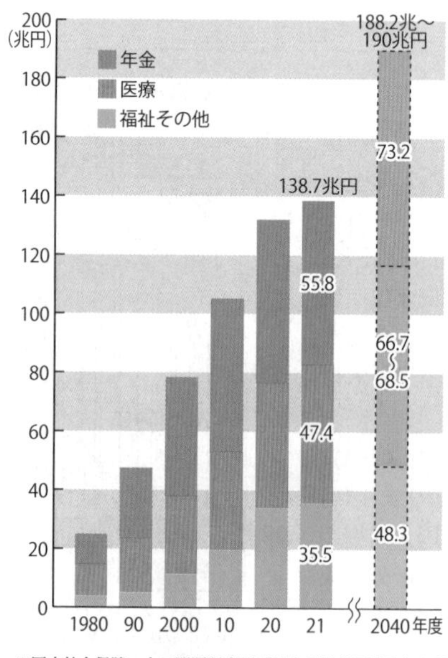

※国立社会保障・人口問題研究所「社会保障費用統計」を基に作成。2040年度は国の推計

日本では、ヨーロッパの先進国に比べて国が子育て政策に使うお金が少なく「高齢者に偏っている」と言われてきました。そこで、政府は2010年代に入ってから、若い世代にも恩恵がある「全世代型社会保障」という考え方を掲げました。さらに岸田文雄内閣は2023年、「異次元の少子化対策」を唱え、児童手当など子育て世代のための支出を増やします。

＊**社会保障給付費**……年金や医療、介護、子育て支援、生活保護などに使われる税金と社会保険料（年金、医療などの保険料）の合計額です。病院の窓口などで支払うお金（自己負担）は含みません。

医療に介護に 広がる「応能負担」

日本の社会保障制度は、外国と比べて高齢者に手厚いとされます。制度を主に利用する高齢者が増えれば、かかる費用も増えることになります。

その一方、少子化の影響で、税金や**社会保険料**❓を主に支払っている「働き手世代」（15～64歳）は減っていくと予測されます（☞40、41ページ）。働き手世代１人当たりの負担はますます重くなり（☞**上のイメージ図**）、制度が続かなくなる心配があります。

▼高齢者１人を何人で支える？

■高齢者の負担 所得に応じて

社会保障制度を持続可能なものにするには、どうしたらいいのでしょうか。国は、「給付は高齢者、負担は働き手世代」に偏りがちだった仕組みを、少しずつ見直しています。

公的な医療保険は、治療などにかかった費用の一部を、患者も負担する決まりになっています。この自己負担の割合は１～３割で、年齢や所得（収入）によって変わります。2022年からは、75歳以上で「１割負担」だった人のうち一定額以上（１人暮らしなら年200万円以上）の所得がある人の負担が２割に引き上げられました。こうした見直しは、所得が多い人には支払う能力に見合った負担をしてもらう、という「**応能負担**」の考え方に基づいたものです。

WORD

❓社会保険料

けがや病気、老いなどで生活が苦しくなる時にお金を受け取るための公的な保険制度を「**社会保険**」といいます。医療保険、年金保険、介護保険などの種類があり、年齢などの条件（☞44、45ページ）を満たす国民は原則、加入することが義務づけられています。

社会保険料とは、社会保険を運営するために加入者が支払うお金のことです。加入者が会社員の場合は、会社が社会保険料の一部を負担します。加入者の負担分は毎月の給与からあらかじめ差し引かれ、会社を通して納めます。

介護保険も、サービス利用者の自己負担割合が「原則１割」から、所得の多い人は「２割または３割」に引き上げられてきたんだ。毎月支払う保険料（☞45ページ）も、所得の高い高齢者については2024年度から引き上げられるよ。

PLUS

最後のセーフティーネット「生活保護」

「生活保護」は、生活に困っている人を援助する社会保障制度の一つです。必要な生活費を国などが支給し、医療にかかる費用などが無料になります。憲法で定められた「健康で文化的な最低限度の生活」を保障する「最後のセーフティーネット」とも呼ばれます。

2021年度の受給者数は204万人で、高齢者が半数を超えています。年金収入だけでは自宅の家賃などを支払えない人が増えているのが主な原因とみられます。

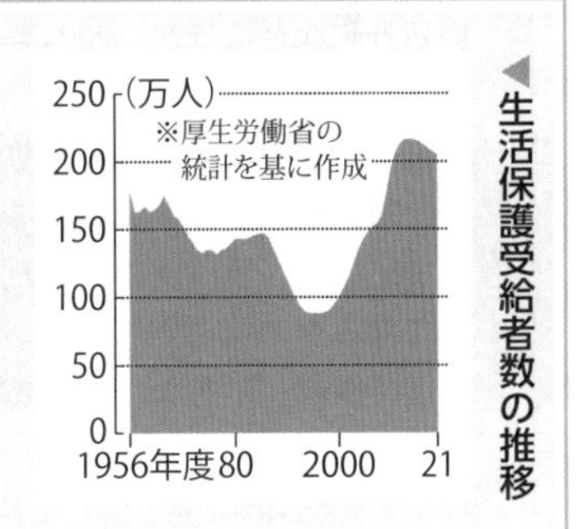

◀生活保護受給者数の推移

時事力 Basic 10 **社会保障のこれから**

基本を知ろう 社会保険制度 ①

病気になる、失業する、年を取って働けなくなる――。こうした困難な状況に備えて保険料を支払っておき、いざという時にお金をもらう仕組みを「保険」といいます。保険には、国の制度である「**社会保険**」（☞43ﾍﾟの「WORD」）と民間の保険会社の商品があります。ここで紹介する社会保険は、保険料だけでなく税金が運営に使われているのが特徴です。

◆ 医療…職業・年齢別で種類

けがや病気をした時の支えになるのが医療保険です。次の種類があります。

医療保険の種類	加入者
健康保険組合	主に大企業に勤める人
全国健康保険協会（協会けんぽ）	主に中小企業に勤める人
共済組合	公務員
国民健康保険（国保）	自営業者や無職の人
後期高齢者医療制度	75歳以上の全ての人

どれに加入するかは職業や年齢によって異なります。例えば、ある人が大企業に勤めている時は健康保険組合に加入しますが、定年を迎えて無職になれば国保に、さらに75歳になると後期高齢者医療制度に加入することになります。子どもは、扶養（養うこと）されている親の保険に加入します。

全ての国民は、いずれかの公的医療保険に加入することが法律で義務づけられています。これを「**国民皆保険**」といい、1961年に始まりました。

医療機関や薬局の窓口で見せる「健康保険証」を、国は2024年12月に廃止して、マイナンバーカードにその機能を持たせる「マイナ保険証」に切り替えると決めたよ。既に大半の医療機関で使えるんだ＝写真は一例。

Yes? No? 子ども医療費「一部地域だけ 18 歳まで無料」に賛成？ 反対？

公的医療保険では、治療などにかかった費用のうち、小学校入学前の子どもは２割、入学後は３割を自己負担する決まりです。しかし、この自己負担分を独自に援助（助成）して、18歳まで医療費を一律無料にする地方自治体が出てきました。静岡県清水町、兵庫県明石市、鳥取県日野町などのほか、2023年４月から東京23区も加わりました。

全ての自治体が何らかの助成は行っていますが、対象は「小学校入学前まで」「中学校卒業まで」などバラバラで、親の所得によって対象外になるケースもあります。「一部地域だけ18歳まで無料」にあなたは賛成ですか？　反対ですか？

■ **賛成だ**

・自治体の特色づくりとして評価できる。人口が減って困っている地方が率先して無料にすれば、子育て世帯の移住のきっかけになる。

・子育てにかかる金銭的な負担が減り、子どもを産み育てやすくなる。出生数が増えるかもしれない。

■ **反対だ**

・子どもが住む場所によって、負担する医療費が違うのは不公平。国が一律に決めるべきだ。

・気軽に病院を受診できるようになり、医療にかかる公的な支出が増えてしまう可能性がある。税金や社会保険料の値上げにつながりかねない。

基本を知ろう 社会保険制度 ②

◆ 年金…老後の備え

年金は「老後の資金不足」に備える制度です。日本では、20歳になると加入することが全ての人に義務づけられており、これを**「国民皆年金」**といいます。医療保険と同じ1961年に始まりました。

全ての国民が入るのが「国民年金（基礎年金ともいいます）」です。原則として20歳から60歳になるまで保険料を納め、65歳から死ぬまで年金を受け取れます。年金額は一定です（保険料を納めていないと減額される場合があります）。

自営業者や無職の人は「国民年金」に加入し、基礎年金を受け取ります。一方、会社員や公務員は「厚生年金」に加入します。基礎年金のほかに、所得に応じて上乗せされる金額を受け取れます。

▼公的年金の仕組み

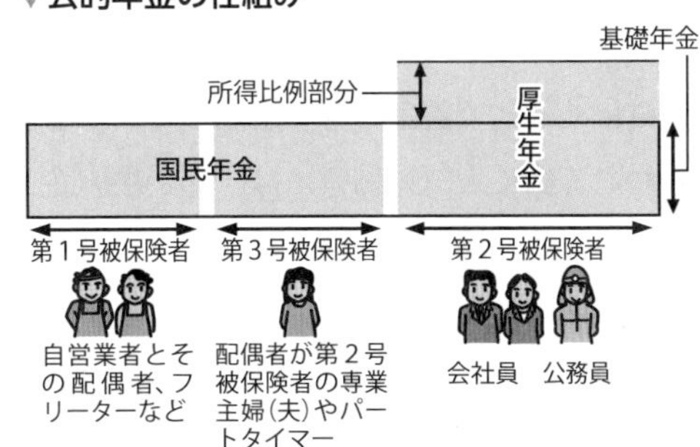

▲上の図の「第１号被保険者」は、国民年金保険料（月１万7000円程度）を納めます。40年間全て納めると月６万5000円程度の年金を受け取れます。

厚生年金の保険料は所得によって異なります。年収の18.3%（このうち半分は勤め先の企業が負担します）を保険料として納め、その額に応じた年金を受け取ります。第２号、第３号被保険者の国民年金保険料は厚生年金から支払われ、個別に納める必要はありません。

少子化で減る「仕送り」

公的年金は、若い世代が納めた保険料を、今の高齢者に配る仕組みです。これを「仕送り方式」とか、少し難しい言葉では「賦課方式」と呼びます。今の若い人たちが高齢者になったら、これから生まれる子どもたちが納める保険料で年金を受け取ることになります。子どもの数は減っていくので、今の若い人が将来受け取る年金の額は、今の高齢者よりも少なくなる見通しです。

◆ 介護…加入は40歳から

介護はかつて、家族、とりわけ女性の役割と考えられてきました。これを「国民みんなで支えるべきだ」として2000年度に始まったのが介護保険です。全ての国民が40歳で加入し、保険料を支払うことが義務づけられています。

介護保険制度による介護サービスを利用できるのは、原則として市区町村から「日常生活に支援が必要だ」「寝たきり、認知症などで介護が必要だ」と認められた65歳以上の人です（特定の病気により40歳以上で認められる場合もあります）。

自宅で暮らしながら、ホームヘルパーらに身の回りの世話をしてもらったり、施設に通ってリハビリや入浴のサービスを受けたりすることができます。介護施設（特別養護老人ホームなど）で暮らしながら日常生活の世話をしてもらうサービスもあります。いずれも利用者は、料金の１～３割を負担します。

介護保険料は自治体ごとに決められ、40～64歳の保険料は毎年見直されます。高齢化で介護を必要とする高齢者が増え続けていることを背景に、保険料は上がり続けています。2023年度の平均（40～64歳）は１人当たり月6216円。制度が始まった2000年度に比べ、およそ３倍に膨れ上がっています。

11 働くということ

TOPICS

▶知識と制度を学んで身を守る

▶最低賃金 大幅にアップ

▶女性の給与は男性の「4分の3」

練習問題 106ページへ

■ 憲法が保障 基本の三つの権利

私たちの社会は、人々がそれぞれの仕事をして、支え合うことで成り立っています。また、人々は働くことで賃金を得て生活しています。

雇われて働く人（労働者）は、雇い主（企業など）よりも立場が弱くなりがちです。そこで日本国憲法は労働者を守るため、最も基本となる三つの権利（**労働三権**❓）を保障しています。憲法に基づいて多くの法律も制定され、企業が守るべきルールなどが定められています。特に大事な法律が、**労働基準法**（☞141ページ）をはじめとする労働三法です。

ところが、これらの法律を無視して賃金や残業代をきちんと支払わなかったり、長時間働かせたりする企業もあり、「ブラック企業」と呼ばれます。学生アルバイトが勤務日を決める時に、授業や試験を考慮してもらえないことや、売れ残った商品を無理やり買わされることなども一例です。被害から身を守るために、権利やルールを知っておく必要があります。

> **WORD**
>
> **❓ 労働三権**
>
> ①労働条件（労働時間、賃金など）の改善を目指して労働者が団結し、労働組合をつくる**団結権**②労働組合が企業側と交渉する**団体交渉権**③労働組合が要求実現のためストライキなどをする**団体行動権**――の三つで、憲法28条で勤労者の権利として保障されています。ただし、公務員は、職務に公共性があることなどから、権利の一部が法律で制限されています。

「最低賃金」平均1000円超え

企業が守るべきルールには「最低賃金」もあります。企業が労働者に支払わなくてはならない最低限の時給のことで、最低賃金より低い給料で人を雇うことは法律で禁じられています。正規雇用にも非正規雇用（☞48ページ）にも適用されます。

▼**最低賃金の全国平均の推移**

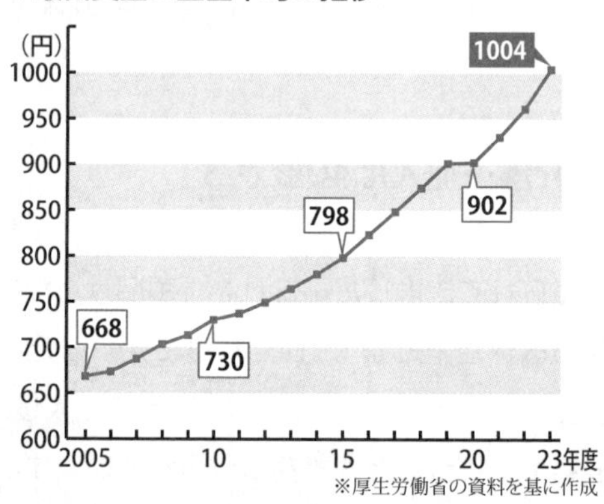

※厚生労働省の資料を基に作成

最低賃金は都道府県ごとに異なり、年1回見直されます。2023年度の全国平均は、2022年度より43円高い1004円となり、初めて1000円を超えました。引き上げ幅も過去最高でした。全国最高は東京都の1113円で、最低は岩手県の893円、次いで徳島県・沖縄県の896円。デフレーション（デフレ、☞25ページ）脱却のために、「賃上げ」を強く求めていた政府の意向が反映された形となりました。

ハラスメントをなくすために

強い立場にいる人が、弱い立場の人に行う嫌がらせを「**パワーハラスメント（パワハラ）**」と言います。ハラスメントとは、嫌がらせのことです。被害にあった人がうつ病になったり自殺したりして、「労働災害（労災）」に認定されるケースもあり、社会問題化しています。

■「防止」は全ての企業の義務

2022年からは、職場でのパワハラの「防止」に取り組むことが、全ての企業に義務づけられました。厚生労働省（国の役所）はパワハラを六つのタイプ（☞**右の表**）に分けています。仕事の指導とパワハラの境界にはあいまいな面もあるため、企業はこうした相談に幅広く応じる窓口を作り、被害者の不利益にならないように対応しなければなりません。

他に、性的な嫌がらせである「**セクシュアルハラスメント（セクハラ）**」や、妊娠・出産を理由に女性が職場で嫌がらせを受ける「**マタニティーハラスメント（マタハラ）**」の防止も法律で企業の義務とされています。ただし、いずれも罰則はなく、ハラスメント自体を禁止して罰する規定もありません。

◀パワハラ 六つのタイプ

1. 身体的な攻撃	2. 精神的な攻撃	3. 人間関係からの切り離し
殴る蹴る。物を投げつける。いきなり胸ぐらをつかみ、説教する	人格を否定する。長時間、厳しくしかる。他の人の前で威圧的にしかる	特定の人を仕事から外す。長時間、別室で過ごさせる。集団で無視して職場で孤立させる
4. 過大な要求	**5. 過小な要求**	**6. 個の侵害**
必要な教育をせずに、対応できないレベルの業務を課す。業務と関係ない雑用を強制する	嫌がらせのために仕事を与えない。退職へ追い込むため簡単な業務をあえて課す	家族の悪口を言う。私物をチェックする。知られていない個人情報を、本人の了解なく言いふらす

暮らし

POINT

女性の給与はなぜ低いの？

国の調査によると、雇われて働く人の毎月の給与の平均（2022年）は男性が34万2000円、女性が25万8900円。女性は男性の４分の３しかありません。なぜでしょうか。

企業では、一般的に課長や部長などの管理的な仕事をすると、給与が上がります。しかし、そのような立場にいる女性の割合は、2021年時点で13.2％です。アメリカの41.4％、ドイツの29.2％などと比べても日本は低いです。

▼年代別の男女の賃金格差

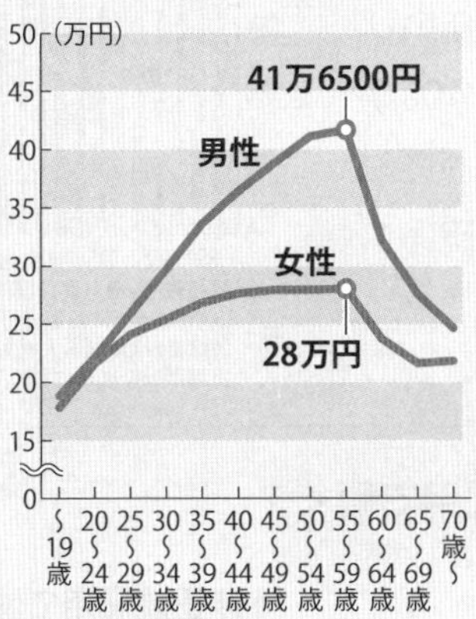

(万円) 50 / 45 / 40 / 35 / 30 / 25 / 20 / 15 / 0
男性 41万6500円
女性 28万円
〜19歳 20〜24歳 25〜29歳 30〜34歳 35〜39歳 40〜44歳 45〜49歳 50〜54歳 55〜59歳 60〜64歳 65〜69歳 70歳〜

※厚生労働省の資料を基に作成

また、非正規雇用で働く人の約７割が女性であることも要因です。非正規雇用はその時の状況で勤務時間を減らされることがあり、正規雇用に比べて給与が低い傾向にあります（☞48ページ）。政府は、女性が働きやすい環境を整えて（☞49ページ）、格差をなくすことを目指しています。

PLUS

テレワークが定着

パソコンなどを使って、出社せずに自宅や外出先で仕事をする「テレワーク」が広がっています。テレワークとは、情報通信技術（ＩＣＴ、☞139ページ）を利用して、時間や場所を有効に活用する働き方のことです。もともと育児や介護との両立のために政府が進めていましたが、2020年に新型コロナウイルスの感染が拡大したのをきっかけに、導入する企業が増えました。

一方、導入したのに、やめた企業もあります。社員の働きぶりを把握しにくいことや、社内のコミュニケーションが難しいことなどが理由です。情報流出への対策も必要で、試行錯誤が続いています。

どう変わってきた 日本の働き方 ①

高度経済成長期（1955～73年）以降の日本では、男性は正社員として一つの企業で定年まで働く▽女性は結婚や出産を機に仕事を辞め、育児が一段落したら再び職に就く場合もある（その多くはパートタイマーとして）――といった働き方をする人が多くみられました。しかし、ここ30年ほどで、そのスタイルは大きく変化しました。

◆ 増えた非正規雇用

働き方には大きく分けて**正規雇用**と**非正規雇用**があります。先ほどの例でいえば、正社員は正規雇用、パートタイマーは非正規雇用に当てはまります。非正規雇用には他にも、アルバイトや派遣社員、契約社員などがあります。

正規雇用で働く人は、雇われる期間が決まっておらず、定年（60歳以上）まで働き続けることができます。一方、非正規雇用は、雇われる期間や働く時間が限られているのが特徴です。

雇われて働く人（役員を除く）全体に占める非正規雇用の割合（非正規比率）は年々、高まってきました（☞**右のグラフ**）。1989年は19.1%でしたが、2022年には36.9%と、30年余りで約２倍になりました。バブル経済（☞**140ページ**）の崩壊後、日本経済が長く低迷し、企業が賃金を低く抑えるために非正規雇用で人手を確保するようになったからです。

非正規雇用は自分の都合で働きやすい半面、雇用の継続や収入が不安定になります。国は、希望する人が正社員になれるよう支援する政策を進めています。また、同じ仕事をしていても非正規雇用のほうが賃金が低いことが多かったため、**働き方改革関連法**（2018年制定）で「同じ仕事なら原則賃金も同じにする」と定められました。この考え方を「**同一労働同一賃金**」といいます。賃金に差をつける場合、企業は理由を本人に説明しなければなりません。

新型コロナウイルスの感染拡大後、飲食店などで働いていた多くの非正規雇用の人が仕事を失ったんだ。一方で、人手不足になった医療・介護職を中心に正規雇用の人は増えているよ。

▼正規・非正規雇用の人数と非正規比率の推移

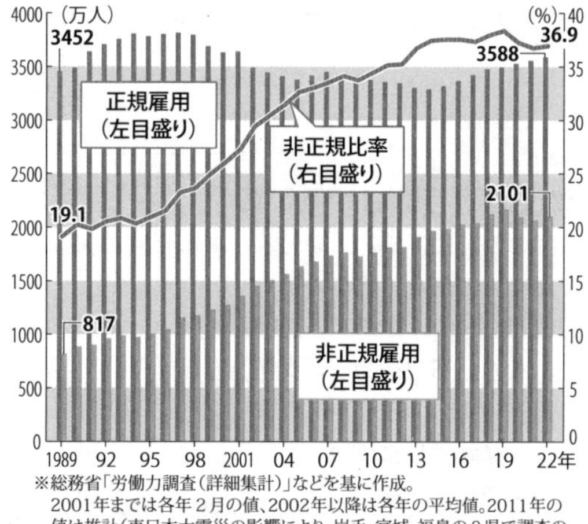

※総務省「労働力調査（詳細集計）」などを基に作成。
2001年までは各年２月の値、2002年以降は各年の平均値。2011年の値は推計（東日本大震災の影響により、岩手、宮城、福島の３県で調査の実施が一時困難になったため）

Yes? No? 正規雇用で働く？ 非正規雇用で働く？

■ 正規雇用で働く

- 正規雇用は「安定・安心」。定年まで比較的安定した給与を受け取ることができ、クレジットカードやローン契約の際に社会的信頼を得やすい。
- 住宅手当などの福利厚生が手厚く、ボーナス（賞与）や退職金も充実している。

■ 非正規雇用で働く

- フルタイムで働き転勤の可能性がある正規雇用と比べて、自分のライフスタイルに合わせて働ける。
- １社だけでなくさまざまな職場で働けるので、自分の能力を高めることにつながる。正規雇用よりも収入が多い場合もある。

どう変わってきた 日本の働き方 ②

◆ 残業規制で「脱・働き過ぎ」

働く時間も変わりつつあります。

労働基準法（☞141㌻）は、企業が「１日８時間」「週40時間」を超えて労働者を働かせることを原則として禁じています。これを超えて働かせることを残業といいます。

以前は、企業が労働組合と特別の約束を交わせば、無制限に残業させることが許されていました。そこで働き方改革関連法で、残業時間の上限が「どんなに忙しくても月100時間未満（休日労働を含む）、年720時間以内」と定められました。これを超えて残業させた企業には懲役や罰金が科されます。

それでもなお、働く時間が長すぎて心身の健康を害したり、過労死に追い込まれたりする人は後を絶ちません。今の法律はこうした被害の防止に「不十分だ」との声もあります。

また2024年４月からは、こうした規制が適用されていなかったトラック運転手や医師などにも残業の上限（年960時間）が設けられます。働く人の健康を守るために必要ですが、ますます人手が足りなくなって、宅配便の配達や救急医療などに影響が出るのではないか、とも心配されています。

◆ 仕事と育児の両立は

女性が働きやすい環境を整える取り組みが進んでいます。かつては、出産や育児のために20～30歳代で仕事を辞め、一段落した40歳代から再び働く女性が少なくありませんでした。近年は辞めずに働き続ける女性が増えています（☞下のグラフ）。これを後押しするのが、仕事と育児の両立を支援する制度で、代表的なのは**育児休業（育休）**です。原則として子どもが１歳になるまで仕事を休めます。

しかし、両立は簡単ではありません。2022年度の男性の育休取得率は17％で、女性の80％と比べると開きがあります。共働きの夫婦で、妻が育児と家事に費やす時間は「夫の３倍以上」というデータもあります。男性が育児や家事を分担しなければ、女性が働き続けることは難しくなります。

▼女性の労働力率（年齢別）

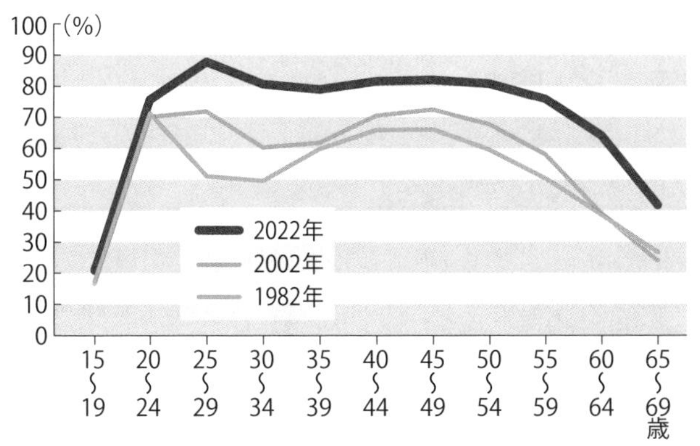

▲グラフは各年齢層の女性に占める「働いている人」と「職が見つかれば働きたい人」の合計（＝労働力）の割合です。折れ線がアルファベットの「M」に似ていることから「M字カーブ」とも呼ばれます。この傾向は年々、解消しつつあり、折れ線の形は「M字」から「台形」に近づいています。

そこで国は、出産直後を対象にした「産後パパ育休」（男性版産休）を2022年に創設するなど、男性の育児参加を促しています。

◆ 働く高齢者 ４人に１人

2022年に働いていた65歳以上の人は912万人で、過去最多を更新しました。高齢者の４人に１人が仕事を続けている計算です。企業には、働くことを希望する人を65歳まで雇い続けることが義務づけられています。2021年からは新たに、70歳まで働く場を確保するよう努めることが義務となりました。

12 消費生活を豊かに

TOPICS

- ▶トラブルから身を守る制度を知ろう
- ▶増えている 現金使わない決済
- ▶地球の未来に貢献する消費スタイル

練習問題 108ページへ

消費者を守る仕組みとは

私たちは日々の生活で、さまざまな商品（ものやサービス）を買います。こうした行為を**消費**といい、この場合の私たちは**消費者**と呼ばれます。大人はもちろん、小中学生も消費者です。消費という行為は、法律では「消費者として売買契約を結ぶこと」と言い換えられます（☞**下の囲み**）。一度成立した契約は、原則として一方的に取り消すことはできません。

ただし、未成年者はこの限りではありません。未成年者は保護者の同意のない契約は結べず、自分だけで交わした契約は原則として取り消せます（**未成年者取り消し権**）。知識や経験が浅いとして保護されているのです。

こうしたルールを定めている**民法**が改正され、2022年から大人として扱われる「成人年齢」は18歳になりました（改正前は20歳）。多くの人は高校在学中から、より自由に消費活動（契約）を行えるようになりました。半面、未成年者としての保護は受けられません。

◀買い物をする消費者

■トラブルにあったら？

消費者トラブルに巻き込まれる可能性は誰にでもあります。不当な勧誘による契約は取り消せることが法律で定められており、**クーリングオフ**❓の仕組みもあります。消費者ホットライン「１８８」（「いやや」と覚えましょう）に電話をかければ相談窓口につながります。「消費者を守るルールがある」と知っておくことが大切です。

PLUS

消費者の「権利」と「義務」

ある商品について、消費者が「買いたい」、売り手が「売りたい」とそれぞれ考え、合意すれば、売買の契約が成立します。契約とは、法律上の権利と義務が生じる約束のことです。この場合では、消費者側に「商品を受け取る」権利と「代金を支払う」義務が、売り手側に「代金を受け取る」権利と「商品を渡す」義務が生じます。

一度交わした契約は原則として、一方的に破ることはできません。契約を守れないと、賠償金などを求められる場合があります。ちなみに契約は口頭だけでも成立します（いわゆる「口約束」です）が、現実には契約書を交わすことが多いです。口約束だと、トラブルになる可能性が高くなるからです。

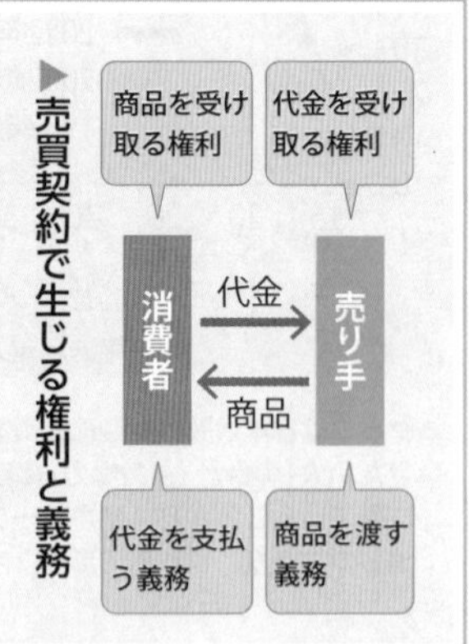

▶売買契約で生じる権利と義務

加速するキャッシュレス化

買い物をする時、現金（キャッシュ）を使わない**キャッシュレス決済**が広がっています。対応するセルフレジも増えています。店員と現金のやり取りをせずに短時間で支払いが済むため、新型コロナウイルス対策として利用が進みました。

◀コンビニエンスストアなどで導入が進むセルフレジ。クレジットカードやコード決済が可能だ＝東京都内で

2022年の消費者の支払いのうちキャッシュレス決済の比率は36％でした。2010年は13％だったので12年で３倍近くに増えました。内訳は、クレジットカード85％▽二次元（ＱＲ）コードをスマートフォンで読み取るなどすると利用金額が引き落とされるコード決済７％▽利用前にお金をチャージ（入金）するプリペイド型の電子マネー５％▽支払いと同時に銀行口座などから引き落とされるデビットカード３％――でした。特にコード決済が急激に伸びています。

海外では、特に韓国や中国などでキャッシュレス化が進んでいます（☞下のグラフ）。日本は将来的に８割まで引き上げるのが目標です。

▼主要国のキャッシュレス決済比率（2021年）

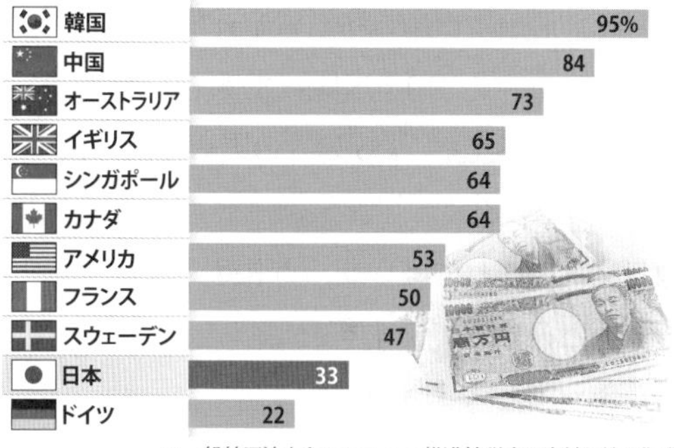

※一般社団法人キャッシュレス推進協議会の資料を基に作成

WORD

クーリングオフ

一度交わした契約について消費者が考え直し、一定の期間内であれば無条件で解約（契約を取り消すこと）できる制度のことです。特定商取引法で定められています。商品などの代金は戻り、解約料もかかりません。

自宅に突然、営業担当者が来る訪問販売や、路上で呼び止められて勧誘を受けるキャッチセールスなどが対象です。契約から一定期間（８日間または20日間）以内なら、一方的に解約できます。電子メールでも解約できるようになりました。なお、通信販売や一般の店舗での買い物は法的なクーリングオフ制度の対象外です。消費者がよく考えて契約できるからです。

環境や人権に配慮した「エシカル消費」

ものやサービスを買う時、地球環境や人権などに配慮したものを積極的に選び、社会に貢献する消費スタイルを**「エシカル消費」**といいます。エシカルは「倫理的な」「道徳的な」という意味です。例えば、地元で生産されたものを地元で消費する**「地産地消」**は、輸送時に排出される二酸化炭素の量を減らします。途上国で作られたものを適正な値段で買う**「フェアトレード」**は、生産者の生活向上につながります。コンビニエンスストアなどで商品棚の手前にある、消費期限が近い食品を買う「てまえどり」も、食品ロス（フードロス、☞140㌻）を減らすためのエシカル消費の例です。あなたが「何を消費するか」が、社会の未来を左右するのです。

▲「てまえどり」を呼びかける商品棚＝東京都内のコンビニ

13 子どもと教育のいま

TOPICS

- 減らぬ不登校 過去最多の約30万人
- 発足１年のこども家庭庁とは？
- 日本の教育 今とこれから

練習問題 109ページへ

不登校・いじめ増　見通せぬ新型コロナの影響

国の調査によると、2022年度に病気や経済的な事情ではない理由で30日以上学校を休み「**不登校**」と判断された小中学生は29万9048人で、過去最多でした（☞**下のグラフ**）。

▶**不登校の小中学生の数の推移**

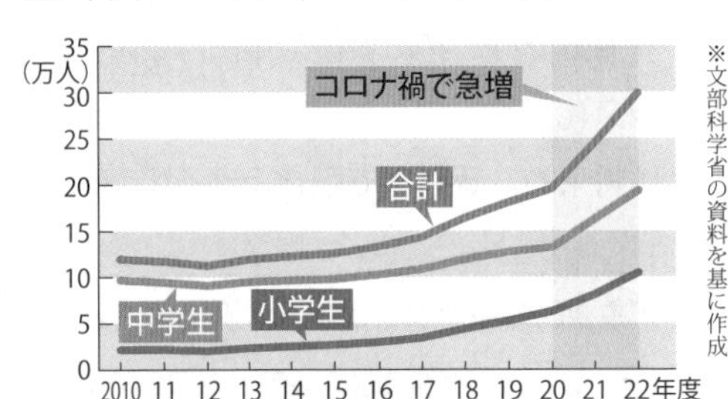

背景には、2020年以降に拡大した新型コロナウイルス感染症（☞68㌻）の影響があります。生活環境が変化し、相次ぐ休校や学級閉鎖で生活リズムの崩れやすい状況が長引いたことなどが原因とみられています。

また、不登校の児童・生徒の約４割が、学校内外の専門家（養護教諭や教育支援センターなど）による相談や指導を受けていないことも明らかになりました。子どもたちが安心して相談でき、一人一人に寄り添った支援ができるような体制を作ることが求められています。学校などの公的機関だけではなく、民間の**フリースクール**（☞141㌻）やオンラインでの自宅学習を通して、不登校の子どもたちが学びの機会を失わないようにすべきだという声もあります（☞**下の囲み**）。

2022年度に小中高校などで認知されたいじめの件数も、過去最多の約68万件でした。新型コロナによる行動制限が緩和され、子どもたちの交流が戻ったことが背景にあります。

Yes? No? 不登校支援にフリースクールなどを積極的に活用すべきか、否か？

国は、フリースクールなどの民間教育を含めて多様な学びの場を用意し、教育を受けられない子どもをゼロにすることを目指しています。しかし、こうした民間教育に反対する声もあります。

■活用すべきだ

- 民間教育は、不登校の子どもの教育機会を確保するうえで、既に重要な役割を果たしている。
- たくさんの選択肢の中から、それぞれの子どもに最も合う学びの場を選べるようにすべきだ。

■活用すべきでない

- 学校で教育を受けないと、学業に遅れをきたしたり、将来の職業選択に不利益を被ったりする恐れがある。
- 施設によって学習内容にばらつきがあり、経済的負担も大きい。

▲フリースクールで勉強する中学生＝新潟県で2018年

日本が抱える子どもの課題

近年、「ヤングケアラー」の存在や、支援の必要性が知られるようになりました。

子どもは、心身が発達し、学業や人間関係の築き方などを習得して成長していく途中にあります。その時期に重いケアの負担を抱えると、勉強や遊びの時間が取れなくなったり、睡眠時間が短くなったりして、自身の成長や進路に大きな影響を受ける恐れがあります。国が2022年に行った実態調査では、家族の世話を担う子どもが「家族の世話をするのは当たり前だ」「特に大変さは感じていない」と答えるなど、負担の重さや生活への影響に無自覚な様子が明らかになりました。周囲の人が子どもの様子を気にかけ、場合によって声をかけることが必要です。また、2023年4月に発足した**こども家庭庁**（☞下の「3級Check」）も支援を行っています。

増え続ける児童虐待

親が子どもに暴力を振るったり、子どもの世話をしなかったりすることを**児童虐待**（☞139ページ）といいます。虐待の相談を受ける全国の児童相談所は、親子の状態を調べたり、子どもを一時的に保護したりします。2022年度に対応した件数は約22万件で、32年連続で増えました（☞**下のグラフ**）。

虐待を受けるなどして親と暮らせない子どもの約8割は、職員に育てられながら集団生活を送る「児童養護施設」などで暮らします。しかし、国際的には家庭で養育することが主流で、国は里親が自らの家で子どもを育てる「里親家庭による養育」を増やす方針です。

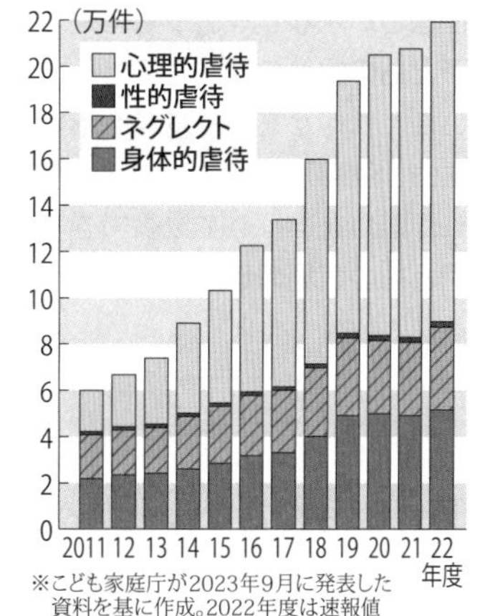

◀児童虐待相談対応件数の推移と内訳

※こども家庭庁が2023年9月に発表した資料を基に作成。2022年度は速報値

WORD

ヤングケアラー

一般に、本来は大人が担う家事や家族の世話（ケア）を日常的に行っている、18歳未満の子どもを指します。障害や病気のある家族の代わりに料理や洗濯をしたり、他の家族が働きに行っている間に高齢の家族や幼いきょうだいの世話をしたりします。高齢化が進んで介護の必要なお年寄りが増える一方、核家族化によって家族の中でケアを担える人手が減っていることなどが背景にあります。

こども家庭庁とは？

子どもにとって最もよいことは何かを考え、子ども政策を社会の中心に据える「こどもまんなか社会」実現の中心となる国の役所です。これまで厚生労働省や内閣府が取り組んできた政策を、まとめて担います。また、親の事情などで幼稚園、保育所に通えない子どもやヤングケアラーなど、これまで支援が十分に行き届かなかった子どもへの支援にも取り組みます。ただし、学校教育や幼稚園などは引き続き文部科学省が担います。

▲こども家庭庁のイメージ

子どもの権利条約とは？

世界中の子どもの権利を保障するのが「**子どもの権利条約**（児童の権利に関する条約）」です。子ども（18歳未満）を保護の対象としてだけではなく、権利の主体と位置づけ、全ての子どもの基本的人権を保障しています。国際連合（国連）で1989年に採択されました。

条約には四つの原則があります（☞下の「POINT」）。これらは条文に書かれた権利でもあり、さまざまな子どもの権利を尊重し、実践していくのに欠かせないとされています。

POINT

子どもの権利条約 四つの原則

差別の禁止：子ども自身や親の人種や国籍、性などいかなる理由でも差別されないこと。

子どもの最善の利益：子どもにとって最もよいことは何かを第一に考えること。

生命、生存及び発達に対する権利：命が守られ、能力を伸ばして成長できること。

子どもの意見の尊重：意見を表明し参加できること。

◆こども基本法にも反映

子どもの権利条約は日本では1994年に効力を持ちました。しかし、国連の委員会からは国内で「意見を表明し参加できる権利（**意見表明権**）」が十分尊重されていないことなどが指摘されてきました。2023年に施行された「**こども基本法**」では、子どもが意見を述べ、その意見が年齢に応じて尊重されることを含めた条約の四つの原則が明記されました。条約の精神にのっとり、子どもの権利を擁護する政策が進められています。

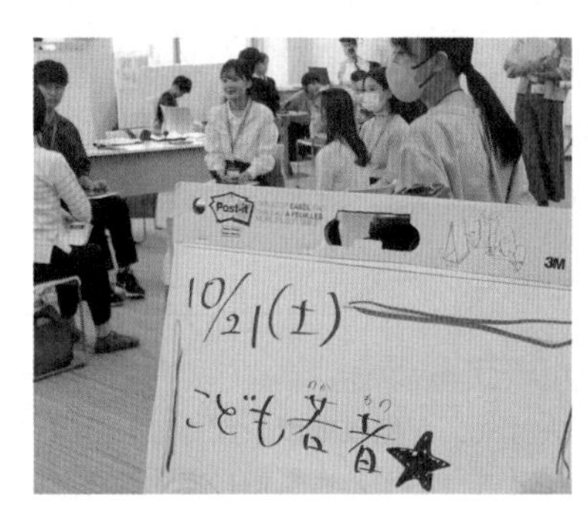

◀子どもに関わる政策について、子どもや若者の意見を聞く「こども若者★いけんぷらす」という活動も行われている＝こども家庭庁で2023年

PLUS

時代に合わせたルールへ

子どもの権利を尊重する動きに合わせて、時代に合わないルールの見直しが進んでいます。

◆子どもへの体罰 許されぬ

明治時代に制定された民法のうち、親子を巡る規定が2022年に改正されました。民法では、教育に必要な範囲で親が子を懲らしめることを認める「**懲戒権**」が定められていました。しかし、「しつけ」を名目にした虐待で子が死亡する事件は後を絶ちません。そのため、改正民法では「懲戒権」が削除され、新たに「子の人格の尊重」「子の年齢・発達への配慮」「体罰の禁止」が明記されました。

◆変わるか 学校のルール

学校のルールについては、あまりに厳しくて時代にも合わない校則や、必要性が疑われる校則の存在がしばしば指摘されます。「高校生らしい」などのあいまいな表現に加え、頭髪や服装を細かく規定し、生まれつき茶色い髪を黒く染めるよう強要したり、下着の色を学校がチェックしたりするなど、子どもの人権を侵害するような例も少なくありません。こうした校則は「ブラック校則」などと呼ばれて批判されています。

その多くは1980年代、校内暴力が多発して「荒れる学校」が社会問題化したのをきっかけに定められました。子どもは未熟な存在であり、厳しい規則が必要だという考え方が根底にあります。

ただ近年は、こうした校則の廃止を学校に促す動きが広がり、文部科学省（国の役所）も社会常識や時代に合わせて見直すよう求めています。生徒自らが主体となって行き過ぎた校則を洗い出し、学校側に見直しを提案する例もあります。

これからを見据える教育の形

生成AI（**人工知能**、☞64㌻）の登場をはじめ、**情報通信技術**（ICT、☞139㌻）の進化やグローバル化によって、これからの世の中はますます複雑で予測不可能な時代を迎えます。こうした時代を生きる児童・生徒の「思考力・判断力・表現力」などを養うために、ICTを活用した教育や、新たな入試制度の導入などが始まっています。

◆ 進む学校のICT化

政府は「**GIGAスクール構想**」で小中学生に1人1台、タブレットなどのICT端末を配りました（2022年度までにほぼ完了）。それに合わせて、普通教室の無線LANの整備率も9割を超えています（2023年3月時点）。

▶タブレットだけでなく、電子黒板などの整備も進む＝島根県で2020年

これらを背景に2020年度以降、小中高校では順次、**プログラミング教育**が必修になりました。また、2024年度からは「**デジタル教科書**」が小中学校の英語で導入されます。タブレット端末で閲覧することができ、発音学習に便利な音声機能を使えることなどが利点です。今後、算数・数学でも導入される見込みです。

◆ 義務教育の先は

日本の高校進学率は長年100％近く、大学・短大の進学率も2007年以降、5割を超えています。

▼**高校等卒業後の進路**

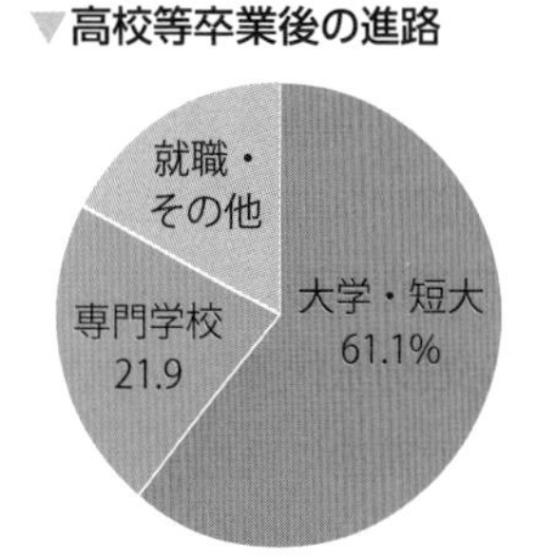

※文部科学省の資料を基に作成。2023年3月時点

大学入試を巡っては、2021年にそれまでの大学入試センター試験に代わり「**大学入学共通テスト**」が始まりました。社会・日常生活から課題を発見して解決策を探ったり、資料やデータを基に考察したりする問題が出題されます。2025年の共通テストからは、教科に「情報」も加わります。

PLUS

広がる特別支援教育

視覚や聴覚などに障害がある子どもや体の不自由な子ども、病気で弱っている子どもらに向けた「**特別支援教育**」が近年、広がっています。人によって得意なことや不得意なことは違うように、障害のある子どもも、それぞれ違った特性を抱えています。特別支援教育は、そうした子ども一人一人に合った教育や支援を行います。特別支援学校▽小中学校に設置される「特別支援学級」▽普通学級での授業も受けつつ一部の授業で特別な指導を受ける「通級指導教室」――があります。

少子化が進む中でも、特別支援教育を受ける子どもは近年、急増しています。最大の要因は、脳機能に関する生まれつきの「**発達障害**」が知られてきたことです。読み書きに時間がかかったり、コミュニケーションをうまく取れなかったりする子どももいます。同様の困難を抱えていても、特別支援教育を受けられていない子どももいるため、教師や周りの人の支援が求められます。

▼**特別支援教育を受ける子どもの数の推移**

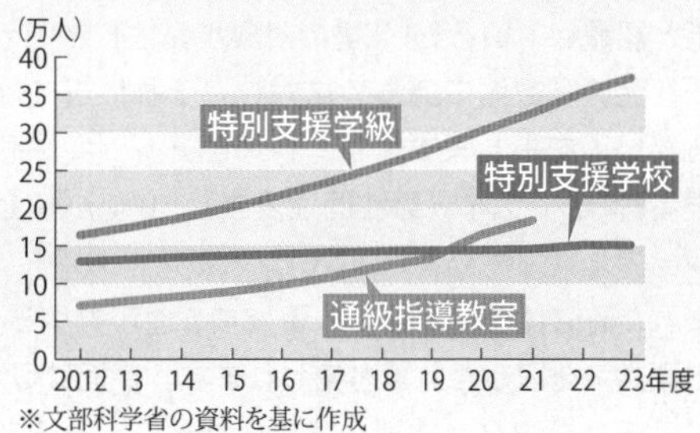

※文部科学省の資料を基に作成

14 共に生きる社会へ

TOPICS

- 性の多様性を巡り、変わりゆく日本
- 外国人技能実習制度を廃止 新制度へ
- 誰もが暮らしやすい社会に向けた工夫

練習問題 110ページへ

結婚を巡る平等

誰もが暮らしやすい社会とは、国籍や性別、年齢や障害の有無などに関わらず誰もが平等に扱われ、権利を守られる社会です。2023年には**性的少数者**の権利に関して、司法や立法の場で動きがありました。

現在の法律では、男性同士や女性同士のカップルが法的に結婚すること（**同性婚**）は認められていません。「これは日本国憲法が定める『法の下の平等』（14条）などに違反する」と同性カップルが一斉に国を訴えた裁判で、五つの地方裁判所の判決が2023年に出そろいました。名古屋地裁が５月、現在の法律の規定は14条に反して「違憲（憲法違反）」だと判断するなど、計４地裁が憲法の何らかの規定に反している状態だ、と判断しました。

法的に夫婦になると、相手が重い病気で入院した時に面会したり、本人に代わって手術に同意したりすることができます。税金なども優遇されます。同性カップルは結婚できないので、こうした権利を得られません。

▲「違憲判決」の横断幕を広げて喜ぶ弁護士ら＝名古屋地裁で2023年５月

代わりに、地方自治体が同性カップルを「結婚に相当する関係だ」と証明する制度が広がってきており、300超の自治体が導入済みです（2023年末時点）。ただ、この制度で全ての権利が認められるわけではありません。

異性を好きになるか、同性を好きになるかの違いは、肌の色や家柄の違いと同様、差別をしてよい理由にはなりません。判決を出した地裁の多くは、同性を愛する人に多数派と同じ権利が与えられなかったり、家族になる道が全くなかったりするのは、許されない差別だと結論づけました。また、「今の法律は憲法に違反しない（合憲だ）」と判断した地裁も含め全ての判決で、同性カップルの権利が法律で保障されるべきだ、と国会の対応を求めました。

同性婚には反対意見もあります。岸田文雄内閣総理大臣は「社会が変わってしまう課題」と国会で述べました。しかし、最近の世論調査などでは同性婚に賛成の意見も多く（☞57ページの上のグラフ）、既に社会の意識は変わっているのかもしれません。国会の対応が注目されます。

WORD

性的少数者（ＬＧＢＴＱ）

「体の特徴が男（または女）で、自分も男（女）だと認識している」「恋愛の対象が異性」というのが社会の多数派であるのに対し、それに当てはまらない人を指します。Ｌ：レズビアン（女性同性愛者）、Ｇ：ゲイ（男性同性愛者）、Ｂ：バイセクシュアル（両性愛者）、Ｔ：トランスジェンダー（生まれた時の体の性と自分の認識する性が異なる人）の頭文字を取った言葉も使われます。最近はＱ（クエスチョニング＝性別を決められない、あえて決めない人＝など）を加えることが多いです。

■ 人権擁護への一歩

■ 性的少数者への理解 法律で促す

国会では、**ＬＧＢＴ理解増進法**が成立しました（2023年）。元々は、性的少数者への差別を明確に禁止する法律の制定を求める意見がありましたが、保守派の反対が根強く、性の「多様性に寛容な社会の実現」のための法律に落ち着きました。

しかし、少しずつ変わる社会の意識は、最近の世論調査にも表れています。

◆日本で性的マイノリティーの人権が守られていると思いますか。

守られていると思う	思わない	わからない
15%	65%	20%

◆男性同士、女性同士が結婚する「同性婚」を法的に認めることに賛成ですか。

賛成	反対	わからない
54%	26%	20%

※毎日新聞世論調査（2023年２月実施）。携帯電話のショートメッセージサービス機能と、固定電話を組み合わせて実施。有効回答数計1026件

法律を巡っては、不十分との批判がある一方、「男がトランスジェンダーと偽って女湯に入れるようになる」などのデマ＊を背景に「女性が安心して暮らせない」と主張する人もいます。

＊公衆浴場に限っても、男女の分け方は理解増進法ではなく、国の通知に定めがあり、理解増進法や自分の性の認識によって施設の利用基準が変わることはありません。こうしたデマは、トランスジェンダーの人々に対する誹謗中傷にもつながります。

Yes? No? 同性婚を認めるべき？ 認めるべきではない？

■認めるべきだ

・同性婚が法制化されても、関係ない人に悪影響はない。多くの地方自治体は既に取り組みを進めており、国もならうべきだ。

・自分らしく生きることが認められて多様性の象徴になり、社会全体に利益がある。

■認めるべきではない

・伝統的家族や夫婦のあり方が失われ、子どもの成長や日本の社会に悪影響がある。

・結婚に相当する関係だと認める制度を、必要だと思う自治体が採用すれば済む。

あいまいな不安のために誰かの人権が守られないことはあってはなりません。法律にある「寛容な社会」とは――。一人一人が考えてみましょう。

■ 外国人と日本 課題は

日本で暮らす外国人は約322万人（2023年６月末時点）で、過去最多を更新しました（☞下のグラフ）。外国人が日本で暮らすには「在留資格」が必要です。資格別に見ると、無期限で暮らせる「永住者」（27%）が一番多く、「技能実習」（11%）が続きます。

「**外国人技能実習制度**」は本来、途上国の人たちが日本で働きながら食品加工や建設などの技術を学ぶ制度です。しかし、現実には働き手不足の業界で低賃金、長時間の単純労働に利用されていると指摘され、人権侵害が長年問題になってきました。国はようやくこの制度を廃止することを決め、2024年にも外国人労働者の新たな制度を作る予定です。

また、日本は**難民**（☞82ﾍﾟｰ）の受け入れの点でも、批判にさらされています。政府が難民と認める基準を極めて厳格にしてきたためです。2022年に難民と認められたのは202人。日本としては過去に類を見ないほどの多さですが、他の主要７カ国（Ｇ７）が数千～数万人であるのに比べると圧倒的な少なさです。

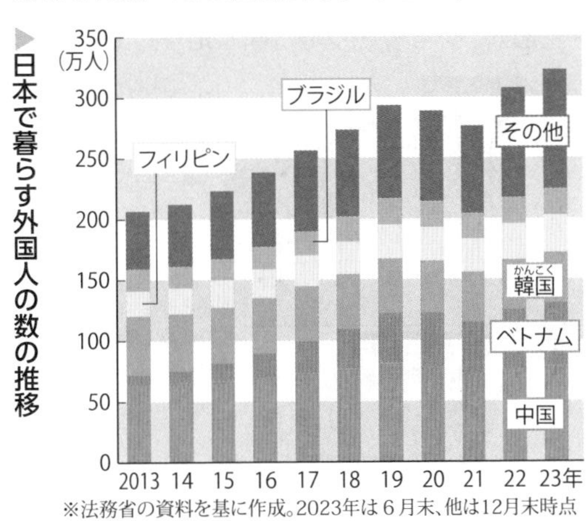

※法務省の資料を基に作成。2023年は６月末、他は12月末時点

社会・環境

全ての人が暮らしやすい社会へ

◆ 障害者への配慮とは

障害のある人もない人も、誰にとっても暮らしやすい社会を目指す動きが進んでいます。大きなきっかけは障害者差別解消法（2016年施行）です。私たちの社会には、障害者にとって、障害のない人と同じような日常生活を送ることの妨げになる物や制度がたくさんあります。できる範囲でそれらを取り除くことを「**合理的配慮**」といいます。「段差にスロープをつける」「パソコンの文字を音声で読み上げる」などがその例です。

▼合理的配慮の例

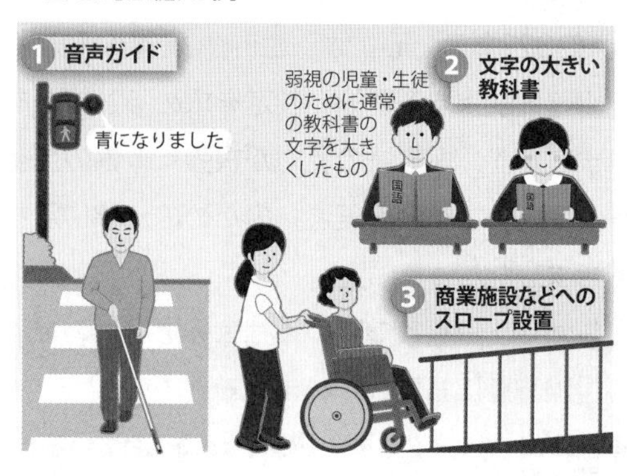

合理的配慮を行うことは、国や地方自治体の義務です。2024年４月からは、民間の企業や学校にも法的に義務づけられます。合理的配慮を受けるには本人の申し出が必要です。そのため、本人が遠慮せずに配慮の必要性を申し出て、それを基に話し合える環境を作ることが大切です。

◆ ユニバーサルデザイン

お年寄りや障害のある人にとって障壁（バリアー）となるものを取り除くことを「**バリアフリー**」といいます。それより幅広く、障害の有無や年齢、性別、人種などを問わず、誰もが使いやすいようにあらかじめ製品や建物などを設計するのが**ユニバーサルデザイン（UD）**です。色や文字などに取り入れられる例もあります。

2024年７月に発行される新しいお札にも、UDが使われます（☞**下の図**）。金額の数字を外国人や視覚障害者にも見やすくしたり、触ればわかるマークを改善したりしています。

▶新しいお札（上）の工夫

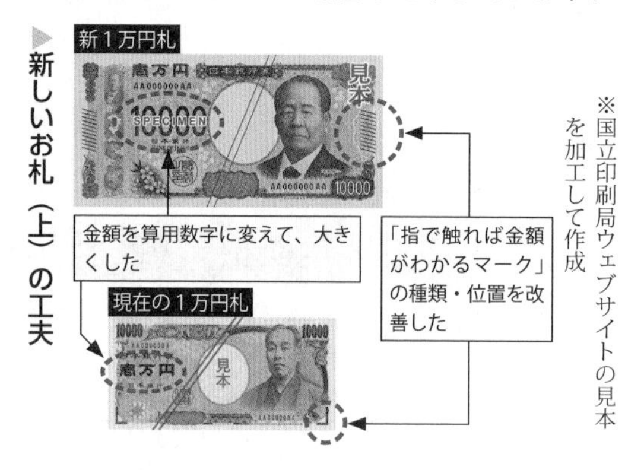

※国立印刷局ウェブサイトの見本を加工して作成

◆ ヘルプマーク

右の写真は、外見からはわかりづらい事情で助けや配慮を必要とする人が、そのことを周囲に伝えるためのマーク（ヘルプマーク）です。心臓のペースメーカーや人工関節を使っている人、精神障害がある人、妊娠初期の人などが使っています。

◆ 広がる「やさしい日本語」

「**やさしい日本語**」は阪神大震災（1995年、☞74ページ）の時、非常時の避難情報などが日本で暮らす外国人にうまく伝わらず、多くの外国人が被害を受けたことから考案されました。

▶やさしい日本語の例

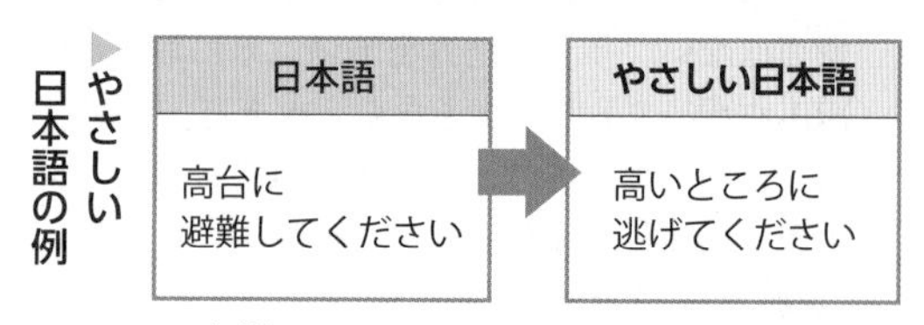

日本語	やさしい日本語
高台に避難してください	高いところに逃げてください

近年は普段でも、外国人や子どもなどに寄り添い、コミュニケーションをとるための言葉として使う動きもあります。

男女平等 日本の課題は

◆ ジェンダーと生きづらさ

「性別」にはいくつかのとらえ方があります。その一つは、生まれついた身体的な違いによって区別するものです（ただし、体の特徴だけで単純に区別ができるわけではありません。☞56ページの囲み）。ほかに、社会や文化の中で作られた違いによって区別するものもあります。例えば、「男は外で働き、女は家事や子育てをする」「男はズボンをはき、女はスカートをはく」などです。こうした区別は**ジェンダー**と呼ばれます。

ジェンダーはときに、社会の中で期待される役割や、「男（女）はこうあるべきだ」という思い込みになります。「よく泣いて、男らしくない」「女のくせに料理が下手」といった言葉には、こうした意識が表れています。私たちは無意識のうちにこうした思い込みで行動を縛られ、偏見や差別に苦しむことがあります。収入の少ない（家族を養えない）男性の結婚割合や、女性で理系学部に進学する人の割合が低いことなどにも関係します。

◆ 夫婦の姓は同じであるべきか？

日本では、夫婦は同じ姓（名字）を名乗ること（**夫婦同姓**）が法律で定められています。結婚する時に夫か妻のどちらかの姓を選んで役所に届け出なければなりません。

姓が変わると、銀行口座などあらゆるものの名前を変更したり、仕事の相手に名前を覚え直してもらったりと、不便が多いです。日本では、今でも結婚する夫婦の大半が夫の姓を選んでいます。つまり、姓が変わった時の不便を強いられているのは大半が女性ということになり、現状は「女性差別だ」との指摘もあります。

夫婦が望めばどちらも姓を変えなくてよい「**選択的夫婦別姓**」制度の導入を望む声は多いですが、国会での議論は進んでいません。この制度を求め、「夫婦同姓を定めた法律は、日本国憲法が定める結婚の自由に反する」と訴える裁判も各地でありましたが、最高裁判所は2015年と2021年に、夫婦同姓は「憲法に違反しない（合憲だ）」と判断しました。

姓が変わる不便を解消するため、結婚前の姓（**旧姓**）を「通称」（正式ではない「呼び名」）として使える制度は広がっています。マイナンバーカードやパスポートなど、一部の公的書類に旧姓を表記することができます。銀行の約7割では、旧姓名義の口座開設などに対応しています。しかし、旧姓が使えない場面も多く、夫婦のどちらか一方だけが姓を変え、不便を強いられている現状の解消にはほど遠いです。

「男女平等」で立ち遅れる日本

男女平等の度合いを示す国別ランキング（2023年発表）で、日本は146カ国中125位でした。国際非営利団体「世界経済フォーラム」が毎年、女性の地位を政治、経済、教育、健康の4分野で分析しています。日本は毎年、政治、経済分野で特に低くなっています。

日本は先進国の中でも、女性が家事や介護に費やす時間が男性より長いとされます（☞右のグラフ）。労働現場での男女格差も大きいです（☞47、49ページ）。

▼**男女別・無償労働時間の国際比較**（1日当たり）

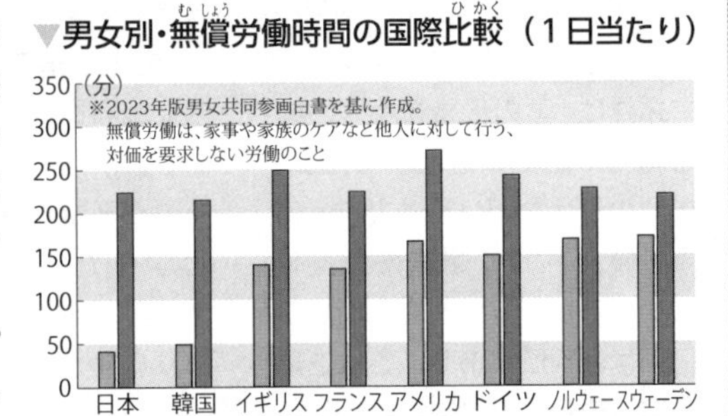

※2023年版男女共同参画白書を基に作成。
無償労働は、家事や家族のケアなど他人に対して行う、対価を要求しない労働のこと

15 司法と私たちの社会

TOPICS
- 法律に基づき公平に判断する裁判所
- ニュースで考える司法の課題
- 市民が担う「裁判員制度」

練習問題 112ページへ

法律は何のためにある？

世の中にはさまざまな「ルール」があります。家庭内の決まりごと、スポーツのルール、校則……。これらのルールは、私たちが社会生活をスムーズに送るために定められます。ルールの代表例が法律です。唯一（ゆいいつ）の立法機関である国会（☞11ページ）が定めます。

法律などのルールは、争いごとを公平に解決するための判断基準でもあります。「貸したお金が返ってこない」「交通事故でけがをした。かかった治療費（ちりょうひ）を支払（はら）ってほしい」などのトラブルが起きたと仮定します。本人同士で話し合って解決するのが一番ですが、うまくいかないこともあります。こうした場合には、**裁判所**が公平、公正な立場から解決を図ります。裁判所は裁判を通じて「お金を返す必要はない」と判断したり、「治療費を支払いなさい」と命じたりします。その判断基準に用いるのが、法律などのルールです。

このように、裁判によってトラブルを解決し、人々の権利を守る国の働きを**司法**といい、裁判所が担っています。

ところで、裁判は扱（あつか）う内容によって大きく２種類に分けられます。一つは**民事裁判**です。個人や企業（きぎょう）・団体の間の争いごと（先ほど挙げたトラブルが例です）を扱（あつか）います。もう一つが**刑事裁判**（けいじさいばん）（☞62ページ）です。放火、殺人、窃盗（せっとう）などの罪を犯した疑いのある人について「有罪か無罪か」を判断し、有罪なら刑罰（けいばつ）も決めます。

日本国憲法では「**裁判を受ける権利**」が基本的人権の一つとして保障されているよ（32条）。

POINT

国会や内閣へのチェック機能も

裁判所には、国会や内閣の行き過ぎなどを指摘（してき）して、国民の権利を守る役割もあります。

憲法は「国の最高法規」です。このため憲法に違反（いはん）する法律、内閣の命令などは無効です（98条、☞15ページ）。「憲法に違反していないかどうか」を判断する権限は裁判所にあり、これを**違憲審査権**（いけんしんさけん）といいます。裁判所は、違憲審査権によって国会や内閣をチェックしているとも言えます。

「合憲か違憲か」は実際に裁判を行う過程で判断します（現実の争いごとがないのに判断することはできません）。また、違憲審査権は下級裁判所（地方裁判所など）にもありますが、３審制（しんせい）（☞61ページ）のもと、最終的に判断する権限は最高裁判所＝**写真は外観**＝にあります。このため最高裁は「憲法の番人」とも呼ばれます。ただし、法律などの規定を違憲だと最高裁が判断したのは、2023年末までに12例です。このため「最高裁は違憲判断に消極的だ」との指摘もあります。

■ 判決を誤ると… 「袴田事件」にみる再審

裁判では3審制❓がとられています。慎重に調べて、誤りを防ぐためです。判決が確定すると、その争いごとについて再び裁判を起こすことは原則としてできません。

それでも、もしも判決が誤っていたら——。このことは特に、刑事裁判で問題となります。ある人の有罪が確定すると、その人には罰金や懲役などの刑罰が科されます。死刑（☞62ページ）になることさえあります。万が一、無実の人に刑罰を科せば、それは重大な人権侵害です。そこで、こうした場合に備えて**再審**❓という仕組みが用意されています。

再審を巡っては2023年、「袴田事件」のニュースが報じられました。

この事件は1966年、静岡県で一家4人が殺害されたものです。袴田巌さん＝**写真**＝は強盗殺人などの容疑で逮捕され、過酷な取り調べの末に犯行を「自白」しました。裁判では無罪を主張しましたが、1980年に死刑判決が確定しました。その後、「袴田さん以外の人物による犯行の可能性がある」「有罪の証拠を、捜査機関が捏造した疑いがある」などと裁判所が判断し、袴田さんは2014年、48年ぶりに釈放されました。袴田さんが長年求めてきた再審が始まったのは、2023年のことでした。

WORD

❓ 3審制

一つの争いごとについて、最大で3段階の裁判所による裁判を受けられる仕組みです。1審（第1段階）の判決に不服なら、一つ上の裁判所に控訴できます。2審に不服なら上告できます。控訴や上告がないか、最高裁が決着をつけると、判決が確定します。

▼3審制の主な仕組み

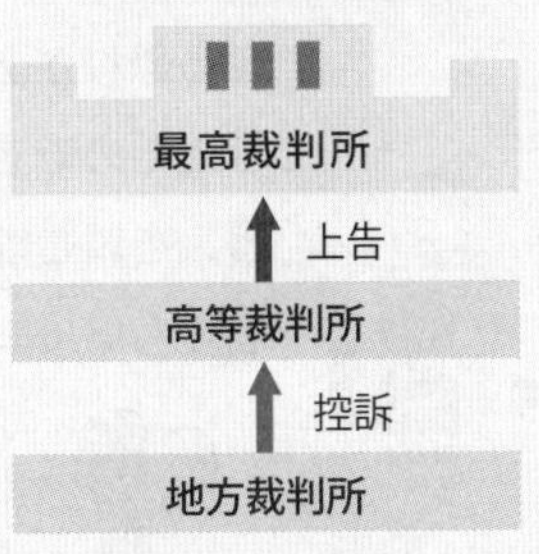

※家庭裁判所と簡易裁判所は省略

❓ 再審

判決の確定後、重大な誤りがあると分かった時などに裁判をやり直すことです。民事裁判、刑事裁判の両方で定められています。刑事裁判の場合、新証拠が見つかって有罪判決への疑いが生じた場合などに限って開かれます。戦後、死刑囚が再審で無罪になった例は4例あります（2023年末時点）。

PLUS

社会とともに変わる法律

どのような行為が犯罪で、罪を犯すとどのような刑罰が科されるのか——。これらは法律で定められています。そこには市民の考え方が反映され、時代とともに変わることがあります。

例えば、**刑法**（犯罪と刑罰を定める代表的な法律）には性犯罪に関する規定があります。この規定は2017年と2023年、大幅に改正されました。明治時代に刑法ができて以来のことです。

改正前は、被害者が恐怖などから「嫌だ」という意思をはっきり示せなかった場合などに、加害者が罪に問われないことがありました。また、男性の被害者は対象外でした。しかし、「法律の規定が犯罪の実態に合っておらず、処罰されるべき行為が処罰されない」と問題視されていました。

法律にはっきり書かれていない行為を処罰することはできないんだ。警察や検察、裁判所が法律を好き勝手に解釈して、市民が不当に逮捕されたり刑務所に入れられたりしないようにするためだよ。

そこで2度の改正を経て「**同意のない性的行為は犯罪だ**」と明確にされ、刑罰も厳しくなりました。また、男性の被害が認められるなど、性別による扱いの差もなくなりました。さらに、18歳未満の子どもに対する保護者の行為や、夫婦間でも犯罪が成立すると明記されました。

罪名がかつての「強姦罪」から現在の「不同意性交等罪」に変わったことにも、「何を犯罪とするか」という社会の意識の変化が表れています。

司法と私たちの社会

刑事事件の捜査と刑事裁判

犯罪や刑罰が問題となる事柄を刑事事件といい、刑事事件を扱う裁判を刑事裁判といいます。一連の流れを確認しましょう。

事件が起きるとまず、警察などが**捜査**して**容疑者**を割り出します。そして**検察官**が犯人だと確信すれば、**被告**として裁判所に**起訴**します。

裁判は公開の法廷で審理されます。検察官は犯罪の証明に努め、**弁護人**（弁護士が務める）は被告の権利を守ります。**裁判官・裁判員**は双方の間に立って証言を聞き、証拠品を調べます。そのうえで検察官による証明が間違いないと断言できる時に限って有罪とし、それ以外は無罪とします。この鉄則は「**疑わしきは被告人の利益に**」「**無罪の推定**」と呼ばれます。

▼**捜査と刑事裁判の主な流れ**

◆冤罪を防ぐための仕組み

捜査や刑事裁判には、「罪を犯した人には、きちんと償わせる」「無実の人にぬれぎぬを着せない（冤罪を防ぐ）」という働きが求められます。このため、手続きに誤りが起きないための仕組みが用意されています。

例えば警察や検察が容疑者を逮捕する時は、原則として裁判官の**令状**（許可状）が必要です。日本国憲法などに基づく決まりで、身体の自由がむやみに奪われないようにするためです。また、裁判員裁判の対象事件などでは、取り調べの一部始終を**録音・録画**することが、警察と検察に義務づけられています。密室で取り調べると、憲法で禁じられている「自白の強要」が起きる恐れがあり、冤罪につながると指摘されてきたためです。このほか、容疑者や被告には弁護人を頼む権利があり、税金で弁護人をつける制度もあります。

「容疑者」「被告」はマスメディアの呼び方で、法律ではそれぞれ「被疑者」「被告人」というよ。

Yes? No? 死刑は維持すべきか？ 廃止すべきか？

刑法で定められている最も重い刑罰が死刑です。命をもって罪を償わせることから「究極の刑罰」とも呼ばれます。死刑を巡っては賛否が分かれています。

最高裁判所は「憲法で禁じられている残虐な刑罰には当たらない」と判断しています。また、内閣府（国の役所）の世論調査では約８割の人が「死刑もやむを得ない」と回答しています。

一方、世界的には廃止の流れにあります。国際人権団体「アムネスティ・インターナショナル」によると、144カ国が法律上または事実上廃止しており、死刑を維持している国は55カ国です。

■**維持すべきだ**

- 最高裁は、死刑を合憲としている。
- 人を殺した者は、自らの命で罪を償うべきだ。被害者や遺族の心情に配慮すれば、維持はやむを得ない。
- 死刑は犯罪を抑止するために必要だ。

■**廃止すべきだ**

- 死刑は残虐な刑罰で、廃止は国際的な流れでもある。
- 生きて罪を償わせるべきだ。冤罪もあり得るので、執行すると取り返しがつかない。
- 死刑に犯罪を抑止する効果はない。

市民感覚を司法に生かす

司法の主な担い手は、裁判官、検察官、弁護士といった法律のプロです。裁判などでは専門知識が求められるからです。ただ、専門家の判断は、一般市民の感覚とかけ離れたものになる場合もあります。そこで、市民感覚を反映させるために、あるいは司法への理解を深めてもらうために、国民が司法へ参加する制度が導入されています。

◆ 裁判員制度

刑事裁判のうち、地方裁判所の重大事件（殺人など）が対象です。原則として、裁判官３人と、18歳以上の有権者の中からくじで選ばれた裁判員６人が１組となって審理し、「被告は有罪か無罪か」「有罪の場合、どの刑罰がふさわしいか」を決めます。

◆ 検察審査会制度

検察審査会は全国の地裁（支部を含む）に置かれ、検察官の「起訴しない」という判断（不起訴処分）が適切かどうかを調べます。検察審査員11人は有権者の中からくじで選ばれます。審査会が「起訴すべきだ」と議決した後、検察官が再び不起訴にしても、審査会が２度目の審査で「起訴すべきだ」と再び議決すれば、起訴されます（**強制起訴**）。

PLUS

最高裁の裁判官を国民が審査

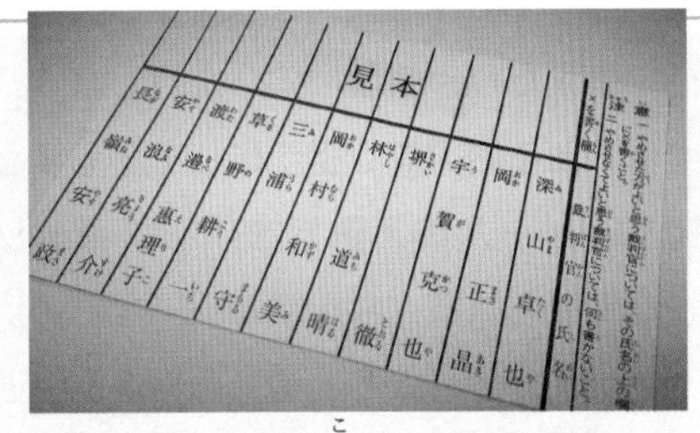

国民が司法に関わる制度としては、**国民審査**もあります。最高裁の裁判官（15人）を辞めさせるかどうか、国民が投票で決める制度です。衆議院議員総選挙に合わせて実施し、前回の国民審査の後に任命された裁判官を審査します。有権者は裁判官の名前が印刷された投票用紙＝**写真は見本**＝を受け取り、辞めさせたい人に「×」印をつけて投票します。「×」印が有効票の半数を超えた裁判官は辞めさせられます。ただし、これまでに辞めさせられた例はありません。

少年法 18、19歳は扱いが厳しく

少年（ここでは「20歳未満の男女」を指します）が事件を起こした場合、20歳以上の人とは別の扱いを受けます。少年の健全な育成や立ち直りを目的とする**少年法**で定められています。

事件を起こした少年は、検察官から**家庭裁判所**に送られます。家裁は少年の生い立ちや事件の背景などを調べ、多くの場合は少年審判によって保護処分（保護観察や少年院送致）とします。少年は未成熟で立ち直る可能性が高く、刑罰よりも適切な教育を施すほうがよい、という考え方に基づきます。家裁が「刑罰を科すべきだ」と判断すれば少年を検察官に送り返し（逆送）、20歳以上と同様に起訴して刑事裁判にかけます。

2022年には改正少年法が施行され、成人年齢に達した18､19歳の人（特定少年）に限って逆送の対象事件が拡大されました。また、少年の名前や顔を報道することは原則禁じられていますが、特定少年に限り起訴時点で認められました。

▼少年事件の主な流れ

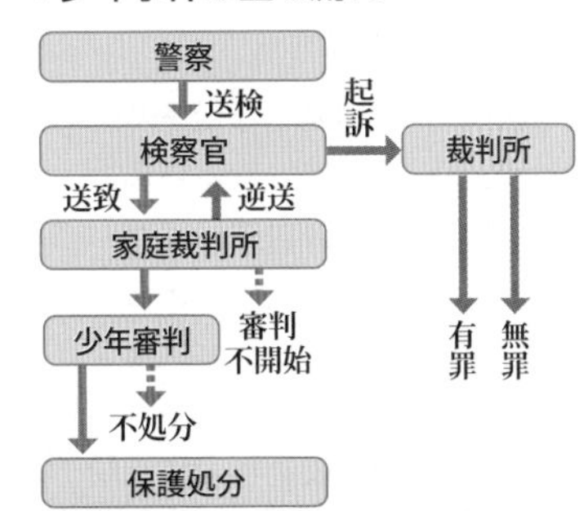

16 情報社会に生きる

TOPICS

- ▶ＡＩとの付き合い方を考えよう
- ▶責任求められるネットへの投稿
- ▶ＩＣＴで社会はどう変わる？

練習問題 113ページへ

「まるで人間」チャットＧＰＴの実力は？

ここ数年で、**人工知能（ＡＩ）**🔑に関するニュースを見聞きする機会が格段に増えました。中でも最近は、文章や画像を生み出すことができる**生成ＡＩ**が注目を集めています。

生成ＡＩの代表例が、アメリカの企業が開発した**チャットＧＰＴ**です。文字を入力すると、質問に答えたり、雑談に応じたりします。受け答えは、まるで人間を相手にしているように自然です。メールの下書きを作る▽キャッチコピーを考える▽調べ物をする——などの活用方法があります。しかも、複数の案をあっという間に示したり、人間には思いつかないような斬新なアイデアを出したりと、生成ＡＩならではのメリットもあります。

一方、心配される点もあります。

例えば**著作権**（☞66㌻）の問題です。ＡＩは大量の文章を読み込んで学習し、それを基に結果を出力します。出力したものが学習データに似ている場合があり、元の文章の作者の著作権を侵害する恐れもあります。

個人情報が漏れる、との心配もあります。利用者が入力した個人情報が、別の利用者に向けて出力されるのではないか、と指摘されています。利用する企業や役所が「個人情報を入力しない」というルールを設ける動きがあります。

ＡＩは便利な半面、多くの課題も抱えています。私たち一人一人が、付き合い方をよく考えることが求められます。

事実と異なる答えを示す場合もあるんだって。うのみにはできないね。

WORD

🔑人工知能（ＡＩ）

厳密な定義はありませんが、「人間のような認識や判断、知的な作業をコンピューターにさせる技術」という意味で使われることが多いです。

ＡＩの研究は20世紀半ばから行われてきましたが、2010年代に入ってから性能が飛躍的に向上しました。**深層学習（ディープラーニング）**という技術が貢献しています。大量のデータを読み込んで、コンピューター自らが共通するパターンを見つけ出し、理解を深めていく技術です。例えば何十種類もの動物の写真を大量にインプットすると、自力で試行錯誤を繰り返し、動物を種類ごとに区別できるようになります。

ただし、ＡＩには▽学習に使うデータに偏りがあると、導き出す結論も偏ってしまう▽結論を導き出す過程が複雑過ぎて、人間には理解も説明もできない——といった課題もあります。このため「ＡＩが社会に悪影響を与えないよう、開発や活用を規制すべきだ」という意見もあります。

▲現在、実用化されているＡＩには、音声認識、自動運転、天気予報といった、それぞれの得意分野がある。将棋に特化したＡＩもあり、藤井聡太８冠＝写真＝をはじめ、プロ棋士たちは若手を中心に、将棋ＡＩを研究に活用している

対策進むネットの誹謗中傷

インターネットの普及によって、誰もが、いつでもどこでも、自分の意見を全世界に発信できるようになりました（☞66ページ）。時には、1人の投稿が**ＳＮＳ（ネット交流サービス）**や動画投稿サイトを通じて拡散し、政治や社会を動かすほどの大きなうねりになることもあります。情報の発信者がマスメディアにほぼ限られていた時代と比べれば、私たちの社会は「民主的」になったとも言えます。

しかし、ネットへの投稿が問題になることもあります。特に、**誹謗中傷**は深刻です。

ネットへの書き込みには、感情的で激しい言葉遣いのものや、相手の人格を否定するものもあります。受け手がつらい思いをして、苦しんだ末に亡くなる例もあります。

人を傷つけるコメントが後を絶たない要因の一つとして、ネットの**匿名性**が挙げられます。中傷するコメントの多くは、本名を明かさず匿名のまま投稿されています。名乗るよりも心理的なハードルが低く、「気軽に」書き込めると指摘されています。

そこで、こうした問題への対策として刑法（☞61ページ）が改正され、**侮辱罪**（公然と人の社会的評価を傷つける犯罪）の刑罰が重くなりました（2022年）。また、匿名中傷の被害者が投稿者を特定して裁判を起こしたい時、特定のための手続きが以前より簡単になりました。

ネットの問題には「炎上」もあるよ。自分の意見を何気なく書き込んだり、「ちょっとした悪ふざけ」の動画をアップロードしたりして批判が殺到する例は数知れず。ネットに投稿する前に、内容が適切かどうかよく考えよう。

POINT

「表現の自由」とのバランスは？

誹謗中傷によって人を傷つけることは許されません。刑罰を重くしたり、ＳＮＳ事業者が問題のある投稿を削除したりすることは、対策の例です。

一方で**表現の自由**との兼ね合いにも注意する必要があります。日本国憲法では、表現の自由が保障され、**検閲**（出版物などを発表前に政府がチェックし、不適切だと判断すれば発表を認めないこと）も禁じられています。政府に対する批判を封じ、戦争に突き進んだ歴史への反省が背景にあります。

「中傷対策」を名目に言論が過度に制約されるのは、望ましいことではありません。社会のバランス感覚が問われています。

Yes? No?

ＡＩを勉強に使いたい？ 使いたくない？

▶ＡＩアプリを使った授業の様子＝長野県で2021年

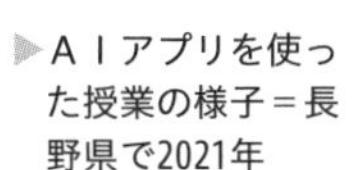

学校や自宅での勉強にＡＩを活用する例が広がりつつあります。あなたはＡＩを使いたいですか？　それとも使いたくないですか？

■使いたい

- 調べ物をしたり、分からない問題の解き方を考えたりする時のヒントを得られる。１人で勉強するよりも効率的だ。
- 「ＡＩは万能ではないし、間違えることもある」と自覚しながら使えば、情報を批判的に受け取って取捨選択する能力を養える。

■使いたくない

- 自分の頭で考えてこそ、勉強したことが身につく。安易に頼るのは自分のためにならない。
- リポートや読書感想文などで、ＡＩが作ったものをそのまま提出する人が現れるだろう。評価の際に、真面目に自力で取り組んだ人との間で不公平感が生じる。

時事力 Basic 16 情報社会に生きる

メディアリテラシーを身につけよう

私たちは日々、さまざまな種類のメディアに接し、無数の情報をやりとりしています。こうした情報社会を生きるためには、以下の項目のような**メディアリテラシー**と呼ばれる力が求められます。

物事や情報を伝える（媒介する）ものをメディア（媒体）というよ。近代は、大衆（マス）に向けて情報を一度に伝えるマスメディアの役割が重視されてきたんだ。1990年代以降は、インターネットやスマートフォンが普及して、ソーシャルメディアが身近になったよ。

◆目的に応じてメディアを使い分ける

メディアごとの特徴を把握しましょう（☞下の表）。

▼メディアの例と特徴

マスメディア
新聞、ラジオ、テレビなど
情報の発信者になれるのは新聞社やラジオ局、テレビ局などに限られ、情報の流れは原則、一方向

ソーシャルメディア
ＳＮＳ（ネット交流サービス） ＝Ｘ（ツイッター）など 動画投稿サイト＝ユーチューブなど 通信アプリ＝ＬＩＮＥ（ライン）など
誰でも情報の発信者になることができて、情報の流れは双方向

▼マスメディアの長所と短所

	長　所	短　所
新聞	・紙に印刷されているため持ち運ぶことができ、保存して次の世代に伝えることができる ・「どのニュースがより重要か」という編集者の考えが一目でわかる	・発行は原則１日に１、２回で、ニュースが起きてから読者へ情報が届くまでに時間差が生じる
ラジオ	・音声だけで伝わるよう、表現が工夫されている ・災害などで停電した時も、携帯ラジオを使えば情報源として使える	・聴覚障害者が利用しにくい
テレビ	・動画と音声で情報を伝えるため、わかりやすく臨場感がある ・事件や事故を現場から生中継で伝える場合もあり、リアルタイムの情報を得られる	・知りたい情報がいつ流れてくるか、事前にはわかりにくい ・放送時間が限られ、詳しく報じられないニュースもある

◆信頼できる情報を選び取る

特にネットには、**フェイクニュース**（**偽ニュース**）があふれています。正しい情報を得るために、**右の囲み**のような点をチェックしましょう。

このほか、新聞やテレビなどの報道機関はどう報じているかも確かめましょう。報道機関は記者や編集者、校閲といった何人もの人が確認したうえでニュースを伝えるため、誤った情報を発信する可能性が低いからです（もちろんゼロではありません）。

POINT

偽ニュースを見分けるために

- **発信者は誰か**……普通は公的機関（役所など）が発信する情報のほうが個人発のものより信頼度が高いとされます
- **発信者が直接見聞きしたことか、人づてに得た情報か**……「伝言ゲーム」をしているうちに、事実とは異なることが広がる可能性があります
- **発信されたのはいつか**……情報は常に更新されます

◆責任ある情報発信者として振る舞う

人を傷つける投稿（☞65ページ）をしないことはもちろんですが、他にも注意点があります。

例えば、他人の著作権や肖像権を侵害しないようにしましょう。他人の著作物や顔写真を無断でＳＮＳに投稿すると、権利を侵害する恐れがあります。

著作権とは、著作物（文章、音楽、画像など）を勝手にコピーされたり、ネットにアップロードされたりしない権利のこと。知的財産権（☞31ページ）の一種だね。また、**肖像権**は、勝手に自分の姿を撮影されたり、画像を使われたりしない権利だよ。

ＩＣＴで変わる社会

ネットをはじめとする**情報通信技術**（ＩＣＴ、☞139㌻）によって社会は日々、変化しています。私たちの生活を便利にするだけでなく、社会課題を解決する可能性も秘めています。

ネットは私たちの活動から「場所」という制約を取り払ってくれます。ネットにつながった情報端末（パソコンやタブレット端末）があれば、学校や職場へ行かなくても、自宅などで**オンライン授業**を受けたり、**テレワーク**（☞47㌻）をしたりできます。

「場所」といえば、全地球測位システム（ＧＰＳ）も広く活用されています。人工衛星から届く信号をもとに地球上の人やモノの位置を把握するこの技術は、地図アプリのみならず、**ドローン**（無人航空機）や**自動運転車**を狙い通りの場所に正確に誘導するのにも用いられます。社会問題になっているトラックやバスの運転手不足への対策に、ＧＰＳは不可欠と言えます。

ネットはさまざまなモノも結びつけます。家電製品などがネットを介してつながり、互いに情報をやりとりすることを「モノのインターネット（ＩｏＴ）」といいます。スマホのアプリを使って外出先からエアコンや調理家電を操作したり、センサーつきのベッドを体調管理に活用したりする例があります。

3級 Check デジタルタトゥーと忘れられる権利

文章や画像をひとたびネットに投稿すると、完全に消し去ることは極めて困難です。転載が繰り返され、たとえ元の投稿を削除してもコピーされたものが拡散します。こうしたさまは消すことができない入れ墨（タトゥー）になぞらえて**デジタルタトゥー**と呼ばれます。特に、その人にとって不都合な情報（犯罪歴や、何気なく投稿した「悪ふざけ」の動画など）はネットに残り続け、就職などの妨げになり得ます。

そこで近年は、こうした情報を検索結果から削除するよう求める**忘れられる権利**が主張されるようになってきました。ただし日本では、法的にはっきりと認められてはいません。

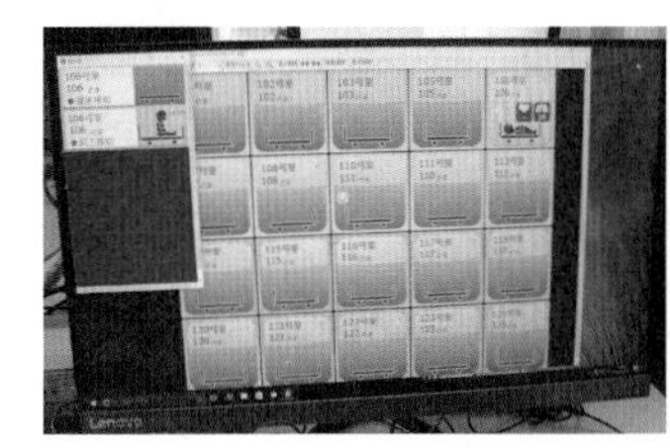

◀㊧荷物を運ぶドローン㊦介護施設の事務所に置かれたモニター。入所者がベッドから起き上がると通知が来る

PLUS

ネットの「悪意」にご用心　知っておきたい事例と対策

	説明・事例	対策
サイバー攻撃	**コンピューターウイルス**などのマルウエア（悪意のあるソフト）を用いて端末に侵入し、情報を盗んだり端末を使えなくしたりする	・基本ソフト（ＯＳ）やアプリを常に最新版に更新する ・ウイルス対策ソフトを利用する ・不審なメールやメッセージの添付ファイルを開いたり、記載されたリンクをクリックしたりしない
ネット詐欺	サイト上のボタンをクリックした人にお金を要求する**ワンクリック詐欺**▽身に覚えのないサイトの利用料を請求する**架空請求詐欺**▽偽サイトに誘導してＩＤやパスワードを盗む**フィッシング詐欺**――などの手口がある	・すぐにお金を支払わない ・相手のペースに乗せられないよう、不用意に連絡をとらない ・消費者ホットライン「１８８」（☞50㌻）や警察に相談する
闇バイト	「楽に稼げるバイトがある」などの誘い文句でＳＮＳで人を集め、オレオレ詐欺や強盗に加担させる。応募者が逃げないように身分証を提出させて脅す場合もある	・「楽に稼げる仕事」はあり得ないので申し込まない ・相手に身分証の写真を送らない ・万が一の時は、自身が罪を犯す前に家族や警察に相談する

17 いのちの現場から

TOPICS

▶新型コロナ「５類」に

▶若者に広がる大麻 乱用どう防ぐ

▶知ろう「がん」「認知症」

練習問題 115ページへ

節目迎えた新型コロナ対策

2019年末に世界で初めて確認された**新型コロナウイルス感染症**❓。世界中で流行し、社会や経済にも大きな影響がありました。国内でも外出自粛が呼びかけられるなど、私たちの生活は新型コロナの出現で一変しました。

流行が始まって３年あまりがたった2023年５月、国内の新型コロナ対策は大きな節目を迎えました。感染症法（感染症への対策などについて定めた法律）上の分類が、それまでの「２類相当」から「５類」に変更され、季節性インフルエンザと同様になりました。感染対策の体制は見直され、個人の判断に委ねられることになりました。

なぜ法律上の分類が改められたのでしょうか。要因は**ワクチン**（☞70ページ）接種が進んだことです。ワクチンによって、ウイルスに感染して重症化したり亡くなったりする人の割合が、流行初期と比べて大幅に下がりました。

ただし、新型コロナが完全になくなったわけではありません。ウイルスは**変異**（遺伝子の一部が変わること）を重ね、感染者は出続けています。高齢者や持病のある人にとっては重症化のリスクが高い病気ですし、**後遺症**に苦しむ人もいます。感染対策として下の「POINT」のような点を心がけましょう。

また今後、新たな感染症が流行する可能性もあります。新型コロナ対応で日本は、希望する人が検査や治療を受けられないなどの課題に直面しました。次の**パンデミック**（世界的大流行）に備えて、教訓を生かすことが求められます。

◀400年近い歴史を持つ伝統行事「長崎くんち」。コロナ禍で中止されていたが、４年ぶりの催しは大勢の観客でにぎわった＝長崎市で2023年

WORD

❓新型コロナウイルス感染症

新型コロナウイルスに感染することでかかる病気です。世界保健機関（ＷＨＯ、☞140ページ）は「ＣＯＶＩＤ－19」と命名しています。発熱や肺炎などさまざまな症状を引き起こし、倦怠感（体のだるさ）などの後遺症も報告されています（ただし症状の種類や重さは人それぞれです）。

コロナウイルスは以前からあり、風邪の原因の一つでした。「新型」は▽感染力が強い▽高齢者などが感染すると重症化しやすい▽感染しても無症状や軽症の人も多い――などの特徴があります。変異して、警戒すべきものには「オミクロン株」などの名前がつけられています。

POINT

感染を防ぐために

- 食事の前後や帰宅した時は手を洗う
- 体調が悪い時は無理せず休む
- せきやくしゃみをする時は、マスクやハンカチなどで口や鼻を押さえるなどの「せきエチケット」を心がける
- 部屋を換気する

■ 危険な大麻「使用罪」創設へ

若者を中心に、**大麻**の広がりが問題になっています。大麻の所持などで検挙（逮捕など）される人は近年、増加傾向にあり、3分の2以上が30歳未満の若者です（☞下のグラフ）。

その要因として、「たばこや酒よりも**依存性**が低く、安全だ」などの誤った情報がインターネットなどで拡散し、うのみにして安易に手を出すことが挙げられます。大麻の所持で検挙された人を対象にした国の調査によると、好奇心や興味本位で使い始めた人が多く、大半の人が「危険性はない」と思っていました。

しかし、大麻の葉などに含まれる成分は、幻覚や記憶力の低下、うつ病などを引き起こし、依存性があります。乱用は本人だけでなく、暴力を振るうなど家族や友人にも悪影響が及び、大麻を買ったお金が暴力団に流れる場合もあります。より刺激の強い違法薬物に手を出すきっかけになりやすいとされることから**ゲートウエー**（入り口）**ドラッグ**とも呼ばれます。

大麻についてはこれまで、不正な所持や栽培は法律で禁じられていましたが、使用は規制されていませんでした。乱用の拡大を防ぐため2023年、法律が改正され、**使用罪**が創設されることが決まりました。

▼**大麻関連事件の検挙者数**

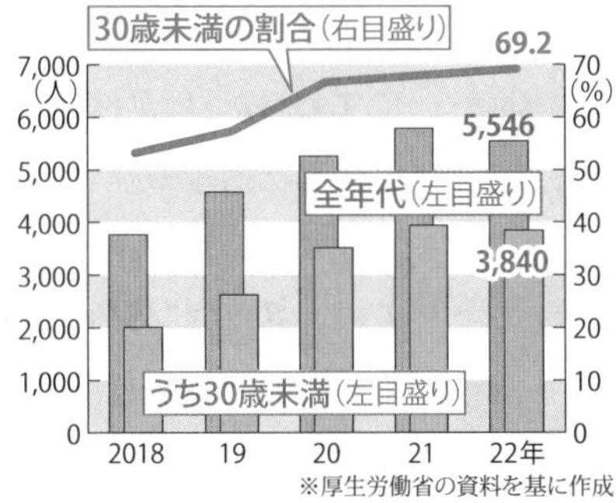

※厚生労働省の資料を基に作成

外国では大麻を合法化する動きもあるけど、それは大麻の流通を国の管理下に置いて、犯罪組織にお金が流れるのを防ぐため。「安全だから」ではないよ。また、合法化された国で日本人が大麻をもらうなどすると、日本で罪に問われる可能性もあるんだ。

Yes? No? 赤ちゃんポストの設置に賛成？ 反対？

親が育てられない子どもを匿名で預かる「赤ちゃんポスト」。国内では2007年、熊本県の病院が「こうのとりのゆりかご」という名前で初めて設けました。東京都内の病院でも導入が計画されています。

■**賛成だ**

・虐待で命を落とすかもしれない赤ちゃんを救える。
・設置している病院は、預ける前の相談にも応じている。育児で悩みを抱える人を、行政の支援につなげる役割も果たしている。

■**反対だ**

・安易な育児放棄を助長する恐れがある。
・身元不明のまま預けられた赤ちゃんは、生みの親など自身のルーツを知ることができず、「出自を知る権利」が侵害される。

PLUS

臓器移植 現状と課題は

心臓や腎臓などの臓器が働かなくなり、普通の手術や薬では治せないことがあります。そんな時に、他の人から臓器の提供を受けて機能を回復させるのが、**臓器移植**です。

臓器移植法が1997年に施行され、心臓が止まった人だけでなく、**脳死**[*]の人も臓器提供者（**ドナー**）となることが可能になりました。2010年施行の改正法では、15歳未満も生前に拒否していない限り、家族の承諾で提供できるようになりました。

それでも提供数は年間100件前後で、提供を待つ患者数（約1万6000人）には遠く及びません。対応する医療施設の少なさ、医師の負担の大きさなどが原因です。

＊**脳死**……脳の全ての動きが止まり、元に戻らない状態です。人工呼吸器などを使えば心臓はしばらく動きます。臓器を提供する場合に限り「人の死」と認められます。

免疫とワクチンの仕組み

病原体（細菌やウイルス）などの異物から体を守る働きを**免疫**といいます。さまざまな種類の細胞が作用して、体内に侵入した病原体を食べたり、「抗体」を出して病原体を攻撃したりします（☞**下の図**）。抗体とは、特定の病原体に対して働くたんぱく質です。ある病原体に感染すると、その情報を記憶し、再び感染した時に記憶を基に抗体を作って病原体を攻撃します。

▶免疫の仕組み

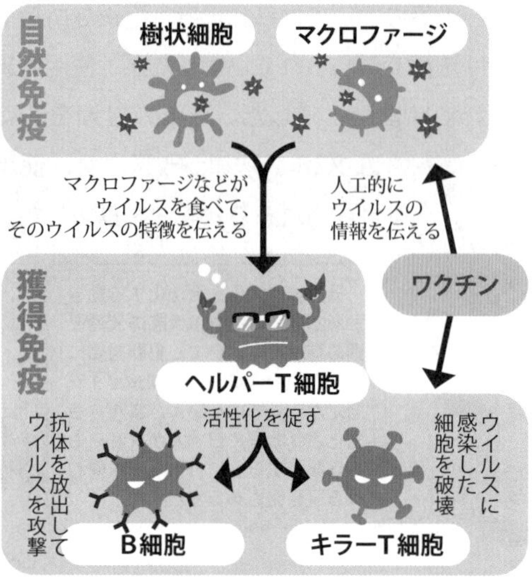

自然免疫
樹状細胞
マクロファージ
マクロファージなどがウイルスを食べて、そのウイルスの特徴を伝える
人工的にウイルスの情報を伝える
ワクチン
獲得免疫
ヘルパーT細胞
活性化を促す
抗体を放出してウイルスを攻撃
B細胞
ウイルスに感染した細胞を破壊
キラーT細胞

この仕組みを利用するのが**ワクチン**です。ワクチン接種によって、初めて感染したような状態を人工的に作り出します。すると、病原体の情報が記憶され、実際に感染した時に素早く抗体が作られます。発症や重症化を防ぐ効果が期待されます。

ワクチンには、毒性を弱めたり感染力を完全に失わせたりした病原体を使うものや、ウイルスの遺伝情報のみを利用するものなど、複数の種類があります。新型コロナウイルスワクチンでは、**メッセンジャー（m）RNA**という遺伝物質を利用したものが広く使われました。この仕組みに携わった研究者2人は、2023年のノーベル生理学・医学賞を受賞しました。

ゲノム編集食品 続々と

生物の細胞の中にある遺伝情報全体を**ゲノム**といいます。情報を伝える遺伝子を切ったり、外から組み入れたりして、生物に狙った通りの性質や機能を持たせる技術が**ゲノム編集**です。品種改良や医療など、さまざまな分野で応用されています。

品種改良では例えば、血圧の上昇を抑える成分を多く含むトマトや、肉厚のマダイが、国内で販売されています。

一方で、「健康への影響がわからない」などと不安視する人もいます。ゲノム編集食品のうち、特定の遺伝子を切断して機能を失わせただけのものは、安全性の審査なしに国への届け出だけで販売でき、「ゲノム編集食品だ」と表示する義務もありません。このため「避けたくても食べてしまう恐れがある」と訴えているのです。

なお、外から遺伝子を組み入れるものについては、遺伝子組み換え食品と同様に、安全性の審査や、表示が義務づけられています。

▼ゲノム編集の仕組み

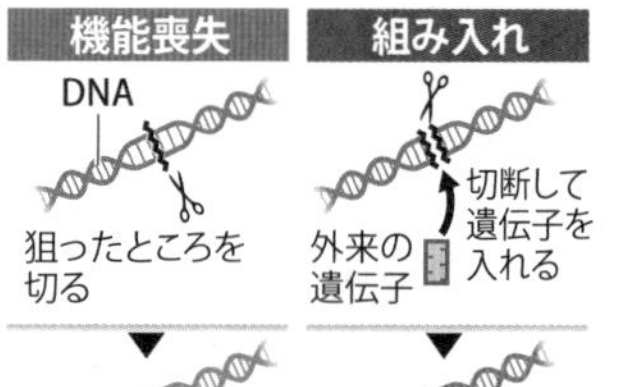

特定の遺伝子が機能を失う　遺伝子が働き、新たな機能を持つ

▼ゲノム編集食品の例

■血圧の上昇を抑える成分が多いトマト

■肉厚のマダイ

■アレルギー物質が少ない卵（開発中）
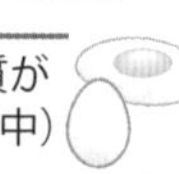

■毒素が少ないジャガイモ（開発中）

品種改良の方法には、異なる品種を掛け合わせる**交配**や、別の生物の遺伝子を組み込む**遺伝子組み換え**などもあるよ。これらと比べて、ゲノム編集は特定の遺伝子をピンポイントで狙えるから、品種改良にかかる期間を短くできるんだ。

がん カギは「予防」と「共生」

日本人の死因で最も多いのは**がん**で、1981年からずっと1位です。2人に1人が生涯でがんになり、4人に1人ががんで亡くなっています。

がんの原因はさまざまです。遺伝性のものもありますが、多くは生活習慣の改善（禁煙、禁酒、食生活の見直しなど）や感染症の予防によって、発病の可能性を低くできます。早期に発見、治療すれば死亡率を下げられるため、定期的に**検診**を受けることも有効です。

医療の進歩で、がんと診断されてもその後生き続ける確率（生存率）は、徐々に向上しています。また、がんになっても患者や家族が安心して暮らせる社会の実現が望まれます。国は「がんとの共生」「誰一人取り残さない」をスローガンに掲げ、希望者が仕事を続けるための支援などに取り組んでいます。

▼日本人の死因の割合

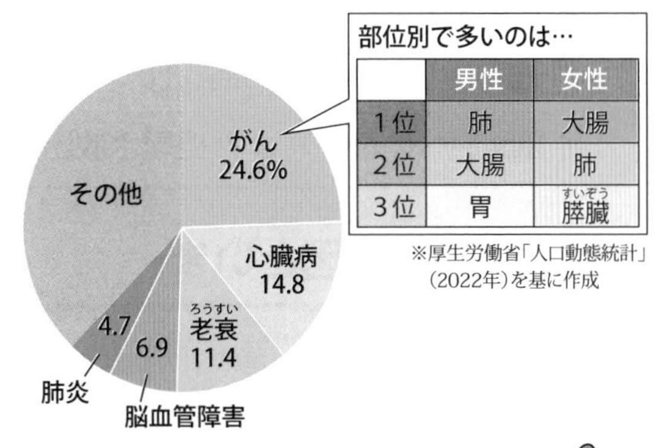

	男性	女性
1位	肺	大腸
2位	大腸	肺
3位	胃	膵臓

※厚生労働省「人口動態統計」（2022年）を基に作成

がんで亡くなる人のうち、2～3割は喫煙が原因だとされるよ。たばこを吸わない人でも、他人のたばこの煙にさらされると、がんだけでなく心臓病や、赤ちゃんの場合は突然死の危険性が高まるんだ。こうした**受動喫煙**を減らすため、健康増進法という法律で「飲食店や職場では原則屋内禁煙」などと定められているよ。

認知症 高齢者の6人に1人

高齢化とともに**認知症**の患者が増えています。2020年には高齢者の6人に1人にあたる約600万人に達したと推計され、2025年には約700万人に増えると予測されています。

認知症は、正確には病気の名前ではありません。脳の細胞が減ったり働きが悪くなったりして、記憶力や判断力が低下し、日常生活がうまくいかなくなる状態のことをいいます。

認知症を巡っては例えば、認知症の恐れがある人が関わる交通事故が多いと指摘されています。高齢者が運転免許を自発的に返す制度もありますが、運転しなくなった後の移動手段を確保することも合わせて求められます。また、認知症の人やその家族が、地域で孤立せずに暮らせるような支援も必要です。

2023年には**認知症基本法**が制定されました。患者本人や家族の意見を反映して政策を充実させ、認知症の人が尊厳を保って希望を持ちながら暮らせる社会を目指します。

◆アルツハイマー病の新薬が承認

認知症の原因となる病気はさまざまです。最も多いのが**アルツハイマー病**という脳の病気です。脳に異常なたんぱく質がたまり、神経細胞を壊すことが原因とされます。

2023年には、日本とアメリカの製薬会社が開発したアルツハイマー病の新しい治療薬について、製造、販売が国に認められました。原因とされるたんぱく質を取り除き、症状の進行を遅らせる効果が期待されます。ただし、既に壊れた神経細胞を修復することはできず、薬が使えるのは早期の患者と、認知症の手前の段階にある人に限られます。

18 災害と日本

TOPICS

- 増える豪雨災害 被害を減らすには
- 巨大地震 被害想定の見直しは
- 原発廃炉への道のりは？ 処理水放出開始

練習問題 116ページへ

豪雨災害の原因といま

大量の土砂や石が川の水と一緒に山の斜面を流れ下る（土石流）、氾濫した川の濁流が周辺の住宅をのみ込む――。こうした豪雨災害が毎年、起きています。

大雨を降らせる代表例は台風です。2023年８月には、台風７号が近畿地方を北上して、一部地域では記録的な大雨となりました。

しかし近年は、狭い地域に短時間で大量の雨を降らせる**線状降水帯**（☞右上の図）による被害も目立っています。2023年７月に九州北部で起きた線状降水帯による豪雨では、福岡県と大分県に**大雨特別警報**（☞74ﾍﾟｰｼﾞ）が出されました。気象庁は2022年から、こうした線状降水帯の発生を予測して情報を提供する、新たな取り組みを始めています。

▶線状降水帯の仕組み

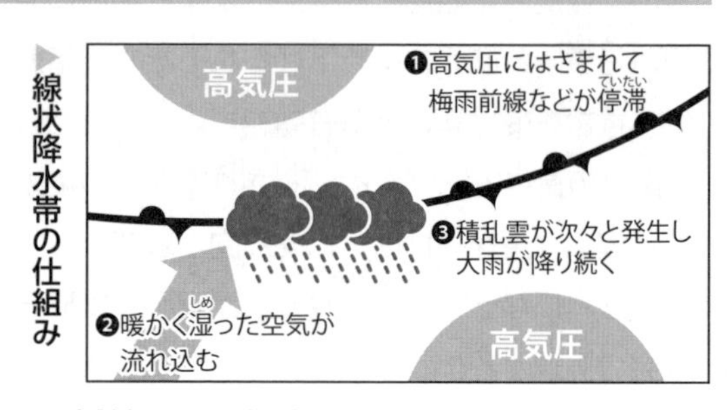

■対策 課題山積

豪雨災害は昔と比べて、起こる頻度も規模も甚大になっています（☞**下の囲み**）。過去の降水量に基づいて造られたダムや堤防だけでは、被害を防ぎきれません。また、戦後急速に普及したアスファルトで舗装された道路は、雨水を吸収しません。このため、下水道などで排水しきれないほどの大雨が降ると、行き場を失った雨水が都市部の地下街などに流れ込む「都市型水害」の被害も出ています。

国内の豪雨と地球温暖化

日本では「１時間に50ﾐﾘ以上の雨」（滝のように降る激しい雨）が降る回数が増えています（☞左下のグラフ）。2013～22年では年平均約328回。1976～85年（平均約226回）の約1.5倍に増えました。**地球温暖化**（☞78ﾍﾟｰｼﾞ）の影響ではないかとみられています。

▼ **１時間に50ﾐﾘ以上の雨が降る回数**

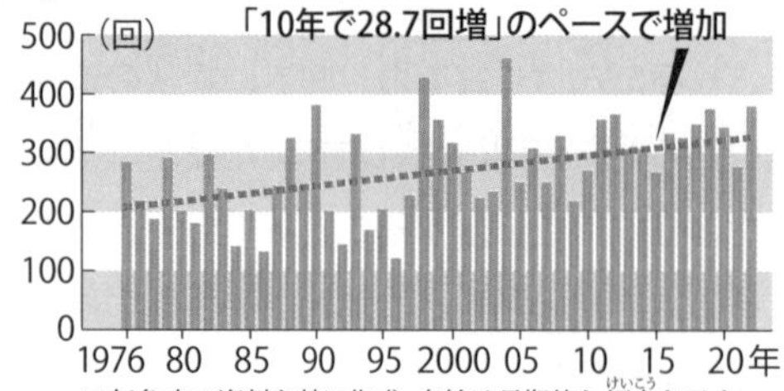

「10年で28.7回増」のペースで増加

(回) 0–500 / 1976 80 85 90 95 2000 05 10 15 20年

※気象庁の資料を基に作成。点線は長期的な傾向を示す

気温が上がると、大気が蓄えることができる水蒸気量は増えます。このため、ひとたび雨になると、降水量は増えると考えられます。豪雨ごとに事情は異なるため、温暖化がどの程度影響したか個別に分析する研究が進んでいます。気象庁は個別の豪雨としては初めて、2018年の西日本豪雨は温暖化が一因だという見解を示しました。

■ 地震対策のいま

近い将来、高い確率で起こるとされる、最大震度７の南海トラフ巨大地震や首都直下地震。国は東日本大震災（☞75ﾍﾟｰｼﾞ）を教訓に、防災対策を進めてきました。被害の減少は見込めるでしょうか。

■被害想定を基に対策

国は2012年、南海トラフ巨大地震について、最大32万3000人が死亡するという被害想定を公表しました。そして、これを2023年度末までに８割減らすために、建物の耐震化や津波避難タワー＝**写真**＝の建設などに取り組んできました。2024年に発表される新たな被害想定では、目標の８割減には届かないものの、死者数は大幅に減る見込みです。

■続く課題 新たな課題

東京都や大阪府など、大都市には多くの**木造住宅密集地域**が残っています。密集市街地では、地震によって発生する火災が燃え広がり、大火災につながる恐れがあります（☞74ﾍﾟｰｼﾞ）。この危険な密集市街地をゼロにしようと、国や地方自治体は家の建て替えなどを後押ししてきました。しかし計画通りには進んでおらず、期限を延ばして対策が続いています。熊本地震（2016年）で改めて注目された「**災害関連死**」（☞139ﾍﾟｰｼﾞ）など、新旧の課題に対応した防災対策を考える必要があります。

社会・環境

WORD

南海トラフ巨大地震

南海トラフ沿いで30年以内に70～80％の確率で起きるとされる、マグニチュード（M、☞141ﾍﾟｰｼﾞ）８～９級の地震。太平洋側の広い地域で最大30ﾒｰﾄﾙ以上の津波による被害などが想定されます。

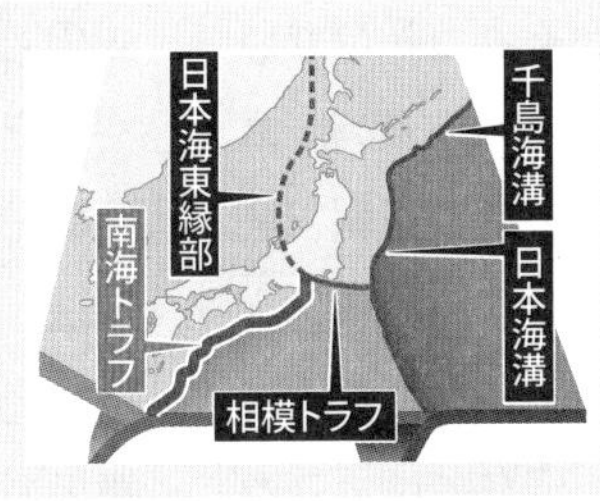

首都直下地震

東京都やその周辺で、30年以内に70％の確率で起きるとされるM７級の地震。建物倒壊と火災による被害が想定されます。

PLUS

日本に地震や火山が多いのはなぜ？

地球を覆うプレート（厚い岩板）のうち四つがぶつかる場所にあるためです。例えば下の図の★の場所では、沈み込む海洋プレートに引きずられた大陸プレートが跳ね上がり、大きな地震や津波を起こすことがあります（海溝型地震）。また、海洋プレートが沈み込む場所で生じたマグマが噴き出し、多くの火山が造られました。

▼日本列島の断面図

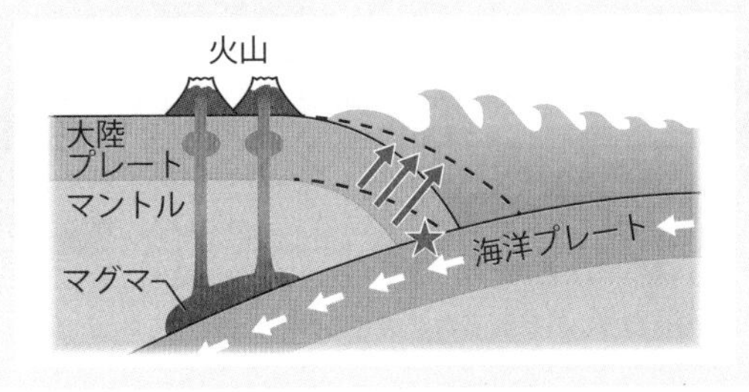

◆元日に起きた大地震

2024年１月１日、石川県能登地方をM7.6の地震が襲いました。最大震度は７で、気象庁の発表によると津波も観測されました。４ﾒｰﾄﾙ近い地盤の隆起も確認されました＝**写真**。

被災地では、建物倒壊による被害が相次ぎました。古い木造住宅が多い一方、高齢化で費用のかさむ耐震化が進んでいないことや、2020年12月から続く地震活動の影響などが背景にあります。石川県の発表（2024年１月末時点）によると、死者は238人、うち災害関連死は15人です。

時事力 Basic 18 災害と日本

防災・減災のために

自然災害の発生そのものを防ぐことはできません。そのため、日ごろから災害に備え、いざ災害が起きたときの被害を減らす「**減災**」の取り組みが進んでいます。

◆避難経路や場所を確認しよう

ハザードマップは、災害時の危険箇所や避難場所などを事前に知って備えるための地図で、洪水、地震といった種類ごとに市区町村が作ります。日ごろからマップを基に危険な場所を確認するなどして、いざというときの避難ルートや避難場所を家族と話し合っておきましょう。

◆気象・避難情報に注意しよう

「数十年に１度」レベルの大災害が迫っているとき、気象庁は最大級の警戒である**特別警報**を出し、直ちに命を守る行動をとるよう呼びかけます。津波、火山、気象（大雨、暴風、高潮、大雪など）の特別警報があり、緊急地震速報（震度６弱以上）も特別警報の一種です。

防災気象情報を基に「避難指示」などの避難情報を出すのは市区町村です。現在では、これらの情報は次のように整理されています。

▶警戒レベルが促す行動

警戒レベル	防災気象情報（例）		避難情報
5	大雨特別警報	氾濫発生情報	緊急安全確保
	➔命が危険な状況。直ちに身の安全を確保する		
4	土砂災害警戒情報	氾濫危険情報	避難指示
	➔危険な場所から全員避難する		
3	大雨・洪水警報	氾濫警戒情報	高齢者等避難
	➔高齢者や障害のある人は危険な場所から避難する		

※内閣府と気象庁のウェブサイトを基に作成。警戒レベルは１～５の５段階だが、１、２は省略した

こうした情報はラジオ、テレビのほか、スマートフォンなどでも受信できます。通知設定を忘れずに行いましょう。

◆「日常と非常」を区別しない

普段の生活で使う物を災害時にも役立てる防災の方法もあります。普段から長持ちする食品や水を多めに買い、古い順に日常生活で使ってその分をこまめに買い足す「ローリングストック法」（回転備蓄法）がその一つです。常に新しい食品を備蓄でき、定期的に食べることで防災意識も高まります。

過去の大震災

◆明治以降で最悪・関東大震災

1923（大正12）年９月１日の正午前、大地震が関東地方南部を襲いました。特に被害が大きかったのは東京の木造住宅密集地域。消火できなかったあちこちの火が合流して、大火になりました。犠牲者の９割近くが焼死でした。

また、大震災による混乱のなかで「朝鮮人が襲ってくる」といったデマが広がり、多くの朝鮮人が自警団などによって殺されました。

関東大震災の起きた９月１日は「**防災の日**」に制定されています。地震や台風など、災害への備えを考えるための日とされています。

◆「ボランティア元年」阪神大震災

1995年１月17日の明け方、兵庫県神戸市など近畿地方の大都市を**直下型地震**が襲いました。住宅だけで約25万棟が全半壊し、多くの人が建物倒壊による窒息や圧死で亡くなりました。

多くのボランティアが復旧作業を手伝い、後の震災での支援活動にもつながったため、この年は「ボランティア元年」とも言われます。

▶大震災の概要

	年	M	死者・行方不明者
関東大震災	1923	7.9	約10万5400人（火　災）
阪神大震災	1995	7.3	約6400人（建物倒壊）
東日本大震災	2011	9.0	約２万2200人（津　波）

※カッコ内は死者数が最も多かった被害

原発事故と復興 東日本大震災

東日本大震災で、東京電力福島第１原子力発電所（原発）は大津波に襲われて停電し、原子炉を冷やせなくなりました。その結果、原子炉建屋が爆発し、大量の放射性物質（☞141ページ）が飛び散りました。１～３号機では核燃料が溶け落ちる**炉心溶融**も起きました。1986年にウクライナ（当時はソ連）のチェルノブイリ原発で起きた事故に並ぶ、国際尺度で最悪レベルの事故とされました。現在は、燃料棒を取り出して解体する**廃炉**作業が行われています。

政府は2051年ごろに廃炉作業を終える計画を立てています。しかし、事故で溶け落ちた核燃料「燃料デブリ（☞**下の図**）」の取り出しは困難を極めています。一方、敷地内で今も発生する汚染水の処理を巡っては、2023年８月に処理水の海洋放出が始まりました（☞**下の囲み**）。

福島県では、原発事故で飛び散った放射性物質によって、**放射線**（☞141ページ）量の高い地域ができました。国は事故直後から、こうした地域の人々に避難指示などを出し、被ばくによる健康被害を避けようとしてきました。

除染（放射性物質を取り除くこと）作業で、立入禁止場所は減ってきました。しかし、放射線量の高い**帰還困難区域**（☞139ページ）では、避難指示が続いています。

WORD

東日本大震災

国内の観測史上最大となったマグニチュード（M）9.0の巨大地震が2011年３月11日に発生し、東北から関東にかけて最大で震度７の強い揺れを観測しました。東北３県を中心に太平洋沿岸を大津波が襲い、災害関連死（☞139ページ）を含め死者・行方不明者２万2217人（2023年３月時点）と戦後最悪の自然災害となりました。大津波で福島第１原発は重大事故を起こしました。

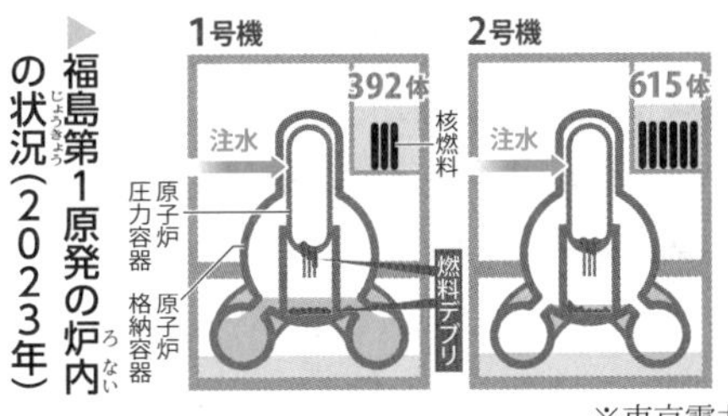

▶福島第１原発の炉内の状況（2023年）

※東京電力の資料を基に作成

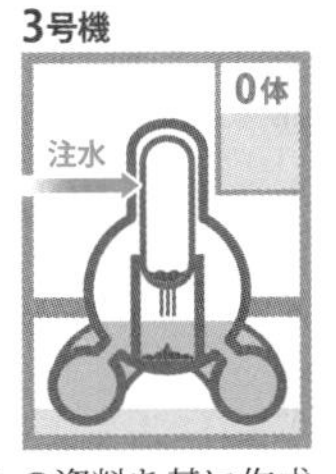

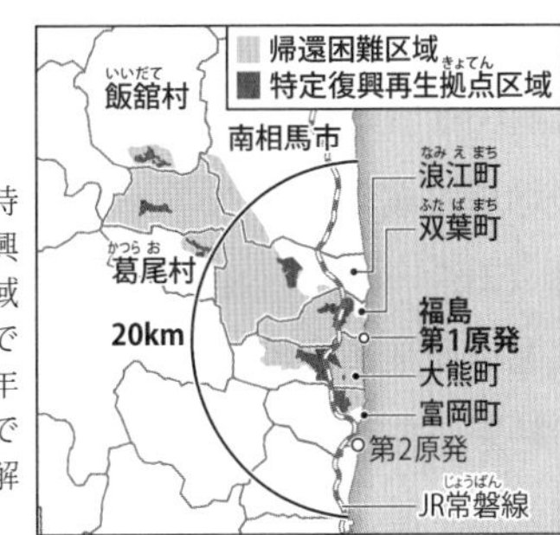

※2023年６月時点。特定復興再生拠点区域（復興拠点）では、2023年までに全域で避難指示が解除された

Yes? No? 処理水放出に賛成？ 反対？

「処理水」は、汚染水（溶け落ちた燃料に触れた地下水など）から大部分の放射性物質を取り除いたものです。原発敷地内のタンクにためられてきました。2023年８月、取り除くことが難しい放射性物質「トリチウム」の濃度を国の基準の40分の１未満になるように海水で薄め、海に放出する「海洋放出」が始まりました。

■**賛成だ**
・溜まり続ける処理水を放出すれば、廃炉作業を進められる。
・安全性について、国際機関のお墨つきを得た。

■**反対だ**
・風評被害に苦しむ漁業関係者の意見を十分に反映していない。
・水産物の禁輸措置をとる国・地域があり、経済的な損失を被っている。

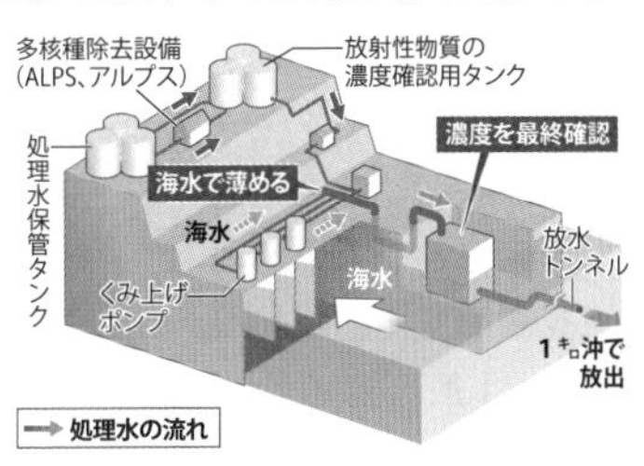

◀処理水放出のイメージ

19 地球環境を守るために

TOPICS

- 増える異常気象 地球の未来は
- 地球温暖化対策の歴史を押さえよう
- 生物多様性と外来生物の脅威

練習問題 118ページへ

避けられぬ地球温暖化 対策と今後

2023年の夏は「史上最も暑い夏」でした。日本の6～8月の平均気温は統計開始の1898年以降で最高を記録しました（☞下のグラフ）。

▶日本の夏（6～8月）の平均気温の推移（平年値からの差）

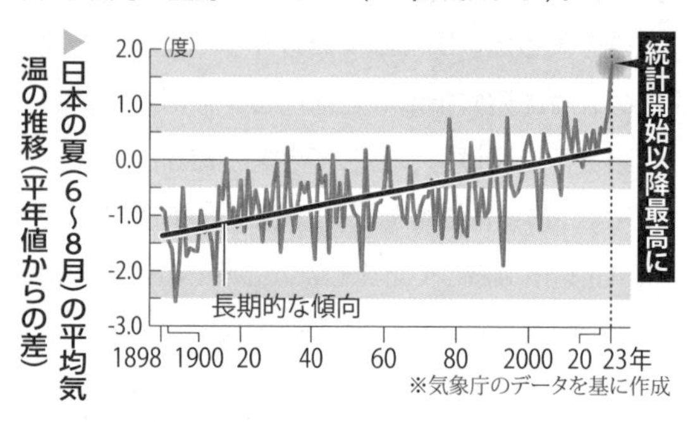

※気象庁のデータを基に作成

原因はいくつかありますが、無視できないのが**地球温暖化**（☞78ページ）の影響です。国際連合（国連）機関の報告書によれば、既に世界の気温は産業革命前から1.1度上昇しました。その結果、世界中で熱波や干ばつ、豪雨などの異常気象が起きやすくなっています。温暖化がなければ、2023年の日本の酷暑が起こる確率はほぼ0％だったという研究報告もあります。

世界では「産業革命前からの世界の気温上昇を1.5度に抑える」ことが事実上の共通目標です。**パリ協定**（☞78ページ）より踏み込んだこの目標は、2021年に国連「**気候変動枠組み条約**（☞78ページ）」の会議で決まりました。しかし、2023年時点で各国が掲げる**温室効果ガス**（☞138ページ）の排出削減目標を達成しても、今世紀の気温は最大2.9度上昇するという国連機関の報告もあるなど、温暖化を巡る状況は厳しいです。

そのため、各国にはいっそう温室効果ガス排出量を減らすことが求められます。世界はいま、**化石燃料**（☞36、38ページ）から将来的に「脱却」し、**再生可能エネルギー**による発電（☞36、38ページ）などを増やす方向で動いています。

ただ、それでも「1.5度」目標の達成は厳しく、今後も温暖化による異常気象は増える見込みです。温暖化を前提として、その被害を防いだり減らしたりする取り組みも求められます。

Yes? No? 気候変動対策を訴える活動に共感できる？ 共感できない？

温暖化にこれから直面する若者らを中心に、対策強化を訴える活動が盛んに行われています。ただ、道路の封鎖や美術品への攻撃など、過激な行為も取りざたされます。

■共感できる

- どんな形でも、私たちには社会に意見を表す権利がある。
- 気候変動は差し迫った課題だ。活動を通じて皆にもっと考えてもらういい機会だ。

■共感できない

- こうした活動が政策などに影響を与えるとは思わない。
- 過激な行為ばかり注目されて、かえって気候変動問題を真剣に議論できない。

▲気候変動問題の大規模なデモ行進の様子＝イギリスで2021年

環境汚染とプラスチックごみ

主に石油から作られるプラスチック（プラ）は、軽くて丈夫で、製品を安価で大量生産するのに向いています。一方、燃やすと二酸化炭素（CO_2）が出て、地球温暖化につながります。また、自然に分解されにくいため、きちんと処理されずに捨てられると、風や雨などで川を流れて海に達します。近年、こうした**プラスチック汚染**が問題になっています。

▶プラスチックごみの海洋流出

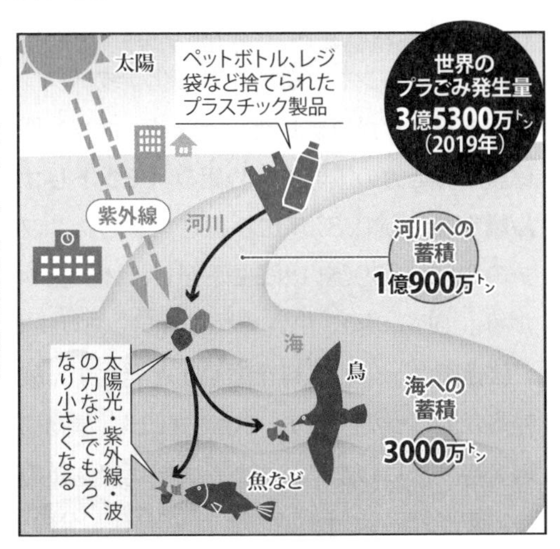

対策として、石油ではなく植物から作られたプラスチックや、生物に分解されやすいプラスチックが開発されています。また、プラ汚染を減らすための国際ルールを作る動きもあります。発生するプラごみを減らすことや、そもそもプラスチックを使わない・作らないことを求める声もあり、話し合いが続けられています。

マイクロプラスチック（MP）とは？

大きさが5ミリ以下のプラスチックです。捨てられたプラ製品が、紫外線や川・海の流れの作用で細かく砕けるなどしてできます。空気中から深海にいたるまで幅広い場所に存在しており、人間や動物の体内でも確認されています。

MPは有害物質を吸着する性質があるほか、MP自体も有害だと疑われており、生態系や人間の健康に悪影響を及ぼすと心配されています。

■日本のプラごみの現状と対策

日本は、**使い捨てプラスチック**の廃棄量で世界上位の国です。政府は「使い捨てプラスチックの量を2030年までに25％減らす」という目標を掲げ、プラごみ減少に取り組んでいます。

2020年にはプラ製レジ袋が原則有料となり、エコバッグを持ち歩く人が増えました。また、2022年に施行された法律により、コンビニや飲食店、ホテルなどにはスプーン、フォーク、歯ブラシなど12種類のプラ製品の提供量を減らすことが義務づけられました。提供を有料化する▽紙など他の素材に切り替える▽受け取らなかった客にポイントを与える――などの取り組みで減らすことが求められています。

ただし、日本のプラごみの約半分は、私たちの普段の生活から出ています（☞下のグラフ）。特に多いのはお菓子やお弁当などの包装や容器です。私たち消費者にもプラごみを減らすための行動が求められています。

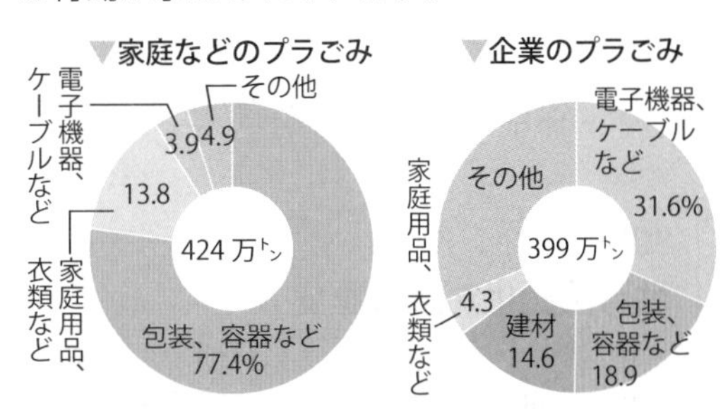

※2022年。プラスチック循環利用協会の資料を基に作成

また、政府はプラごみを含めた減量（リデュース）や再使用（リユース）、再生利用（リサイクル）を合わせた「3R」の取り組みを進めて、ごみの少ない循環型社会の実現を目指しています。ちなみに、リサイクルは有効な手段ではあるものの、出たごみを加工する過程で環境に負担をかけます。そのため、政府は直接ごみの量を減らせるリデュースやリユースに優先して取り組んでいます。

地球規模の環境問題

◆ 温暖化の仕組みと影響

地球温暖化とは、空気中の二酸化炭素(CO_2)などの温室効果ガスが増え過ぎて、地球が暖められる現象です。気温や雨の降り方などの天気の特徴が、地球全体で長い時間をかけて変わっていく気候変動の現象の一つでもあります。

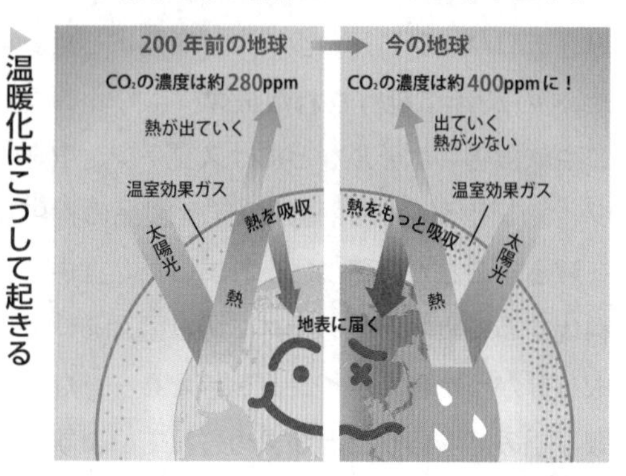

▶温暖化はこうして起きる

20世紀以降、大気中のCO_2が急増して、温暖化が急速に進んでいます。人間が化石燃料を消費したり、農地や牧草地を拡大しようと森林を伐採したりしたためです。

気温の上昇とともに、海水の温度が上がったり、陸地の氷が解けたりする現象が起こっています。これらが原因で、海水面が上がって海抜の低い地域に住めなくなる▽生き物の分布が変わる▽熱中症や感染症などの健康被害が増える――などの影響が予測されたり、既に起こったりしています。

◆ オゾン層、酸性雨、PM2.5

1980年代、生物に有害な紫外線を吸収する**オゾン層**が薄くなり、穴が開いたようになった「オゾンホール」が見つかりました。原因は、冷蔵庫やエアコンなどに使われる化学物質、フロンであるとわかりました。そこで、オゾン層を保護するための国際的な枠組み「**モントリオール議定書**」が1987年に採択されました。フロンの濃度は1990年以降に下がり、オゾンホールも2000年以降、小さくなる傾向にあります。

酸性雨は、化石燃料を燃やすと発生する酸性物質が混じった雨です。木が枯れたり、建物に被害を与えたりします。また、大気汚染物質の一つで直径2.5マイクロメートル（1マイクロメートルは1ミリの1000分の1）以下の小さな粒子「**PM2.5**」は、自動車の排ガスや石炭燃焼などが原因です。吸い込むとぜんそくや気管支炎になりやすいといわれます。

POINT

地球温暖化対策の歴史

1992年にブラジル・リオデジャネイロで行われた国連環境開発会議（地球サミット）では、地球温暖化防止に向けた初めての国際的な取り組みである**国連気候変動枠組み条約**が結ばれました。1995年から毎年、参加国が集まって締約国会議（COP）が開かれるようになりました。

1997年のCOP3では**京都議定書**が採択され、日本を含む先進国に温室効果ガス排出量の数値目標を設定し、排出削減を義務づけました。そして2015年のCOP21では、京都議定書を継いだ**パリ協定**が採択されました。先進国だけでなく途上国にも温暖化対策の実施を義務づけ、産業革命前からの気温上昇を2度未満、可能なら1.5度に抑える目標を掲げて、2020年に取り組みが始まりました（☞右の図）。21世紀後半に世界全体で温室効果ガス排出「実質ゼロ」を目指します。

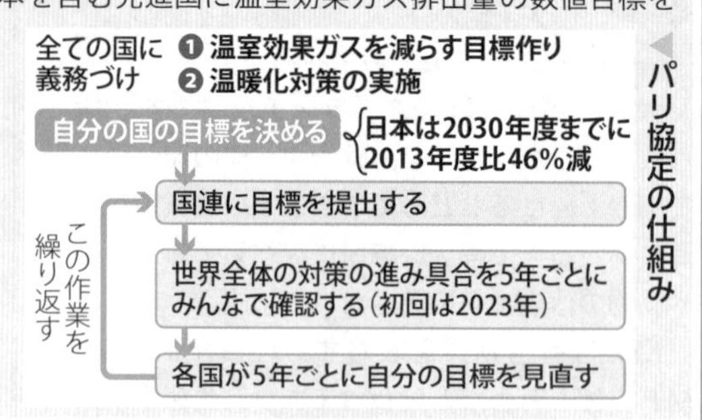

◀パリ協定の仕組み

生物多様性はいま

地球上では、さまざまな生物と環境が影響し合って、バランスが保たれています。例えば、ある生き物が別の生き物を食べたり、逆に別の生き物に食べられたりする**食物連鎖**があります。森林や土壌は、微生物の活動によって保たれます。こうした生物のつながりや、それを取り巻く環境全てをまとめて**生態系**と言います。近年、人間による開発や地球環境の変化などによって生態系が脅かされ、世界各地で絶滅の危機にひんする生物が後を絶ちません。

これを受けて、1992年に採択されたのが「**生物多様性条約**」です。条約では**生物多様性**を、森林や里地・里山、河川などさまざまな「生態系」▽分かっているだけで約175万種存在する、生物の種類を表す「種」▽同じ「種」でも、形や色などがさまざまな「遺伝子」——の多様性の集まりだとし、これらを守るためのルールを定めました。他にも、さまざまな生物を守る国際ルールが作られています（☞**左下の囲み**）。

PLUS

生物を守るルールや仕組みの例

ラムサール条約：水鳥の生息地として重要な湿地を保全する条約

ワシントン条約：絶滅の恐れがある動植物の国際取引を規制する条約

レッドリスト：世界的な自然保護機関「国際自然保護連合」がまとめる、絶滅の恐れがある野生生物の種（絶滅危惧種）のリスト

◆外来生物の危険性

▼外来生物の悪影響は？

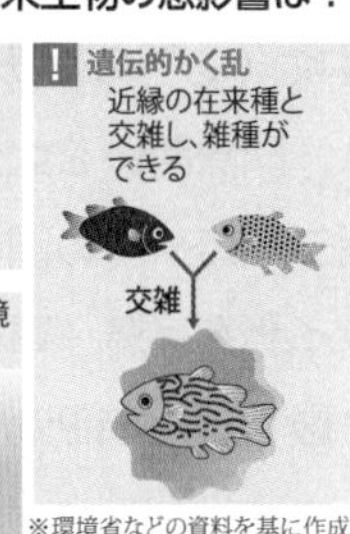

※環境省などの資料を基に作成

外来生物（☞138ページ）も、生態系を脅かす原因の一つです。日本は、人の健康や生態系などに悪影響を及ぼす外来生物を「**特定外来生物**」に指定して、飼育や輸入などを原則禁じています。2023年には、ペットとして普及してきたアメリカザリガニとアカミミガメ（ミドリガメ）が指定されました*。

＊困った飼い主が外に逃がし、かえって被害を増やしかねないため、この２種に限り飼育や譲渡が認められています。

今も続く公害の被害

私たちの暮らしに身近な公害も、環境問題の一つです。大気汚染、水質汚濁、土壌汚染、騒音、振動、地盤沈下、悪臭は法律で「**典型７公害**」と定められています。

日本では、開発と経済発展が優先された1950〜60年代に、**水俣病、新潟水俣病、イタイイタイ病、四日市ぜんそく**の「四大公害病」が確認されました。原因は工場などが排出した有害物質を含む排水や煙で、これらが環境を汚染して人々をむしばみました。患者は偏見にもさらされ、今も多くの人が苦しんでいます。

◆アスベストの被害 これからも

アスベスト（石綿）は、きわめて細かい繊維状の天然鉱物です。火に強く、熱を通しにくいため、かつて建物の耐火材や断熱材として使われました。しかし、吸い込むと肺がんなどを発症する危険性があります。2012年までに販売や使用が全面禁止されましたが、既に健康被害が出ています。また、肺がんなどを発症するまでの潜伏期間が長く、被害者の数は今後増えると言われています。いまも古い建物の中に残り、解体・改装によって飛び散る心配もあります。

20 平和な世界どうやって

TOPICS

- ロシアとウクライナ 戦争は３年目に突入
- イスラエルが「ガザ地区」に大規模攻撃
- 国際連合 安全保障理事会が抱える課題

練習問題 119ページへ

「分断」進む ウクライナ侵攻以降の世界

2022年に始まった**ロシアによるウクライナ侵攻**（☞下の囲み）で生まれた軍事的な緊張は、国際関係を大きく変えました。アメリカは西ヨーロッパの国々や日本などと連携し、ウクライナを経済・軍事面で支援しながら、ロシアに厳しい経済制裁（☞139ページ）を科しました。一方、ロシアとつながりの深い中国やインドは、ロシアとの貿易を拡大させています。

北ヨーロッパの２国は、地理的に近いロシア＝第二次世界大戦後の冷戦（☞87ページ）期はソ連＝を刺激しないよう中立的な立場を保ってきましたが、ウクライナ侵攻を受けて2022年、ロシアに対抗する軍事同盟、**北大西洋条約機構**（ＮＡＴＯ）への加盟を申請しました。ロシアはＮＡＴＯの拡大（☞87ページ）を警戒し、ウクライナ侵攻に踏み切ったとされますが、かえってＮＡＴＯの拡大を招いています。

こうした動きの中、アフリカなどの新興国や途上国の一部には、いずれの大国とも距離を置く動きが見られます。「**グローバルサウス**（☞88ページ）」と呼ばれるこれらの国々からの支持を得ようと、アメリカや中国、ロシアといった大国は働きかけを強めています。

◀戦闘で破壊された民家＝クライナの首都キーウ近郊で2023年1月

POINT

ロシアによるウクライナ侵攻

ロシアのプーチン大統領は2022年２月、ウクライナに軍隊を送ってその領土に侵攻しました。ウクライナ軍はアメリカやヨーロッパの国々から武器などの支援を受けて反撃していますが、戦闘はウクライナ東部と南部を中心に続いています（2024年１月時点、☞左下の地図）。

▲ロシア軍のウクライナ侵攻状況（2023年12月時点）

ウクライナ国内では、ロシア軍によるとみられる市民への無差別攻撃が報告されました。国際連合（国連）によると、侵攻開始以降、ウクライナの民間人の死者は１万人を超えています（2023年11月時点）。

国連は、全ての加盟国に「武力で他国などを脅すことや、武力を使うこと」を原則として禁止しています。例外は、他国から攻撃を受けた時に自国を守るため（**自衛権**）と、国連の**安全保障理事会**（**安保理**、☞83ページ）の決定に基づく軍事行動だけです。ロシア側は今回の侵攻を「自衛のためだ」と主張していますが、日本やアメリカなど多くの国は、「国連のルールに違反する」と強く非難しました。

パレスチナ 暴力の連鎖止まらず

中東地域では2023年10月、イスラエルが突然攻撃を受け、市民約1200人が無差別に殺されたほか、女性や子どもが人質として誘拐されました。実行したのは**パレスチナ自治区**❓**ガザ地区**を支配するイスラム組織ハマスです。ハマスとイスラエルはこれまでにもたびたび衝突を繰り返してきました。

軍事力で圧倒的に上回るイスラエルは、「自衛」のためにハマスを壊滅させるとして、ハマスが支配するガザ地区全域に大量のミサイルを撃ち込み、地上軍を派遣しました。「ハマスの拠点がある」などの理由で、多くの市民が避難する病院や学校、難民キャンプ、国連施設なども攻撃したため、多数の民間人や国連職員も犠牲になりました。ガザ保健省によると、2024年１月時点でガザ地区の死者は２万5000人を超え、多くは女性と子どもだということです。

▲イスラエル軍の空爆や砲撃を受けて多くの建物が崩壊したガザ地区北部＝イスラエルで2023年12月

ガザ地区の惨状に、各国の市民の間でイスラエルへの批判が高まる一方、各国政府の反応は分かれました。アラブ諸国がパレスチナ寄りの立場で停戦を求める一方、アメリカなどイスラエルとの関係が深い国々はイスラエルの攻撃を容認しました。

国連安保理（☞83ページ）では2023年12月、戦闘の即時停止を求める決議案が出され、日本を含む理事国の多くが賛成しましたが、採択されませんでした。イスラエルと親しい関係にあるアメリカが**拒否権**（☞83ページ）を使ったためです。その直後には、国連総会で153カ国が賛成して停戦を求める決議が採択されましたが、総会の決議には安保理と異なり、当事国を強制的に従わせる力はありません。

世界の多くの国が停戦を求める状況にあっても、ごく一部の常任理事国（☞83ページ）の反対によって国連がその争いを止められない――。ロシアによるウクライナ侵攻と同じ事態が、今回も繰り返されています。国連のあり方の改革が必要だと言われる理由です。

▼**イスラエル（左、色のついた部分はパレスチナ自治区）と中東の国々**

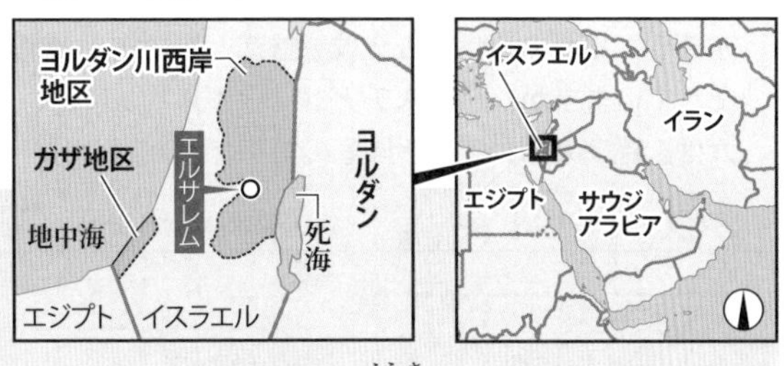

WORD

❓パレスチナ自治区

地中海に面した**ガザ地区**（365平方キロ）と、死海とヨルダン川を挟んで隣国ヨルダンに接する**ヨルダン川西岸地区**（5655平方キロ）から成る領域のことで、二つを合わせてパレスチナ自治区といいます。パレスチナは正式な「国」ではありませんが、国連でも「国に準じる存在」と位置づけられています。二つの地区は、1993年にパレスチナ人の代表機関とイスラエルが結んだ合意（**オスロ合意**、☞138ページ）によって、自治区となりました。

ガザ地区は2007年以降、イスラム組織ハマスが支配を進めてきました。イスラエルはハマスによる攻撃などを理由に、ガザ地区との境界に高いフェンスなどを築いて封鎖。住民は許可がない限り地区の外に出られず、地区内では慢性的に食料や生活物資が不足しています。狭い土地に約222万人が暮らすガザ地区は、世界で最も人口密度の高い場所の一つとされ、「天井のない監獄」とも呼ばれます。

ヨルダン川西岸地区は、自治政府が統治していますが、イスラエルによる国際法違反の入植（占領地に入って生活すること）が進み、一部はイスラエルの統治下にあります。

時事力 Basic 20 平和な世界どうやって

パレスチナ問題の歴史

聖地エルサレム（☞下の「POINT」）を含んだパレスチナ地方の領土を巡る、ユダヤ人（ユダヤ教を信仰する人々）とパレスチナ人（パレスチナ地方のアラブ人）の長年続く争いを**パレスチナ問題**といいます。

ユダヤ人は19世紀末、かつてユダヤ人の王国があり、当時はパレスチナ人が住んでいたこの地に移り住み始めました。パレスチナにおける権利を主張して、ユダヤ人とパレスチナ人は激しく対立しました。第二次世界大戦下でドイツのナチス政権によって600万人ものユダヤ人が殺害された「**ホロコースト**」を経て、ユダヤ人のパレスチナへの移住が進みました。

国際連合（国連）は1947年、パレスチナを二つに分けて双方を共存させる案を示しました。これを受けてユダヤ人は翌年、イスラエルを建国しましたが、パレスチナ人はこれを拒みました。パレスチナを支持するアラブ諸国とイスラエルの間では４度にわたる戦争が起きましたが､イスラエル側が領土を広げる結果になり、追い出された多くのパレスチナ人は**難民**（☞下の「PLUS」）となりました。

長年の衝突の中で和平の兆しが見えたのが、1993年の和平合意（**オスロ合意**、☞138㌻）で､パレスチナは自治区を得ました（☞81㌻）。その後も交渉が試みられてきましたが、領土やエルサレムの取り扱いなどを巡る対立は解消されず、和平への道筋は描けていません。

◀キリスト教、イスラム教、ユダヤ教の聖地が隣接する東エルサレムの旧市街

POINT

聖地エルサレムって？

キリスト教、イスラム教、ユダヤ教がいずれも聖地とする都市。エルサレムはイスラエルとパレスチナのどちらに属するのか、という問題は、パレスチナ問題の最大の対立点の一つです。現在は、イスラエルがエルサレム全域を首都として支配していますが、パレスチナは「東エルサレムは、将来のパレスチナ国家の首都だ」と訴えています。

中東で広く信仰されているのが**イスラム教**で、パレスチナ人の多くもイスラム教徒だよ。７世紀にムハンマドによって開かれ､「アラー」を唯一の神としているんだ。聖典は「コーラン（クルアーン）」だよ。東南アジアなどでも信仰されていて、一般にキリスト教、仏教と合わせて「**世界３大宗教**」と呼ばれているよ。

PLUS

世界で１億人超す難民・避難民ら

難民条約は「人種、宗教、国籍、政治的意見や特定の社会集団に属すること」を理由に迫害を受ける恐れがあり、出身国を逃れた人を難民と定義します。紛争などから逃れた人も難民です。難民と同じ理由で故郷を追われ､自国内にいる人は｢国内避難民」と呼ばれます。

国連難民高等弁務官事務所（ＵＮＨＣＲ）によると､2022年末時点で､世界の難民や難民申請者、国内避難民などの総数は約１億840万人に上りました。これらの人々の出身国・地域で最も多いのは内戦が続くシリア（約650万人）で、次いでロシアとの戦争が続くウクライナ、イスラム主義組織タリバンが政権を握るアフガニスタン（いずれも約570万人）です。

軍事衝突が続くパレスチナでも、多くの人が住む場所を奪われています。

国連と安保理の役割

国連（本部＝アメリカ・ニューヨーク）は、世界の平和や発展などを目指す国々の集まりです。第二次世界大戦を防げなかった反省から、1945年に設立されました。193カ国が加盟しています（2024年１月時点、日本は1956年に加盟）。事務局のトップで国連の「顔」である事務総長は現在、ポルトガル元首相のグテレスさんが務めています。

国連には**総会**や**安全保障理事会（安保理）**など、六つの主要機関があります。全加盟国から成る総会は通常、年１回開かれます。大国も小国も全ての国が対等で、投票で何かを決める時は、各国が１票ずつ投じます。

◆強い力を持つ安保理

国連の憲法とされる国連憲章は、国連の目的を「国際の平和及び安全を維持すること」と明記しています。その中核を担うのが安保理です。

▲ウクライナ情勢を巡り開催された国連安保理の会合＝2022年２月

安保理は、平和を脅かす国に対する経済的・軍事的な制裁を決めることができ、その決定には国連の全加盟国が従う義務があります。

安保理は、**常任理事国**５カ国（アメリカ、イギリス、フランス、ロシア、中国）と、**非常任理事国**10カ国（任期２年）の計15カ国から成ります。日本は2023年から、12回目の非常任理事国を務めています。

常任理事国の「拒否権」とは

「**拒否権**」とは、安保理の方針（決議）案を１国の反対票で否決できる権限のことです。方針を決める投票の際、常任理事国が１カ国でも反対票を投じれば、その案は否決されます。

アメリカとソ連（現在のロシアなど）が鋭く対立した冷戦時代、安保理では、拒否権によって方針が決まらないことが何度もありました。

近年も拒否権の発動が相次いでいます。2022年のウクライナ侵攻ではロシアが、自国に不利な決議案に拒否権を使いました。2023年のパレスチナの軍事衝突では、アメリカ、中国、ロシアがそれぞれ拒否権を使い、戦闘を止めるための決議案が何度も否決されました。

常任理事国が自国の利益を優先して拒否権を乱用すれば、安保理が機能しません。この事態をどう打開するか、国際社会の知恵が試されています。

Yes? No? 日本はもっと難民を受け入れるべきか、否か？

■**受け入れるべきだ**

・人道的な立場を重視すべきだ。難民と認定する数が少ない日本の現状は自己中心的だ。

・受け入れによって国内の労働力を確保できる。日本に対する世界の信頼も高まる。

■**慎重であるべきだ**

・難民ではないのに難民を装って移り住もうとする人もいるため、慎重に調べるべきだ。

・難民を大量に受け入れると、その分働き口が少なくなり、国民が仕事に就く機会が減る。

21 核兵器と向き合う世界

TOPICS
- ▶ウクライナ侵攻で「核の脅威」高まる
- ▶アメリカの「核の傘」に依存する日本
- ▶配備進む「使い勝手の良い核兵器」

練習問題 121ページへ

核保有国の取り組み鈍く

世界の核兵器は、ピーク時の冷戦（☞87㌻）末期の約７万発から約１万2500発まで大幅に減りました（☞86㌻）。しかし近年は、世界全体で核兵器を減らす取り組み（**核軍縮**）が進んでいるとは言えません。

核軍縮に関する最大の枠組みが「**核拡散防止条約（ＮＰＴ）**」です。世界の大半の国が参加し、参加国・地域に対しては「誠実な核軍縮交渉」が義務づけられています。ただ、核保有国（核兵器を持つ国）の取り組みは鈍いうえに、条約に参加していない**核保有国**もあります。

ＮＰＴの下で核軍縮の取り組みが進まないことに危機感を持った**非核保有国**（核兵器を持たない国）の主導で、2021年には「**核兵器禁止条約**」が発効しました。核兵器は非人道的で違法だという認識が国際的に広まれば、核保有国へのプレッシャーとなる、という狙いがあります。しかし、この条約に核保有国は一つも参加していません。

2022年に始まったロシアによるウクライナ侵攻（☞80㌻）では、世界最大の核保有国であるロシアのプーチン大統領＝**写真**＝らが「核兵器を使う」との脅しともとれる演説を行うなど、核兵器が実際に使用される恐れが高まりました。

さらにロシアは2023年、隣接する同盟国のベラルーシに核兵器を配備しました。これに対しては、非核保有国へ核を譲り渡すことを禁止するＮＰＴの趣旨に違反する、との指摘もあります。

WORD

核拡散防止条約（ＮＰＴ）

核保有国が増えるのを防ぎ、核軍縮を促すための条約です。世界を核戦争寸前に追い込んだ1962年の**キューバ危機**（☞139㌻）を教訓に結ばれました（1970年発効）。191カ国・地域が参加しています（2024年１月時点）。核兵器の保有をアメリカ、イギリス、フランス、ロシア、中国の５カ国だけに認め、それ以外の非核保有国への核兵器の拡散を防止するとともに、参加国に「誠実な核軍縮交渉」を義務づけています。ただし、核兵器を持つインドとパキスタン、保有が確実とされるイスラエルは不参加です。北朝鮮は脱退を一方的に表明し、核開発を進めているとみられます。

核兵器禁止条約

核兵器を違法として全面禁止する初めての国際ルールです。2021年１月に発効し、70カ国・地域が参加しています（2024年１月時点）。将来的な核廃絶を目指し、核兵器の開発、実験、保有、使用などを禁じるほか、「核兵器を使う」と脅したり、配備したりすることも禁じます。前文には「ヒバクシャの受け入れがたい苦しみや受けた被害を心に留め」などと書かれています。ただ、全ての核保有国や、日本など「**核の傘**（☞138㌻）」の下にある国は参加していません。

問われる日本の「本気度」

核の脅威が高まる中で、日本はどのような取り組みを進めているのでしょうか。

被爆地・広島（☞86ページ）で2023年５月、主要７カ国首脳会議（Ｇ７サミット、☞31ページ）が開かれました。期間中、参加国の首脳たちが広島平和記念資料館（広島市）を訪問し、「核兵器のない世界を目指して取り組みを強化する」との言葉を盛り込んだ首脳宣言が採択されました。

一方、日本政府の立場は複雑です。政府は核兵器禁止条約（☞84ページ）に関して「目指すゴールは共有する」としながらも、参加していません。これは、日本がアメリカの「**核の傘**」の下にあるためです。中国などが軍備を強化する中、アメリカの軍事力に頼らざるを得ないという事情があります。政府はＮＰＴ（☞84ページ）に取り組みの軸足を置いて、核保有国と非核保有国の「橋渡し役」を務めるとしています。

ただ、戦争で被爆した唯一の国である日本（☞86ページ）が核兵器の禁止を掲げないことに、被爆者団体などからは批判の声が上がっています。広島や長崎が経験したように、核兵器は一発でも使われれば悲惨な被害をもたらします。悲劇を二度と繰り返さない、という被爆者らの願いは届くのか。「**核なき世界**」を目指す日本の本気度が問われています。

▲原爆慰霊碑に献花した後、記念撮影する岸田文雄内閣総理大臣（中央）やアメリカのバイデン大統領（右から４人目）などＧ７首脳ら＝広島市の平和記念公園で2023年５月

大量破壊兵器とは？

一度に大量の死傷者を出す兵器のことで、一般に核兵器、化学兵器、生物兵器を指します。化学兵器はサリンや毒性ガスなど、生物兵器は天然痘ウイルスや炭疽菌などで、比較的安価で容易に製造できるため「貧者の核兵器」とも呼ばれます。

化学兵器と生物兵器は、核兵器禁止条約より前に、開発・生産・保有を包括的に禁止する条約が制定されています。それでも、化学兵器はイラクなどで使われたことがあります。

ＮＰＴに参加（計 191 カ国・地域） …… 核保有５大国に対して核兵器保有を認め、参加国・地域に核軍縮交渉を義務づけ

核保有国

- 核保有５大国：アメリカ、イギリス、フランス、ロシア、中国
- その他の核保有国：インド、パキスタン、イスラエル（保有疑い）
- 北朝鮮（ＮＰＴ脱退を一方的に表明）

非核保有国

- アメリカの核の傘に依存する国々：日本、韓国、北大西洋条約機構（ＮＡＴＯ）加盟国など
- 核兵器禁止条約に参加 …… 核兵器の全面禁止：オーストリア、メキシコ、ニュージーランド、タイなど（計 70 カ国・地域）

※外務省の資料などを基に作成。2024年1月時点

Yes? No? 核兵器は平和を維持する手段になり得る？ なり得ない？

■なり得る

- 「攻撃したら核兵器で仕返しされる」と敵国が恐れて核保有国への攻撃を思いとどまるはずだ。
- 冷戦時代に核戦争は起きなかった。核兵器による緊張感が平和につながると証明されている。

■なり得ない

- 自分が死んでもいいと考えるテロリストなどに核兵器が渡ると、安易に使われる恐れがある。
- アメリカによるビキニ環礁での水爆実験など、開発のための実験で被害を生むこともある。

時事力 Basic 21

核兵器と向き合う世界

核兵器の「これまで」と「これから」

◆ヒロシマ・ナガサキで何が？

1945年8月6日午前8時15分、アメリカの原子爆弾（原爆）が広島市上空で爆発しました。人類史上初めて、核兵器が戦争で使われた瞬間です。続く8月9日午前11時2分、長崎市にも原爆が投下されました。

熱線や爆風、放射線が人々や建物を襲い、大やけどを負ったり建物の下敷きになったりして、多くの命が瞬く間に奪われました。放射線は内臓の働きを低下させたり白血球を減らしたりします。広島で約14万人、長崎で約7万人が、1945年末までに亡くなったとされます。

母親のおなかにいた胎児が障害を伴って生まれたり、白血病やがんの症状が数年後、数十年後に表れたりした例もあります。被爆者や家族が就職や結婚などで差別を受けることもありました。原爆投下から79年。こうした被害の様子を次の世代にどう語り継ぐかも課題です。

▲現職のアメリカ大統領として初めて、2016年に被爆地・広島を訪れたオバマさん。2023年にはバイデン大統領も訪れた

◆「量」から「質」の核軍拡時代

世界の核兵器は減少傾向にありますが、近年は新型への置き換えがなされ、「量」から「質」への転換が進んでいます。

従来の核兵器は非常に大きく強力で、ひとたび核兵器を撃ち合えば、全世界に壊滅的な被害をもたらす恐れがありました。このため核保有国は、戦争で実際に使うのをためらっていました。しかし近年は、技術の進歩で核兵器を小型化して威力を抑え、地域を限定して打撃を与えることが可能になりました。こうした「使い勝手の良い」新型核兵器を配備する動きが進んでいます。

▼国・地域別の推定核弾頭数（2023年1月時点）

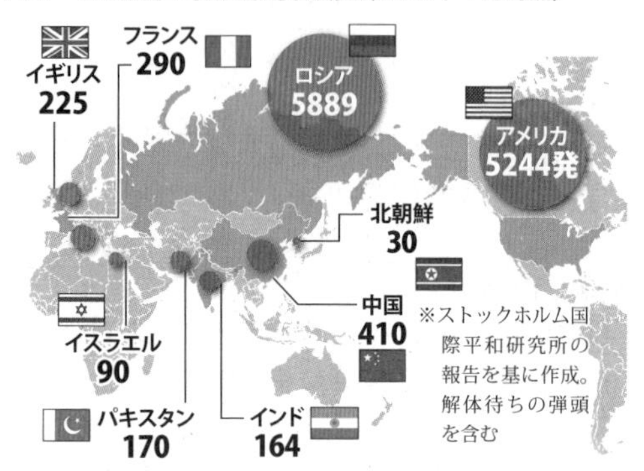

中国の動向も心配されています。中国は近年、核弾頭の保有数を増やし続けており、アメリカは「2030年までに1000発を超える」との見通しを公表しました。中国は核弾頭を載せるミサイルの開発にも力を入れているとされます。核保有大国であるアメリカ、ロシア、中国が、互いに核兵器を管理し拡散させないための話し合いのテーブルにつけるかどうか、難しい交渉が続いています。

PLUS

今も続く朝鮮戦争

第二次世界大戦後、日本の植民地支配が終わった朝鮮半島は、北緯38度線を境に南がアメリカ、北がソ連の管理下に置かれました。1948年には南部で大韓民国（韓国）が成立する一方、北部では朝鮮民主主義人民共和国（北朝鮮）が独立を宣言。双方の対立は1950年、朝鮮戦争に発展しました。1953年には休戦協定が結ばれましたが、これは戦争を正式に終わらせる「平和協定」とは別物です。そのため国際法上は、朝鮮戦争は続いています。

「冷戦」とその後の世界

冷戦とは、20世紀の半ばから終わりにかけて、世界の国々がアメリカを中心とする**西側（資本主義）陣営**と、ソ連（現在のロシア、ウクライナなど）を中心とする**東側（社会主義・共産主義）陣営**に分かれて激しく対立したことです。アメリカとソ連が直接戦火を交えなかったので「冷戦」や「冷たい戦争」と呼ばれます。

両者の対立は第二次世界大戦末期、戦後の統治体制などを巡って始まりました。ヨーロッパは東西に分かれ、ドイツの首都も「ベルリンの壁」が建設されて分断されました。アジアでは、アメリカとソ連の「代理戦争」として、朝鮮戦争（☞86ページ）やベトナム戦争が起こりました。両大国は、核兵器を含む軍事力を増強して対抗。軍事的緊張の高まりは、**キューバ危機**（☞139ページ）で最高潮に達しました。

◀冷戦終結後もドイツ・ベルリン市内に残されている「壁」の一部＝2021年

一方、東西の軍拡競争は、特に経済基盤で劣るソ連の国力を奪いました。ソ連では1985年、ゴルバチョフさんが指導者となり、「ペレストロイカ（改革）」によって国家を立て直そうとしました。しかし1989年には、ソ連の影響下にあった東ヨーロッパで政治体制が次々と転換。「ベルリンの壁」も崩壊し、アメリカとソ連のトップが「冷戦終結」を宣言しました（マルタ会談）。1991年にはソ連が崩壊（解体）し、ソ連を構成していた15の共和国のうち中心的な存在であったロシアが、ソ連の国際的な立場と核兵器を引き継ぎました。

◆世界の「分断」再び

冷戦終結後、アメリカとロシアの関係は一時的に改善しました。1998年には主要７カ国（G７、☞139ページ）の枠組みにロシアが加わり、G８となりました。しかし2014年、ロシアがウクライナのクリミア半島を一方的に併合すると、ロシアはG８から排除されました。2022年に始まったウクライナ侵攻後は、アメリカやヨーロッパ諸国、日本などとロシアの対立はさらに厳しくなり、世界の「分断」は再び深まっています。

▼ＮＡＴＯ加盟国の推移

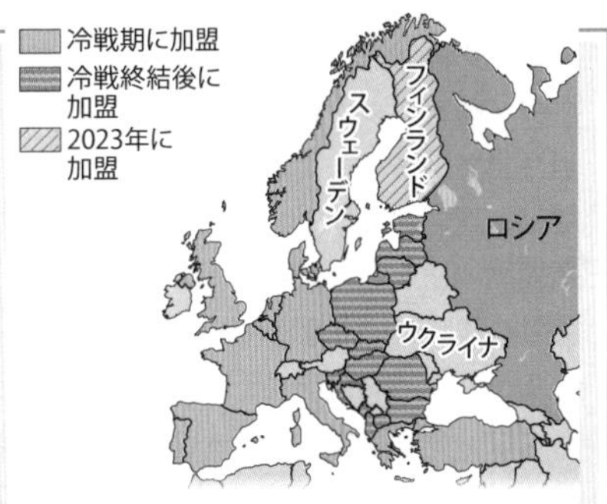

※アメリカなども加盟。ドイツは西ドイツ（当時）の加盟時期

POINT

世界最大の軍事同盟「ＮＡＴＯ」

「**北大西洋条約機構（ＮＡＴＯ）**」は、アメリカや西ヨーロッパなどの国々による世界最大の軍事同盟です。冷戦が始まって間もない1949年、「西側」の国々がソ連に対抗して結成しました。冷戦終結後は、チェコやポーランドなどそれまで「東側」陣営だった国々が加盟し、勢力はロシアに迫りました。ロシアのプーチン大統領はこうしたＮＡＴＯ拡大の動きを、ウクライナ侵攻（☞80ページ）の理由の一つに挙げています。歴史的にロシアとつながりが深いウクライナも加盟申請を表明しました。

北ヨーロッパのフィンランドとスウェーデンは2022年に加盟を申請し、このうちフィンランドが2023年に正式に加盟しました。加盟国は31カ国です（2024年１月時点）。

22 大国と国際社会の行方

TOPICS

- ▶アメリカ 大統領選挙の構図は？
- ▶しわ寄せ受ける新興国・途上国
- ▶中国 人権問題に批判も

練習問題 122ページへ

アメリカ 次のリーダーは？

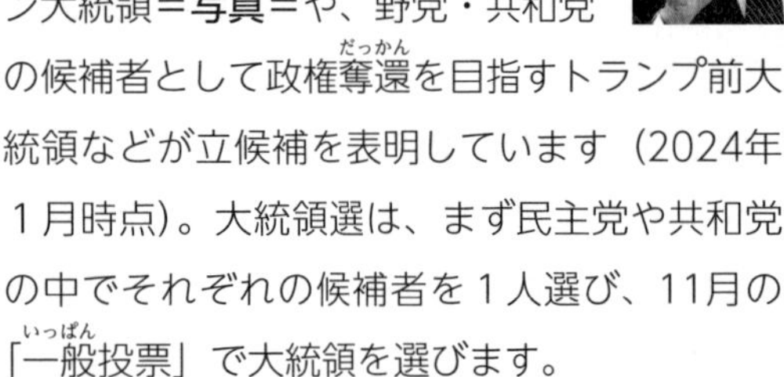

2024年は**アメリカ大統領選挙**（☞90ページ）が行われます。与党・民主党の候補者として再選を狙うバイデン大統領＝**写真**＝や、野党・共和党の候補者として政権奪還を目指すトランプ前大統領などが立候補を表明しています（2024年１月時点）。大統領選は、まず民主党や共和党の中でそれぞれの候補者を１人選び、11月の「一般投票」で大統領を選びます。

トランプさんは前回（2020年）の大統領選で敗北し、その結果を覆そうとしたなどとして起訴されていますが、共和党内での支持率は高いままです。そのため2024年の大統領選は、前回と同じく「バイデンさん対トランプさん」の構図となることが予想されています。ただ、２人はいずれも高齢のため、若手の候補者を求める声もあります。

大統領選の大きな争点の一つは経済問題です。ロシアによるウクライナ侵攻の影響などで、ガソリンや日用品の値段が上がっているからです（☞28ページ）。同時に注目されているのが、人種や移民を巡る社会の対立です。黒人など人種的少数派や中央・南アメリカからの移民に寛容なバイデン政権の政策に対し、トランプさんは多数派の白人の権利を優先し、移民の受け入れなどに反対する政策を唱えています。性的少数者（☞56ページ）の権利などを巡っても意見が割れていて、激しい論戦が交わされそうです。

PLUS

存在感増すグローバルサウス

近年の国際社会では、アジアやアフリカ、中東、中央・南アメリカなどの新興国・途上国の動きが注目されています。日本やアメリカ、ヨーロッパなど主に地球の北半球にある主要国に対して、これらの新興国・途上国は南半球に多いことから「**グローバルサウス**」という総称で呼ばれます。どの国が含まれるのかは曖昧ですが、インド（☞89ページ）は自らをグローバルサウスのリーダー役と称しています。

グローバルサウスの国々の多くは、アメリカやロシアなどの大国同士の競争から距離を取ろうとしています。ウクライナ侵攻（☞80ページ）を巡っても、ロシアの軍事行動を支持しない一方、ロシアに経済制裁（☞139ページ）を科すアメリカやヨーロッパにも同調しない「中立」の立場を取る国が目立ちました。侵攻開始から１年の2023年２月の国際連合（国連、☞83ページ）総会では、ロシア軍の即時撤退を求める決議が141カ国の賛成多数で採択されましたが、インドや南アフリカなどグローバルサウスの国々を含む32カ国は棄権しました。

新興国・途上国の多くは、**グローバル化**（☞139ページ）に伴って起こる数々の問題のしわ寄せを受けています。例えば、新型コロナウイルスの世界的な感染拡大の際にワクチンが十分に手に入らなかったり、ウクライナ侵攻の影響で食料や資源が不足したりする苦境が浮き彫りになりました。これらの国々の声に丁寧に耳を傾ける必要があります。

中国 続く強権体制

中国では、**国家主席**(国のトップ)と**中国共産党総書記**(党のトップ、☞90ページ)を兼ねる習近平さん=写真=に権力が集中しています。

中国はアメリカに次ぐ軍事、経済大国です。習さんは、中国が建国100年を迎える2049年までに、あらゆる面で世界をリードする国になるという国家目標を掲げています。

ただし課題もあります。中国では、報道やインターネットの情報は検閲され、党や政府に批判的な内容は削除されます。習さんは大きな権力を背景に、こうした統制を強めているとされます。さらに、不動産を中心に景気の回復も遅れています。発展する都市部と経済成長が遅れる地方の格差や、若者の失業率が高いことなども課題とされています。経済成長を支えてきた人口世界1位の座も2023年、インドに譲りました(☞40ページ)。

■ 人権巡り批判も

中国では、新疆ウイグル自治区などで暮らす少数民族ウイグル族やチベット自治区のチベット族に対する中国政府による深刻な人権侵害が指摘されてきました。イスラム教徒が多いウイグル族を「再教育施設」に収容して自由を奪うなどの政策がとられてきたとされます。こうした指摘を中国政府は強く否定しています。

南部の都市、香港でも、市民の自由が制限される状況が続いています(☞左下の「3級Check」)。

「1国2制度」の崩壊

「1国2制度」とは、一つの国の中に、資本主義と社会主義という二つの体制を認めるという考え方で、中国による台湾統一政策のために編み出されたとされます。中国は1997年、イギリスから返還された香港に対し、言論や報道の自由を認めるこの制度を50年間維持すると約束しました。しかし、中国は2020年6月、香港で政府を批判する活動を禁止する「**国家安全維持法(国安法)**」を施行。共産党や中国政府に批判的な民主活動家や政治家を次々と逮捕して実刑を科しました。

POINT

台湾との関係は

台湾は、第二次世界大戦後、中国(現在の中華人民共和国)との内戦に敗れて逃れてきた中国国民党の一党支配時代が続き、その後民主化しました。1990年代には、総統(政治のトップ)を市民が選挙で選ぶようになりました。2024年1月の台湾総統選挙では、中国と対立し、アメリカとの関係を深める与党・民進党の頼清徳さんが総統に選ばれました。ただ、中国は台湾を「中国の一部」とみなしており、特に習さんは武力による統一も否定していません。

アメリカは台湾の独立は認めない一方、台湾の民主体制は支持しています。台湾を巡る中国とアメリカの対立は、近年、鋭くなっています。

PLUS

拡大するＢＲＩＣＳ、成長続けるインド

ブラジル、ロシア、インド、中国、南アフリカの5カ国を、各国の英語の頭文字を取って「ＢＲＩＣＳ」と呼びます。経済成長を続けてきた大きな国々のグループで、経済面でお互いの協力を重視しています。2024年1月にイランやサウジアラビアなど5カ国が新たに加盟しました。アメリカやヨーロッパ中心の主要7カ国(G7、☞31ページ)とは一線を画し、存在感を高めています。

中でも存在が際立つのがインドです。人口は世界最多の14億人超で、世界5位の経済大国でもあります。国民の約8割がヒンズー教徒で、公用語はヒンディー語ですが、他にも多くの言語が話される多言語国家です。「IT(情報技術)大国」としても知られ、めざましい成長を続けています。

2大国の政治の仕組み

◆ 三権分立の徹底 アメリカ

アメリカは**大統領制**の国です。大統領（行政機関のトップ）と**連邦議会**（日本の国会にあたる立法機関）議員がそれぞれ選挙で選ばれ、チェックし合う仕組みです。議院内閣制（☞11ページ）と比べ、三権分立が徹底されています。

▼アメリカ大統領選挙の仕組み

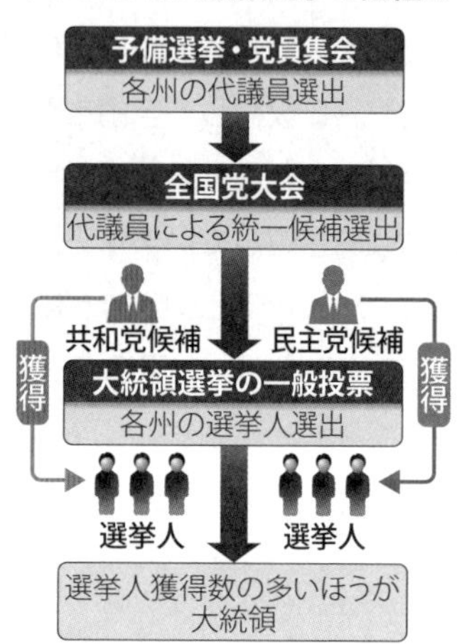

大統領選挙は４年に１度で、これまでは民主党と共和党の候補がほぼ交互に大統領に就いてきました。バイデン大統領は民主党です。大統領の３選は認められていません。バイデンさんとトランプさんはすでに１期務めているため、2024年の大統領選で勝った場合も、次の2028年の選挙には立候補できません。

大統領選（一般投票）は11月にあり、50の州ごとに勝者を決めます。各州には人口などに応じた数の「選挙人」が割り振られており、大半の州では、相手より１票でも多く得票した候補がその州の選挙人全員を獲得します。「全国で獲得した選挙人」が多い候補が、大統領に当選します。そのため、接戦になった州の勝者が決まるまで、どちらの候補が「当選確実」となるか、なかなか判明しないこともあります。

連邦議会は**上院**と**下院**の２院制です。上院（定数100）の任期は６年、下院（定数435）の任期は２年です。

◆ 党が国家を「指導」 中国

中国の政治の仕組みは、日本やアメリカとは異なります。簡単に言えば「**中国共産党**が国家の上に立つ」というものです。

共産党は1921年に結成。第二次世界大戦後、中国国民党との内戦に勝利して、1949年に現在の中国（中華人民共和国）を建国しました。こうした経緯から中国の憲法では、「共産党が国家を指導する」と位置づけられています。

共産党のトップ、**総書記**は2012年から習近平さんが務めています。習さんは**国家主席**（国家元首）も兼ねます。また、党は軍（人民解放軍）を持っていて、習さんはそのトップでもあります。このため習さんは大きな権力を持つのです。

立法機関で日本の国会にあたる「**全国人民代表大会（全人代）**」は、憲法で国家の最高権力機関と定められています。人民代表とは議員のことで、この中から国家主席が選ばれます。ただし、いずれの選出過程も党が統制しています。また、行政機関である国務院（トップは総理で、一般には首相と呼ばれます）と、最高裁判所に相当する最高人民法院は、共に全人代の監督下にあり、三権分立（☞11ページ）は否定されています。国家機関の要職に就くのは多くの場合、共産党幹部です。

▼中国の党・軍・国家の関係

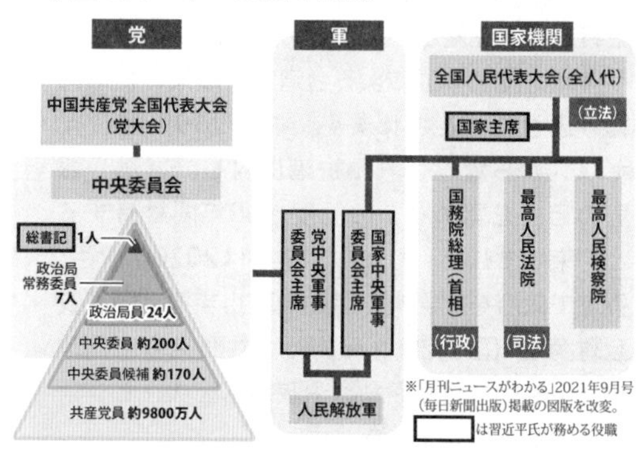

※「月刊ニュースがわかる」2021年9月号（毎日新聞出版）掲載の図版を改変。

つながる国々 成長と課題

◆アメリカと中国の共通点は？

対立や違いが注目されるアメリカと中国ですが、実は共通点もあります。例えば、多民族国家である▽軍事や経済の面で世界でも大きな力を持つ▽国際連合（国連）安全保障理事会（安保理）の常任理事国を務める（☞83㌻）▽核兵器を持っている（☞86㌻）――などです。

アメリカには、白人や黒人、ヒスパニック（中央・南アメリカからの移民とその子孫）、アジア系など多様な人々が暮らしています。中国には人口の約９割を占める漢民族に加え、55の少数民族がいます。また、軍事費、国内総生産（ＧＤＰ）は共に、アメリカが世界１位、中国が２位です。

◆ＥＵを離れる国、目指す国

欧州連合（ＥＵ）はヨーロッパの平和を求めて結成された組織で、27カ国が参加しています。このうち20カ国は、共通通貨「**ユーロ**」を導入しています（2024年１月時点）。域内の人、もの、お金などの移動は基本的に自由で、加盟国間の貿易に関税はかかりません。

半面、域内では移民や難民への反発もあります。イギリスは「東ヨーロッパから来た移民に仕事を奪われている」といった国民の不満の高まりを背景に、2020年にＥＵを脱退しました。

一方、侵攻を受けるウクライナは、ロシアに対抗するためにＥＵへの加盟を目指しています。

国際

POINT

人口増加続くＡＳＥＡＮ

東南アジア諸国連合（ＡＳＥＡＮ）には現在10カ国が加盟しています。1967年、インドネシア、マレーシア、フィリピン、シンガポール、タイの５カ国で発足しました。域内の人口は約６億7945万人で、日本（約１億2512万人）の５倍超、国内総生産（ＧＤＰ）の合計も日本の８割強となっています。域内の人口増加などを背景に、今後も経済成長が続くと見込まれています。

人口、ＧＤＰともにＡＳＥＡＮ最多の４割前後を占めるのは、インドネシアです。国民の９割近くがイスラム教徒で、世界で最も多くのイスラム教徒が住む国でもあります。

▼ＡＳＥＡＮ各国の国力（2022年）

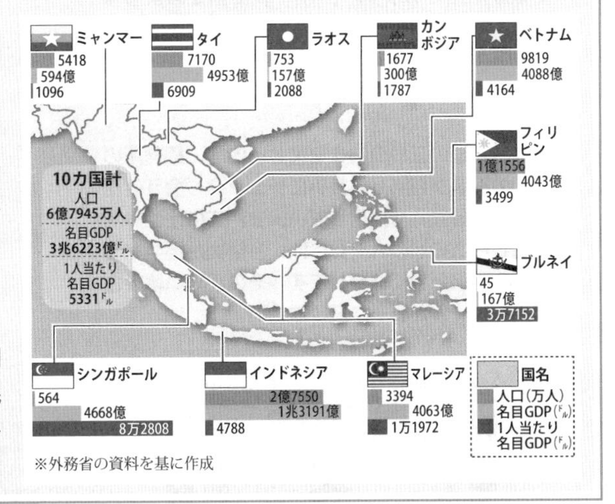

Yes? No? 国際社会は、中国の人権問題にどう向き合うべきか？

■**積極的に改善を求めるべきだ**

・人権は各国共通の権利だ。侵害が疑われれば、調査を求めるのが国際社会の責任だ。

・大国である中国が人権感覚を改めなければ、影響が他国にも及ぶ可能性がある。

■**介入すべきではない**

・少数民族の問題などは、中国の国内問題だ。国内問題にどう対応するかは、その国の自由だ。

・人権問題で完璧な国はなく、中国に対する攻撃材料とすべきではない。

練習問題

（正解と解説は126～137ページ）

■四つの選択肢から一つを選ぶ方式です。

■本番の検定では、45問出題されて、50分で解きます。

◎ 電子書籍をご利用の場合は、各テーマのタイトル欄から、本編や「正解と解説」のページにジャンプできます。

1 私たちの民主主義

正解と解説 126ページ

4級

問1 **一定の年齢に達した全ての国民が投票できる選挙制度のことを【　　】選挙といいます。【　　】に当てはまる言葉を①～④から一つ選びなさい。**

① 普通　② 義務　③ 秘密　④ 代表

問2 **国会や地方議会の議員を選ぶ選挙で、候補者への支持を本人や政党、有権者が呼びかけることを【　　】といいます。【　　】に当てはまる言葉を①～④から一つ選びなさい。**

① 立候補　② 選挙運動

③ 投票　④ 棄権

問3 **【　　】庁は、行政手続きの電子化などを進める国の役所で、マイナンバーカードの普及などにも取り組んでいます。【　　】に当てはまる言葉を①～④から一つ選びなさい。**

① スポーツ　② 復興

③ デジタル　④ 観光

問4 **日本は、国の三つの働きを国会、内閣、裁判所の三つの機関が担当し、互いにチェックし合う仕組み「三権分立」を採用しています。この仕組みを説明した次の図のA～Cには、各機関が担当する働きの名前が当てはまります。その正しい組み合わせを①～④から一つ選びなさい。**

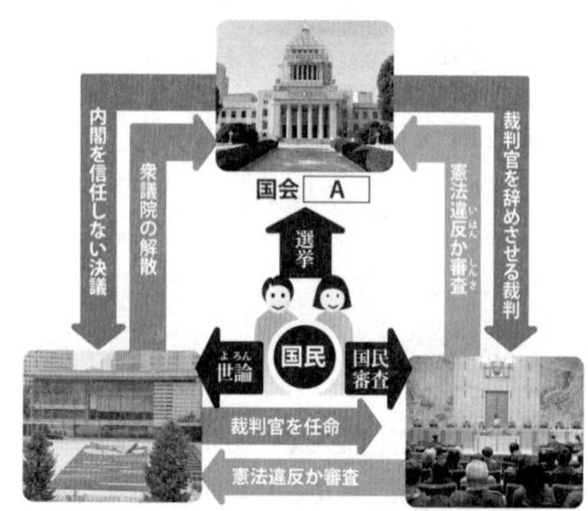

① A－行政権　B－司法権　C－立法権

② A－立法権　B－行政権　C－司法権

③ A－行政権　B－立法権　C－司法権

④ A－立法権　B－司法権　C－行政権

問5 **参議院は、議員の任期が【 A 】年で、衆議院のような【 B 】がありません。このため、長期的な立場で政策に取り組めるとされます。【 A 】【 B 】に当てはまるものの正しい組み合わせを、①～④から一つ選びなさい。**

① A－4　B－定年　② A－4　B－解散

③ A－6　B－定年　④ A－6　B－解散

問6 **内閣総理大臣（首相）は、どのように決まりますか。正しい説明を①～④から一つ選びなさい。**

① 天皇が、国会議員の中から適切だと考える人を選ぶ。

② 国民が、立候補者の中から選挙で投票して決める。

③ 国会議員の中から国会が選ぶ（指名する）。

④ 首相が辞める時、自分の親族に引き継ぐ。

問7 **日本の国会で「与党」と呼ばれるグループについて、正しい説明を①～④から一つ選びなさい。**

① 内閣に協力し、支える政党のことだ。

② 内閣総理大臣（首相）が所属している政党は与党になれない。

③ 内閣の考え方や計画全てに「反対」の立場を取る。

④ 「野党」と同じ意味の言葉だ。

3級

問1 **次の図は、衆議院議員選挙における年代別の投票率の推移を示したもので、【 A 】～【 D 】はそれぞれ、ある年代（10歳ごと）を示します。このうち【 A 】【 C 】に当てはまるものの正しい組み合わせを、①～④から一つ選びなさい。**

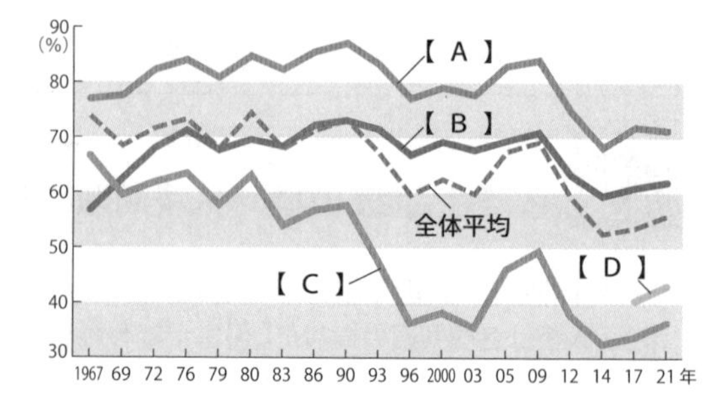

① A－20代　C－10代

② A－60代　C－20代

③ A－10代　C－60代

④ A－20代　C－60代

問2　選挙で有権者が投票しやすくなるように整えられた仕組みの例として正しいものを、①～④から一つ選びなさい。

① 仕事や旅行などで投票に行けない人は、家族が代わりに投票できる。
② インターネットを利用して自宅から投票できる。
③ 投票が間に合わなかった人のために、投票日の後も３日間は投票を受け付けている。
④ 仕事などで投票日に投票できない人は、地元の指定された投票所で期日前に投票できる。

問3　女性の政治参加の現状や経緯について、正しい説明を①～④から一つ選びなさい。

① 女性の選挙権が認められたのは、第二次世界大戦後のことだ。
② 女性議員が一人もいない地方議会は現在、存在しない。
③ 衆議院議員に占める女性の割合は、５割を超えている。
④ 選挙の候補者を「男女同数」にしない政党には、罰金が科されることが法律で定められている。

問4　国政選挙の「１票の格差」が日本国憲法に反しているかどうかが、選挙のたびに裁判で争われています。「１票の格差」は主に憲法のどのような規定に照らして問題になってきましたか。正しいものを①～④から一つ選びなさい。

① 法の下の平等　② 表現の自由
③ 職業選択の自由　④ 勤労の権利と義務

問5　「マイナンバーカード」について、正しい説明の組み合わせを①～④から一つ選びなさい。

A：個人情報の流出を防ぐため、個人番号や名前、住所は印字されていない。
B：民間の銀行などでお金を引き出すキャッシュカードとして利用できる。
C：納税や社会保障、災害関連といった行政手続きで使われる。
D：医療機関では原則、健康保険証として使える。

① AとB　② AとD
③ BとC　④ CとD

問6　衆議院は参議院よりもきめ細かく民意を反映できると考えられています。その理由の例として正しいものを、①～④から一つ選びなさい。

① 衆議院は参議院と同様、解散がないから。
② 衆議院は参議院と違って、解散があるから。
③ 衆議院議員の任期は４年で、参議院議員よりも長いから。
④ 衆議院議員の任期は６年で、参議院議員よりも短いから。

2　日本国憲法の行方

4級

問1　日本国憲法やその改正について、正しい説明を①～④から一つ選びなさい。

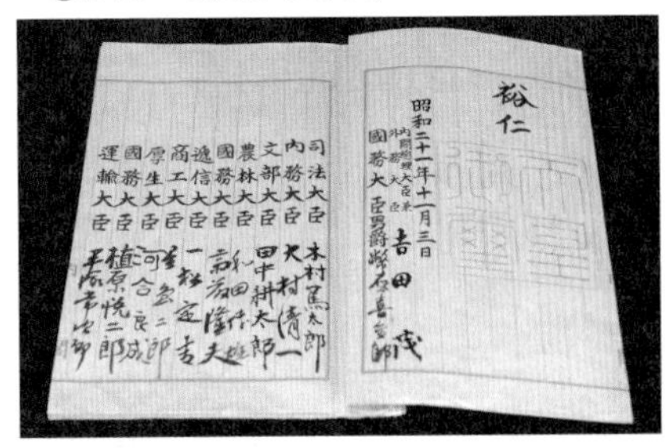
◀日本国憲法の原本

① 明治時代に制定されたので「明治憲法」とも呼ばれる。
② 第二次世界大戦より前に施行されて効き目を持った。
③ 法律と全く同じ手続きで改正できる。
④ これまでに改正されたことはない。

問2　日本国憲法９条では、どのようなことが定められていますか。その例に当てはまるものを①～④から一つ選びなさい。

① 戦争の放棄　② 学問の自由
③ 勤労の義務　④ 憲法改正の手続き

問3　次のA～Cのうち、自衛隊の活動の例に当てはまるものはどれですか。過不足ないものを①～④から一つ選びなさい。

A：土砂崩れなどの災害が発生した時に、被災者の捜索や救助を行う。
B：外国からミサイルを撃たれた時に備えて、レーダー網などで常に監視する。
C：事件を起こした疑いのある人を取り調べ、裁判にかけるかどうかを決める。

① Aのみ　② Cのみ
③ AとB　④ AとBとC（全て当てはまる）

問4　日本国憲法が制定された当時には想定されていなかった権利は「新しい人権」とも呼ばれます。「新しい人権」の例に当てはまるものを、①～④から一つ選びなさい。

① 生存権　② 環境権
③ 表現の自由　④ 思想・良心の自由

問5　５月３日は【　　　】という国民の祝日です。日本国憲法が1947年のこの日に施行され、効き目を持ちました。【　　　】に当てはまる言葉を①～④から一つ選びなさい。

① 建国記念の日　② 昭和の日
③ 憲法記念日　④ 文化の日

問6 日本国憲法の３大原理に<u>当てはまらないもの</u>を、①～④から一つ選びなさい。

① 国民主権　② 平和主義
③ 天皇大権　④ 基本的人権の尊重

問7 日本国憲法は国の【　　】と言われ、憲法に反する法律などは効力を持ちません。次のイメージ図も参考に、【　　】に当てはまる言葉を①～④から一つ選びなさい。

① 最高検察庁
② 最高法規
③ 最高学府
④ 最高裁判所

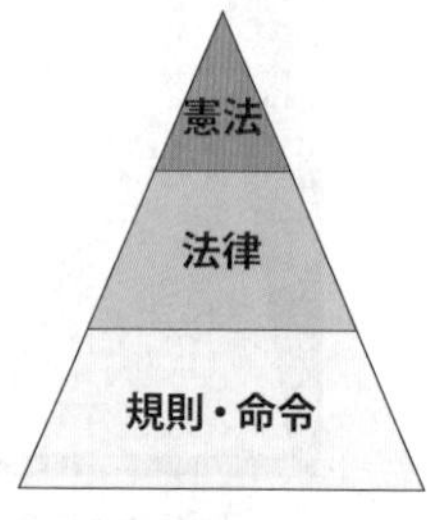

問8 日本国憲法は天皇を「日本国の【 A 】」「日本国民統合の【 A 】」と定めています。天皇の位を受け継ぐこと（皇位継承）ができるのは、現在の制度では【 B 】皇族に限られます。【 A 】【 B 】に当てはまる言葉の正しい組み合わせを、①～④から一つ選びなさい。

① A－象徴　B－男性
② A－象徴　B－女性
③ A－国王　B－男性
④ A－国王　B－女性

3級

問1 日本国憲法の改正手続きで、「発議」とは【　　】ことです。【　　】に当てはまる文言を①～④から一つ選びなさい。

① 憲法審査会を衆参各議院に設ける
② 国会として憲法改正案を決め、国民に提案する
③ 憲法改正案を衆参各議院で可決し、改正憲法を成立させる
④ 改正した憲法を、国民に公布する

問2 日本国憲法によると、憲法を改正するには衆参各議院の「総議員の【 A 】」の賛成で国会が発議し、国民投票で【 B 】の賛成を得る必要があります。【 A 】【 B 】に当てはまる言葉の正しい組み合わせを、①～④から一つ選びなさい。

① A－過半数　B－過半数
② A－過半数　B－３分の２以上
③ A－３分の２以上　B－過半数
④ A－３分の２以上　B－３分の２以上

問3 日本国憲法の具体的な改正手続きを定めている法律を、①～④から一つ選びなさい。

① 国民投票法　② 労働基準法
③ 地方自治法　④ 安全保障関連法

問4 自衛隊について正しい説明を①～④から一つ選びなさい。

① 第二次世界大戦中に発足した。
② 「日本の平和と独立を守る」という役割のほか、「災害派遣」などの任務もある。
③ 自衛隊の海外派遣は法律で禁じられている。
④ 政府は「自衛隊は『戦力』なので日本国憲法に違反する」と認めている。

問5 日本国憲法の内容として正しいものを①～④から一つ選びなさい。

① 「中央集権」に基づく地方自治を目標に掲げている。
② 参議院議員を「都道府県の代表」と定めている。
③ 「環境権」を明記している。
④ 自衛隊の存在を明記した条文はない。

問6 日本国憲法は「国の最高法規」（憲法98条）です。これに関連して、憲法にはどのようなことが書かれていますか。正しい説明を①～④から一つ選びなさい。

① 憲法を尊重して守る義務が全国民にある。
② 国の行政のトップである内閣総理大臣（首相）だけが憲法改正を国民に提案できる。
③ 憲法が守られているかどうかをチェックする憲法裁判所を設置する。
④ 憲法に反する法律などは効力を持たない。

問7 次の表は、日本国憲法と大日本帝国憲法の内容を比較したものです。表の空欄のうち【 B 】【 C 】に当てはまる文言の正しい組み合わせを、①～④から一つ選びなさい。

日本国憲法		大日本帝国憲法
民定憲法 （国民が定めた憲法）	性格	欽定（きんてい）憲法 （天皇が定めた憲法）
【 A 】	主権者	【 B 】
象徴	天皇	神聖不可侵
基本的人権は永久不可侵の権利	国民の権利	天皇によって恩恵的に与えられたもの（臣民の権利）
戦争放棄、戦力の不保持、交戦権の否認	戦争・軍隊	天皇に統帥権（軍の指揮命令権）
【 C 】	国会	【 D 】
国会に対し連帯責任を負う	内閣	大臣は天皇を輔弼（ほひつ＝助けること）する

① B－国民　C－天皇の協賛機関
② B－国民　C－国権の最高機関
③ B－天皇　C－天皇の協賛機関
④ B－天皇　C－国権の最高機関

問8 天皇の「公務」の例に<u>当てはまらないもの</u>を、①～④から一つ選びなさい。

① 衆議院を解散する。
② 被災地を訪問する。
③ 元号を決める。
④ 外国の要人と会見する。

3 どうなる 外交と防衛

4級

問1 日本は【　　　】と「日米安全保障条約」を結んでいます。「在日米軍基地」はこの条約に基づいて日本各地に置かれています。【　　　】に当てはまる国名を①～④から一つ選びなさい。

① アメリカ　② サウジアラビア
③ ブラジル　④ オーストラリア

問2 日本国内にあるアメリカ軍基地（在日米軍基地）の約70％（面積で計算）は、【　　　】に集中しています。【　　　】に当てはまる都道府県名を①～④から一つ選びなさい。

① 北海道　② 東京都
③ 大阪府　④ 沖縄県

問3 「普天間飛行場」＝写真＝について、正しい説明を①～④から一つ選びなさい。

① 北海道にある。
② 海上自衛隊の施設だ。
③ 周辺には住宅や学校などが密集している。
④ 以前は海上にあったが、写真の場所に移設された。

問4 防衛費の推移を示した次のグラフから読み取れることとして、正しい説明を①～④から一つ選びなさい。

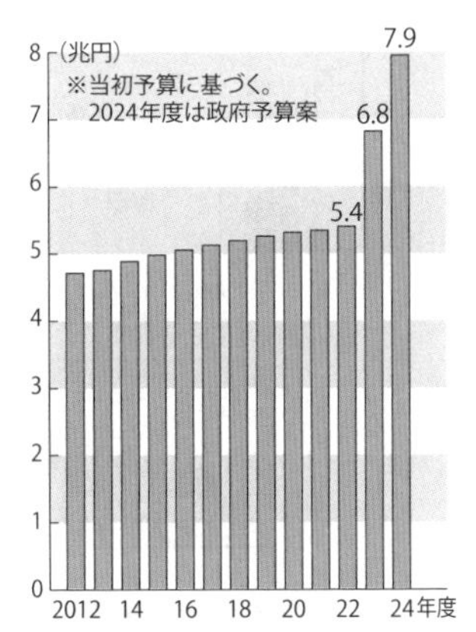

① 2012年度は５兆円を上回っている。
② 2013年度以降で、前年度よりも減った年度がある。
③ 2024年度は、2023年度と比べて１兆円以上増えている。
④ 2025年度以降は減る見込みだ。

問5 海岸から200カイリ（約370キロ）以内の海（領海と、排他的経済水域＝ＥＥＺ）は、その国にとって大事な水域とされています。その理由として正しい説明を①～④から一つ選びなさい。

① 外国の船は一切入ってきてはいけないから。
② どこの国のものでもない公海だから。
③ 魚や石油などの資源を独占できるから。
④ 外国と共に資源探しをする義務があるから。

問6 日本とロシアの間には【　　　】＝地図の４島＝を巡る領土問題があります。【　　　】は昔から日本の領土ですが、ロシアが占拠しており、返還の見通しは立っていません。【　　　】に当てはまる言葉を①～④から一つ選びなさい。

① 北方領土（北方四島）
② 小笠原諸島
③ 沖縄本島
④ 沖ノ鳥島

問7 日本にとって尖閣諸島は昔からの領土です。この島々は何という海にありますか。次の地図も参考にして、正しいものを①～④から一つ選びなさい。

① 東シナ海
② オホーツク海
③ インド洋
④ 日本海

3級

問1 日本と韓国の関係は少し前まで「徴用工問題」で冷え込んでいました。徴用工とは【 ア 】人のことです。また、日本と北朝鮮の間の「拉致問題」とは【 イ 】問題のことです。【 ア 】【 イ 】に当てはまる文言の正しい組み合わせを①～④から一つ選びなさい。

Ａ：昔からの日本の領土に住んでいたにもかかわらず、韓国に占拠されて故郷を追われた
Ｂ：第二次世界大戦中、労働力として日本の工場に集められた朝鮮半島（当時は日本の植民地）出身の
Ｃ：第二次世界大戦が終わった直後、日本人がシベリアへ連行され、強制労働させられた
Ｄ：日本人が、北朝鮮の工作員と呼ばれる人たちによって無理やり連れ去られた

① アーＡ　イーＣ
② アーＡ　イーＤ
③ アーＢ　イーＣ
④ アーＢ　イーＤ

問2 **防衛費について政府は今後、どのようにする方針ですか。正しい説明を①～④から一つ選びなさい。**

① これまでよりも増やす。
② これまでと同じ程度で維持する。
③ これまでよりも減らす。
④ ゼロにする。

問3 **アメリカ軍普天間飛行場（沖縄県宜野湾市）の「移設問題」とは、どのような問題ですか。正しい説明を①～④から一つ選びなさい。**

① 普天間の歴史的な建物をどこへ移して保存するかという問題だ。
② 普天間の部隊が他の場所へ行った後、その跡地を何に利用するかという問題だ。
③ 普天間の土地をアメリカが日本へ返す際、代わりの基地をどこに造るかという問題だ。
④ 普天間の土を利用して、どこの海を埋め立てるかという問題だ。

問4 **海の主な分類を示した次の図のうち、【A】と【C】に当てはまる言葉の正しい組み合わせを、①～④から一つ選びなさい。**

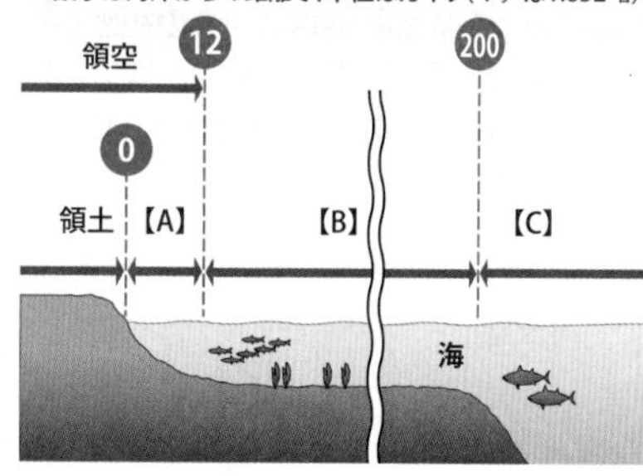

① A－領海　C－公海
② A－領海　C－排他的経済水域（ＥＥＺ）
③ A－公海　C－排他的経済水域（ＥＥＺ）
④ A－公海　C－領海

問5 **日本の立場では、北方領土は昔からずっと日本の領土です。しかし、ある戦争が終わって以降、ロシア（ソ連時代を含む）が事実上、支配しています。何という戦争ですか。正しいものを①～④から一つ選びなさい。**

① 湾岸戦争　② 朝鮮戦争
③ 第二次世界大戦　④ 日露戦争

問6 **東シナ海にある尖閣諸島（沖縄県）について、日本政府はどのような立場ですか。正しい説明を①～④から一つ選びなさい。**

① 「中国との間に領土問題が存在する」
② 「韓国との間に領土問題が存在する」
③ 「ロシアとの間に領土問題が存在する」
④ 「解決すべき領土問題は存在しない」

4 地方自治のいま

正解と解説 127ページ

4級

問1 **日本では、人口が都市部に集中しています。一般に、都市部はそれ以外の地域と比べて【　　】からです。【　　】に当てはまる文言を①～④から一つ選びなさい。**

① 農業や漁業が盛んだ
② 自然災害が少ない
③ 物価が安い
④ 多くの企業や大学がある

問2 **「過疎化」について、正しい説明を①～④から一つ選びなさい。**

① 高齢化が進むと、過疎化は解消する。
② 東京などの都市部で主に起きている。
③ 過疎化が進むと普通、地方自治体が住民から集められる税金は増える。
④ 過疎化が進んだ地域では、例えば鉄道路線が廃止されることがある。

問3 **国の仕事とは別に、地方自治体はそこに住む人々の生活を支える仕事をしています。地方自治体の仕事の例に当てはまるものを、①～④から一つ選びなさい。**

① 法律の制定
② 外国と条約を結ぶ交渉
③ ごみの収集や上下水道の整備
④ 争いごとや事件の裁判

問4 **次の図は、地方自治の主な仕組みを示しています。図の内容として正しい説明を①～④から一つ選びなさい。**

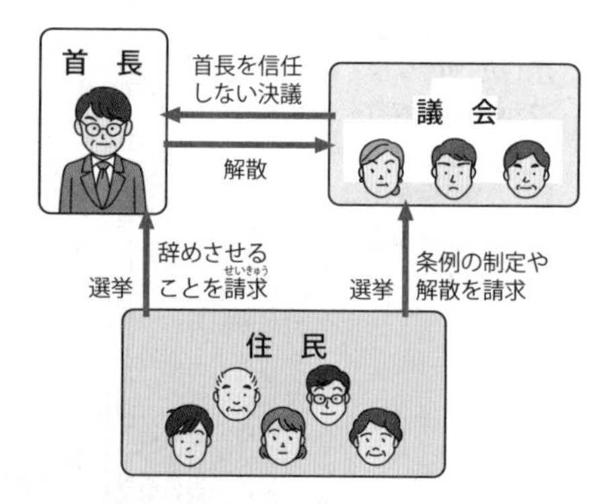

① 首長は、議会が議員の中から指名して決める。
② 首長には、住民の仕事を辞めさせる権限がある。
③ 議会の議員は、首長が選んで任命する。
④ 住民は、首長を辞めさせたり議会を解散したりするよう求めることができる。

問5　「地方自治体の首長」の例に当てはまるものを①〜④から一つ選びなさい。

① 都道府県知事　② 警察庁長官
③ 内閣総理大臣　④ 衆議院議員

問6　地方自治体のルールである「条例」は【　A　】が決めます。【　B　】は役所や役場のトップとして、住民への行政サービスを取り仕切ります。【　A　】【　B　】に当てはまる言葉の正しい組み合わせを、①〜④から一つ選びなさい。

① A－各地の議会　B－知事や市区町村長
② A－各地の議会　B－内閣総理大臣
③ A－国会　B－知事や市区町村長
④ A－国会　B－内閣総理大臣

問7　都道府県の知事・議員、市区町村の首長・議員を選び直す選挙は4年に1度、できるだけまとめて実施されます。このような選挙を何といいますか。正しい言葉を①〜④から一つ選びなさい。

① 総選挙　② 統一地方選挙（統一選）
③ 住民投票　④ 国民投票

3級

問1　次のA〜Cのうち、都市部への人口集中を抑えて地方を活性化するのに役立つと考えられる政策はどれですか。過不足ない組み合わせを、①〜④から一つ選びなさい。

A：子どものいる家族が地方へ移住しやすくなるよう、地方自治体が子育て環境を充実させる。
B：都市部にある大学の入学定員を増やすよう、大学に促す。
C：企業が都市部から地方へ移転したら、その企業に課す税金を安くする。

① AとB　② AとC
③ BとC　④ AとBとC（全て役立つ）

問2　ふるさと納税について、正しい説明を①〜④から一つ選びなさい。

◀返礼品の例

① 納税者が、祖父母の住む地方自治体に一定額の税金を納める制度だ。
② 寄付額（全国の合計）は制度が始まって以降、横ばいだ。
③ 寄付を受けた自治体が、寄付をした人に返礼品を贈る義務はない。
④ 地方の県や市町村に集まる税金を、都市部の自治体に移す狙いがある。

問3　地方自治体の制度や地方自治のあり方について、正しい説明を①〜④から一つ選びなさい。

① 「地方自治」の考え方は、大日本帝国憲法（明治憲法）でも定められていた。
② 条例の制定などを住民が求める「直接請求」の制度は、第二次世界大戦後に廃止された。
③ 自治体の首長と議会の議員は、それぞれ住民が選挙で直接選ぶ。
④ 「地方分権」とは、それぞれの地域の行政サービスに国が細かく口出しすることだ。

問4　統一地方選挙（統一選）について、正しい説明を①〜④から一つ選びなさい。

① 都道府県の知事・議員、市区町村の首長・議員を選び直す選挙を4年に1度、できるだけまとめて実施することだ。
② 回を重ねるごとに、実施される選挙の数が増えている。
③ 有権者が投票することなく当選者が決まる「無投票」は近年、ほとんどなくなった。
④ 有権者の関心が高まらず、事務経費に無駄が生まれがちなので、廃止が決まった。

問5　地方自治体の選挙で、投票なしに当選者が決まる「無投票当選」が増えると、どのような問題が起きると指摘されていますか。その例に当てはまるものを①〜④から一つ選びなさい。

① 経費がよけいにかかる。
② 政策論議が活発化する。
③ 有権者の選択の機会を奪う。
④ 公務員が忙しくなる。

問6　地方自治体の議会が制定する条例について、正しい説明を①〜④から一つ選びなさい。

① 条例案を議会に提案できるのは住民に限られ、首長や議員の提案は禁じられている。
② 条例を制定できるのは都道府県だけで、市区町村による制定は認められていない。
③ その自治体だけで通用するルールなので、内容が国の法律に違反していても構わない。
④ ほぼ同じテーマについて、条例が国の法律よりも先に制定される場合がある。

問7　地方自治体の主な収入のうち、【　　】は住民や地元企業から集める税金で、使い方は議会が認めれば自治体が自由に決められます。【　　】に当てはまる言葉を①〜④から一つ選びなさい。

① 国庫支出金
② 地方税
③ 地方交付税
④ 地方債

5 足踏みする日本経済

正解と解説 128ページ

4級

問1 **その国の経済規模（経済活動がどれくらい盛んなのか）を測る代表的なものさしを、①～④から一つ選びなさい。**

① 国の借金残高
② 消費税率
③ 国内総生産（GDP）
④ 国土の面積

問2 **国が政策などを実施するために支出するお金は、主に国民や企業から集める税金などによってまかなわれます。足りない分は【　　】を発行して穴埋めしています。【　　】に当てはまる言葉を、①～④から一つ選びなさい。**

① 国債　② 株式
③ 切手　④ 通帳

問3 **日本銀行（日銀）は日本の中央銀行です。日銀の仕事の例として正しいものを、①～④から一つ選びなさい。**

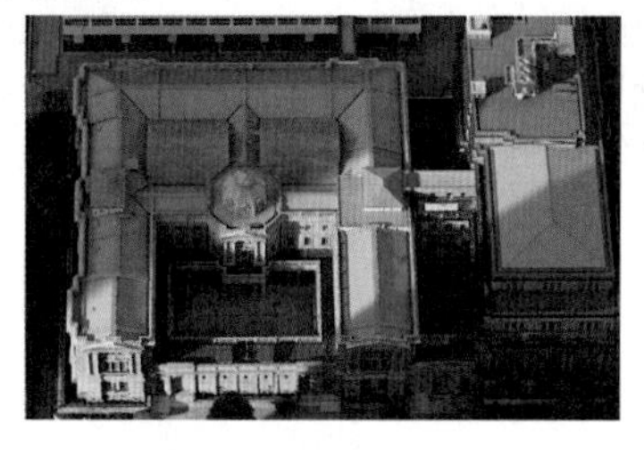

◀東京都にある日銀の本店。上空から見ると「円」の字の建物になっている

① 個人や企業から税金を集める。
② 景気や物価を安定させる。
③ 個人や企業にお金を貸す。
④ 個人や企業同士の金銭トラブルを解決する。

問4 **国が集める税金の代表例として、個人の収入にかかる【 A 】、企業の利益にかかる【 B 】などがあります。【 A 】【 B 】に当てはまる言葉の正しい組み合わせを、①～④から一つ選びなさい。**

① A－所得税　B－法人税
② A－所得税　B－相続税
③ A－関税　B－法人税
④ A－関税　B－相続税

問5 **消費税（買い物にかかる税金）について、正しい説明を①～④から一つ選びなさい。**

① 日本独自の税金で、外国に同様の税金はない。
② 現在の税率は10％だが、一部の商品は８％だ。
③ 収入が低い人は負担しなくてもよい。
④ 未成年者は負担しなくてもよい。

問6 **物価が上がり続けることを何といいますか。正しい言葉を①～④から一つ選びなさい。**

① デモ（デモンストレーション）
② リストラ（リストラクチャリング）
③ インフレ（インフレーション）
④ デフレ（デフレーション）

問7 **食料品や日用品など、さまざまな商品の値上げがニュースになっています。ある商品の値段が上がる理由として、どのようなことが考えられますか。その例として最も適切なものを、①～④から一つ選びなさい。**

① 商品の生産量が増える。
② 商品の材料費が高くなる。
③ 商品を買い求める人が減る。
④ 商品の輸送費（トラックのガソリン代など）が安くなる。

3級

問1 **日本の国内総生産（GDP）を支出面から見た時、全体の半分以上を占めている項目は何ですか。正しいものを①～④から一つ選びなさい。**

① 個人がものやサービスを買うために使った総額
② 日本から外国に輸出したものやサービスの総額
③ 国や地方自治体が公共事業（道路や橋の整備など）をするために使った総額
④ 企業が工場や機械の新設・増設のために使った総額

問2 **国の予算のうち、年度途中で追加の支出が必要になった時などに組まれる予算を何といいますか。正しい言葉を①～④から一つ選びなさい。**

① 一般会計　② 特別会計
③ 当初予算　④ 補正予算

問3 **政府の2024年度予算（年度当初に組まれる予算）案について、正しい説明を①～④から一つ選びなさい。**

① 総額は100兆円を超えた。
② 借金の残高はゼロになった。
③ 新たな借金（新規国債発行）はゼロだ。
④ 社会保障費は前年度よりも減った。

問4 **日本の中央銀行である日本銀行（日銀）は長い間、世の中に出回るお金の量を増やしてお金の価値を下げ、物価を上げるために【　　】を実施してきました。【　　】に当てはまる言葉を、①～④から一つ選びなさい。**

① 規制緩和　② 金融緩和
③ 金融引き締め　④ 財政政策

問5　日本銀行（日銀）は、物価の変動を抑えて景気を安定させるために、金融政策を行っています。次の図は、その例（日銀が一般の銀行との間で国債を売り買いして、世の中に出回るお金の量を調節する方法）について説明しています。図中の【B】【D】に当てはまる言葉の正しい組み合わせを、①～④から一つ選びなさい。

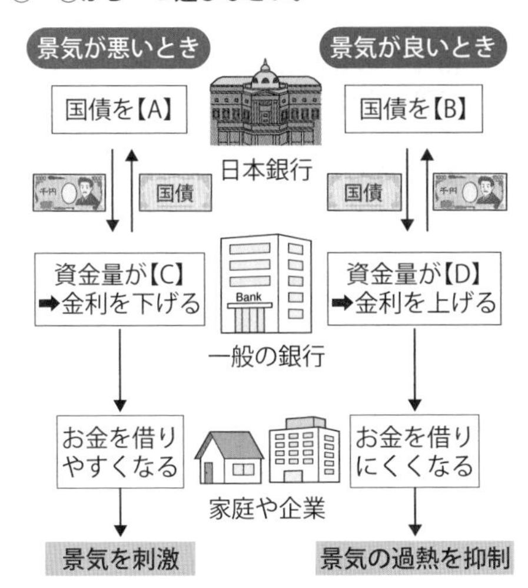

① B－売る　D－減る
② B－売る　D－増える
③ B－買う　D－減る
④ B－買う　D－増える

問6　消費税の制度や特徴について、正しい説明を①～④から一つ選びなさい。
① 消費税の税率が引き上げられたことはない。
② 国の景気が良い時ほど消費税の税収は減る。
③ 収入が低い人ほど消費税の負担感が重くなる。
④ 収入が高い人ほど消費税の税率が高くなる。

問7　次のA～Dのうち、消費税率を８％のまま据え置く「軽減税率」の対象になるものはどれですか。過不足ないものを①～④から一つ選びなさい。
A：スーパーでジュース１本と弁当１個を買って、自宅で飲食した。
B：文房具店でボールペンを１本買った。
C：ファストフード店でハンバーガーセットを注文し、店内で食べた。
D：酒屋で缶ビールを２本買って、自宅で飲んだ。
① Aのみ
② AとBとD
③ BとC
④ CとD

6　混迷する世界経済

正解と解説 128ページ

4級

問1　【　A　】制裁とは、国際ルールを破った国などに対して科す罰の一つです。例えば、貿易を制限することでその国にダメージを与え、ルールを守らせようとします。最近では、日本やアメリカ、ヨーロッパの国々が【　B　】に対して科しました。【　A　】【　B　】に当てはまるものの正しい組み合わせを、①～④から一つ選びなさい。
① A－経済　B－ウクライナ
② A－経済　B－ロシア
③ A－軍事　B－ウクライナ
④ A－軍事　B－ロシア

問2　世界１、２位の経済大国同士が近年、対立を深めていて、世界経済全体にその影響が及んでいます。この２カ国の正しい組み合わせを、①～④から一つ選びなさい。
① アメリカと中国
② アメリカと韓国
③ イギリスと中国
④ イギリスと韓国

問3　日本の貿易額（輸出入の総額、2022年時点）を相手国別に見ると、最も多い国は【　　】で、２位はアメリカです。【　　】に当てはまる国名を、①～④から一つ選びなさい。
① インド
② フランス
③ イギリス
④ 中国

問4　その国の輸出額が輸入額よりも多い状態を【　A　】、逆に、輸入額が輸出額よりも多い状態を【　B　】といいます。【　A　】【　B　】に当てはまる言葉の正しい組み合わせを、①～④から一つ選びなさい。
① A－財政黒字　B－財政赤字
② A－財政赤字　B－財政黒字
③ A－貿易黒字　B－貿易赤字
④ A－貿易赤字　B－貿易黒字

問5　国外から輸入されるものに課される税金を何といいますか。正しい言葉を①～④から一つ選びなさい。
① 法人税
② 所得税
③ 住民税
④ 関税

問6 日本などが参加する「環太平洋パートナーシップ協定（ＴＰＰ）」は、参加国同士で主にどのようなことを目指していますか。最も適切なものを①～④から一つ選びなさい。

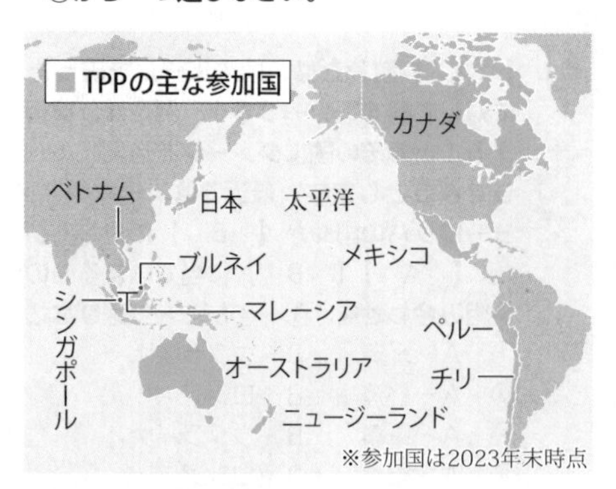

① 貿易を活発化させる。
② 難民の受け入れを増やす。
③ 核兵器を減らしたり、なくしたりする。
④ 領土問題を解決する。

問7 アメリカで2008年、大きな金融機関が経営に行き詰まったことをきっかけに、世界中の経済に悪影響が広がりました。このできごとを何といいますか。正しい言葉を①～④から一つ選びなさい。

① 世界恐慌
② 石油危機（オイルショック）
③ 同時多発テロ
④ 世界金融危機（リーマン・ショック）

3級

問1 アメリカやヨーロッパなどの主要な中央銀行は2022年から、金融政策の一環として「利上げ」を実施しました。利上げとは【　Ａ　】を引き上げることで、経済活動を抑えて物価の【　Ｂ　】を食い止める効果があるとされます。【　Ａ　】【　Ｂ　】に当てはまる言葉の正しい組み合わせを、①～④から一つ選びなさい。

◀アメリカの中央銀行トップ（議長）のパウエルさん。アメリカの決定は世界経済に与える影響が大きいため、「大統領に次ぐ権力者」とも言われる

① Ａ－税率　Ｂ－上昇
② Ａ－税率　Ｂ－下落
③ Ａ－金利　Ｂ－上昇
④ Ａ－金利　Ｂ－下落

問2 世界貿易機関（ＷＴＯ）について、誤っている説明を①～④から一つ選びなさい。

① 第二次世界大戦よりも後に発足した。
② 貿易自由化のルールづくりを担う。
③ 貿易を巡る国同士の争いを解決する役割を担う。
④ アメリカや中国は加盟していない。

問3 国外からの輸入品に高い関税をかけ、自国の産業を守ろうとすることを「【　　】貿易」といいます。【　　】に当てはまる言葉を、①～④から一つ選びなさい。

① 朝貢
② 保護
③ 加工
④ 自由

問4 特定の国や地域が、互いに関税を引き下げるだけでなく、より幅広く経済を盛んにするために決めるルールを何といいますか。正しい言葉を①～④から一つ選びなさい。

① 経済連携協定（ＥＰＡ）
② 自由貿易協定（ＦＴＡ）
③ 安全保障条約
④ シェアリングエコノミー

問5 日本などが参加する「環太平洋パートナーシップ協定（ＴＰＰ）」に関する次のＡ～Ｃのうち、正しい説明はどれですか。過不足ないものを①～④から一つ選びなさい。

Ａ：参加国同士の貿易を活発化させるのが主な目的だ。
Ｂ：アメリカと中国が参加している。
Ｃ：新たにサウジアラビアが加わることが決まった（2023年）。

① Ａのみ
② ＡとＢ
③ Ｂのみ
④ ＢとＣ

問6 【　　】は、先進国（日本やアメリカ）に加えて新興国（中国やインド）も参加する国際会議です。リーマン・ショック（世界金融危機）に対応するため2008年に初めて開かれ、その後も定期的に開かれています。【　　】に当てはまる言葉を、①～④から一つ選びなさい。

① 主要７カ国（Ｇ７）の首脳会議（サミット）
② 主要20カ国・地域（Ｇ20）のサミット
③ 国際連合（国連）の総会
④ 国際博覧会（万博）

7 日本産業のいま

4級

問1　日本の通貨「円」とアメリカの通貨「ドル」を交換するとします。きのうは「1ドル＝100円」で、きょうは「1ドル＝110円」になった場合、この変化について正しい説明を、①～④から一つ選びなさい。

① 円高・ドル高になった。
② 円高・ドル安になった。
③ 円安・ドル高になった。
④ 円安・ドル安になった。

問2　観光が盛んになると、経済にどのような影響があると考えられますか。その例として<u>誤っているもの</u>を、①～④から一つ選びなさい。

① 旅行客が宿泊や買い物にお金を使って、地方の経済が活発になる。
② 外国人旅行客が買い物などにお金を使って、国内の企業のもうけが増える。
③ 観光産業だけでなく、関係のある別の産業も同時に活気づく「産業の空洞化」が起きる。
④ 観光に関わる仕事が増えて、新たな雇用（働き口）が生まれる。

問3　次のグラフは、2010～23年に日本を訪れた外国人旅行客（訪日客）の数の推移を示しています。グラフから読み取れることとして正しい説明を、①～④から一つ選びなさい。

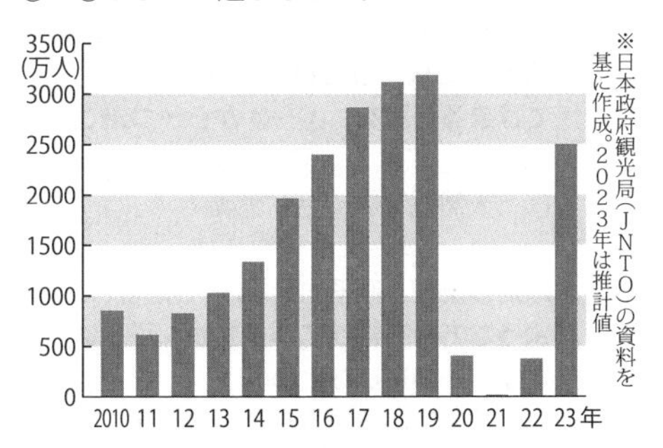

① 2011年の訪日客が2010年と比べて減ったのは、新型コロナウイルスが流行したためだ。
② 訪日客が3000万人を超えた年はない。
③ 2020～22年の訪日客は、最も多かった年と比べていずれも2000万人以上減った。
④ 2023年の訪日客は、2010年以降で２番目に多かった。

問4　【　　　】は日本の主な輸出品で、【　　　】産業は日本経済を支える代表的な産業です。【　　　】に当てはまる言葉を、①～④から一つ選びなさい。

① 石油　　② 自動車
③ 繊維　　④ 食品

問5　世界の自動車会社は、「ＥＶ」の開発を競い合っています。ガソリンで走る車と違って、ＥＶは走行中に排ガスを全く出しません。ＥＶとは何ですか。正しい言葉を、①～④から一つ選びなさい。

① 自動運転車
② 電気自動車
③ ハイブリッド車
④ ディーゼル車

問6　日本は「食料自給率＊」が低いことが課題とされています。これに関連して、次の①～④の農産物のうち、日本の自給率が最も高いものを一つ選びなさい。

＊**食料自給率**……国内で消費される食料が、国内で生産されたものでどれだけまかなえているかを示す割合。

① コメ　　② 大豆
③ 小麦　　④ 牛肉

3級

問1　円安が進むと、どのようなことが起きると考えられますか。その例として正しいものの組み合わせを、①～④から一つ選びなさい。為替相場（為替レート）以外の要素は考えないこととします。

Ａ：海外から日本に輸入する製品が値下がりする。
Ｂ：製品を輸出する日本の企業の利益が増える。
Ｃ：海外からやって来た人が日本で買い物をする場合に割安になる。
Ｄ：日本に住む人が海外へ行って買い物をする場合に割安になる。

① ＡとＣ
② ＡとＤ
③ ＢとＣ
④ ＢとＤ

問2　「インバウンド」とはどのような人たちのことを指しますか。正しい説明を①～④から一つ選びなさい。

① 外国を訪れる日本人旅行客
② 日本を訪れる外国人旅行客
③ 日本で学ぶ外国人留学生
④ 日本で働く外国人労働者

問3　日本の産業の特徴について、正しい説明を①～④から一つ選びなさい。

① 農業に従事する人の数は、年々増えている。
② サービス業など「第３次産業」で働く人の数は、年々減っている。
③ 大企業の数のほうが中小企業よりも多い。
④ 年間輸出総額のうち、最も割合が高いのは自動車（部品を含む）だ。

問4 **世界の自動車メーカーは、環境にやさしい自動車の開発を競い合っています。例えば電気モーターだけを動力にすれば、走行中、地球温暖化を招く二酸化炭素（CO_2）を出さずに済みます。次のA～Dのうち、走行中にCO_2を出さないものはどれですか。正しい組み合わせを、①～④から一つ選びなさい。**

A：電気自動車
B：燃料電池車
C：ディーゼル車
D：ハイブリッド車

① AとB
② AとC
③ BとC
④ CとD

問5 **世界で需要が高まる「半導体」について、正しい説明を①～④から一つ選びなさい。**

① 常に電気を通しやすい物質で、ゴムやガラスと並ぶ「絶縁体」の代表例だ。
② 電子部品としての半導体は、例えばパソコンやスマートフォンでデータを記憶させるために使われる。
③ 近年、半導体のほぼ全てが日本で生産されている。
④ 主に原子力発電の燃料として使われる。

問6 **日本の食料自給率（カロリーで計算）について、<u>誤っている説明</u>を①～④から一つ選びなさい。**

① 先進国の中だけで見れば、日本の自給率は最低水準だ。
② 自給率が下がった一因は、食生活の変化で以前よりご飯（コメ）を食べなくなったことだ。
③ 政府は自給率を高めるため、農林水産物や食品の輸出を今後、減らす予定だ。
④ コメは国内の生産でほぼまかなえている一方、小麦や大豆は大半を輸入に頼っている。

問7 **大企業の大半は、経営に必要なお金を集める代表的な方法として【　A　】を買ってもらっています。一定の条件を満たした【　A　】は証券取引所で売買され、その値段は【　B　】。【　A　】【　B　】に当てはまるものの正しい組み合わせを、①～④から一つ選びなさい。**

① A－紙幣
　B－上がったり下がったりします
② A－紙幣
　B－買った時より下がることはありません
③ A－株式
　B－買った時より下がることはありません
④ A－株式
　B－上がったり下がったりします

8 脱炭素社会への道のり

正解と解説 129ページ

4級

問1 **次のグラフは、国内の総発電量に占める発電の種類（エネルギー源）別の割合と、その推移を示しています（2030年度は計画）。グラフの内容として正しい説明を、①～④から一つ選びなさい。**

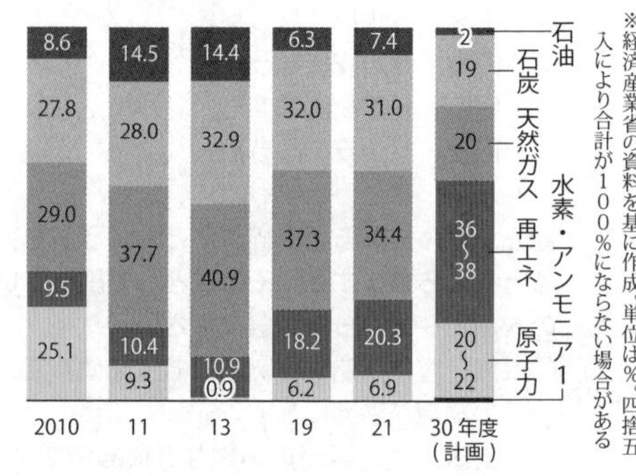

① 原子力の割合が10%を超えたことはない。
② 石炭の割合は、いずれの年も50%を超えている。
③ 2030年度の再生可能エネルギー（再エネ）の割合は、2010年度の3倍以上だ。
④ 2030年度の火力発電（石油、石炭、天然ガス）の割合は、2021年度よりも高くなる。

問2 **次世代のエネルギーとして、【　　　】が注目されています。【　　　】は、燃やしても二酸化炭素（CO_2）を出さないため、国は発電などの燃料として活用していく方針です。【　　　】に当てはまる言葉を、①～④から一つ選びなさい。**

① 石油　　② 石炭
③ 天然ガス　　④ 水素

問3 **政府は現在、原子力発電所（原発）についてどのような方針を掲げていますか。正しいものを①～④から一つ選びなさい。**

① 国内にある原発を全てなくす。
② 国内にある原発の再稼働は一切認めない。
③ 他の電源（火力など）も使いつつ、原発を積極的に活用する。
④ 将来、全ての電源を原子力でまかなうことを目指す。

問4 **国内にある原子力発電所（原発）は、「【　　　】基準」（安全対策や設備などの条件）を満たしていると国の審査で認められない限り、運転できない決まりです。【　　　】に当てはまる言葉を、①～④から一つ選びなさい。**

① 規制　② 廃止　③ 促進　④ 利用

問5 **「再生可能エネルギー」について、正しい説明を①～④から一つ選びなさい。**

① 石油のように、燃やすと二酸化炭素（CO_2）を出すエネルギーのことだ。
② 太陽光や風力のように、いくら使ってもなくならないエネルギーのことだ。
③ 天然ガスのように、発電の燃料となる気体のことだ。
④ 原子力のように、使用済み燃料から再び燃料を作れるエネルギーのことだ。

問6 **日本には、【　　】によって発電された電力を、電力会社が一定の価格で買い取る「固定価格買い取り制度」があります。【　　】に当てはまる言葉を、①～④から一つ選びなさい。**

① 石炭　② 天然ガス
③ 原子力　④ 再生可能エネルギー

問7 **日本政府が再生可能エネルギーの柱に位置づけている「洋上風力発電」＝写真は一例＝について、正しい説明を①～④から一つ選びなさい。**

① 夜は発電できない。
② 水が流れ落ちる力で水車を回して発電する。
③ 海上に吹く風の力で風車を回して発電する。
④ 発電機は主に火山の近くに設置される。

3級

問1 **国内の発電について、誤っている説明を①～④から一つ選びなさい。**

① 総発電量の５割以上を火力発電が占めている。
② 東京電力福島第１原子力発電所（原発）の事故（2011年）以前と比べれば、総発電量に占める再生可能エネルギーの割合は上がった。
③ 政府は「将来、原子力発電をゼロにする」という計画を掲げている。
④ 政府は将来、水素を発電の燃料として活用する方針だ。

問2 **季節や時間帯に関係なく、安定的に発電できる電源を「【　　】電源」といいます。【　　】に当てはまる言葉を、①～④から一つ選びなさい。**

① ベースロード　② サステナブル
③ ベースアップ　④ イノベーション

問3 **日本では、政府の「原子力発電所を最大限活用する」との方針について、「賛成だ」「反対だ」と意見が分かれています。それぞれの意見と、その理由の例として適切な組み合わせを、①～④から一つ選びなさい。**

ア：発電時に二酸化炭素（CO_2）を出さないので、地球温暖化対策として有効だ。
イ：発電量が時間帯や天候に大きく左右される。
ウ：巨額の安全対策費用がかかり、発電コストが安いとは言えない。
エ：電力を安定して供給できる。

① 賛成だ－ア
　反対だ－イとエ
② 賛成だ－アとエ
　反対だ－ウ
③ 賛成だ－イ
　反対だ－アとウ
④ 賛成だ－イとエ
　反対だ－ウ

問4 **日本では一般に、原子力発電所の使用済み核燃料を再処理した後に出る廃液は「核のごみ」とも呼ばれます。これについて、正しい説明を①～④から一つ選びなさい。**

① 原子力発電の燃料として再利用できる。
② 核のごみを捨てる「最終処分場」は、既に日本国内にある。
③ 政府は、核のごみを最終的に地下に埋める方針だ。
④ 核のごみが持つ放射能は、約10年で安全なレベルまで下がるとされる。

問5 **日本には、再生可能エネルギー（再エネ）で発電した電気を大手の電力会社が決まった値段で買い取る「固定価格買い取り制度（ＦＩＴ）」があります。買い取り費用は電気料金に上乗せされるため、【　　】の負担が大きいと指摘されています。【　　】に当てはまる言葉を、①～④から一つ選びなさい。**

① 政府　② 地方自治体
③ 電力会社　④ 家庭や企業

問6 **再生可能エネルギー（再エネ）の一つである「バイオマス」発電について、正しい説明を①～④から一つ選びなさい。**

① バイオマスとは動植物から生じる資源で、生ごみや動物のふんが一例だ。
② 火山活動で生み出される熱を使って発電する。
③ 天候が悪い時や夜間は発電できない。
④ 森林破壊を招くとして、国内で禁止されることが決まっている。

9 減り続ける日本の人口

正解と解説 130ページ

4級

問1 日本の人口に関する次のグラフについて、正しい説明を①～④から一つ選びなさい。

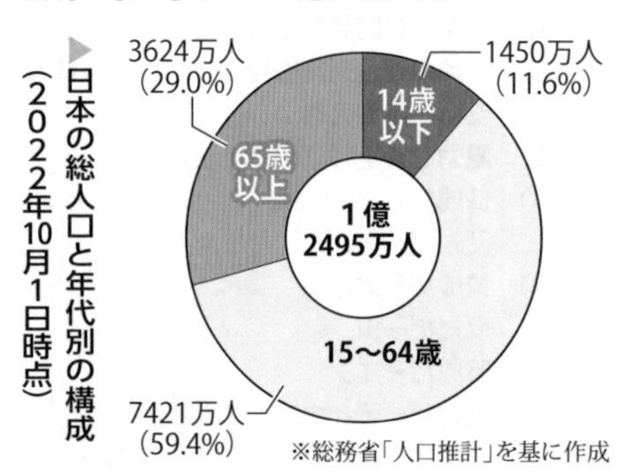

① 総人口は1億人以下だ。
② 「14歳以下」の人は2000万人以上だ。
③ 総人口に占める「15 ～ 64歳」の人の割合は約6割だ。
④ 「65歳以上」の人の数は年々減っている。

問2 日本の人口は近年減り続けています。その理由の例に当てはまるものを、①～④から一つ選びなさい。

① 亡くなった人が、生まれた人より多いから。
② 生まれた人が、亡くなった人より多いから。
③ 生まれた人と亡くなった人の数がほぼ同じだから。
④ 海外から日本に移住する人が増えたから。

問3 人口統計データで「高齢者」という時、一般に何歳以上の人のことを指しますか。正しいものを①～④から一つ選びなさい。

① 50歳以上　② 65歳以上
③ 70歳以上　④ 80歳以上

問4 次の表は、四つの市町村（A～D）について、人口を年代別にまとめたものです。高齢化率が最も高い市町村はどれですか。正しいものを①～④から一つ選びなさい。

	14歳以下	15～64歳	65歳以上
A市	4万人	15万人	6万人
B市	1万人	7万人	2万人
C町	8000人	2万人	1万2000人
D村	1000人	5000人	4000人

① A市　② B市　③ C町　④ D村

問5 国際連合の推計によると、世界の人口は2022年に【　　】億人を突破しました。2058年には100億人に達する見込みです。【　　】に当てはまる数字を、①～④から一つ選びなさい。

① 10　② 30　③ 50　④ 80

3級

問1 次のグラフについて、正しい説明を①～④から一つ選びなさい。

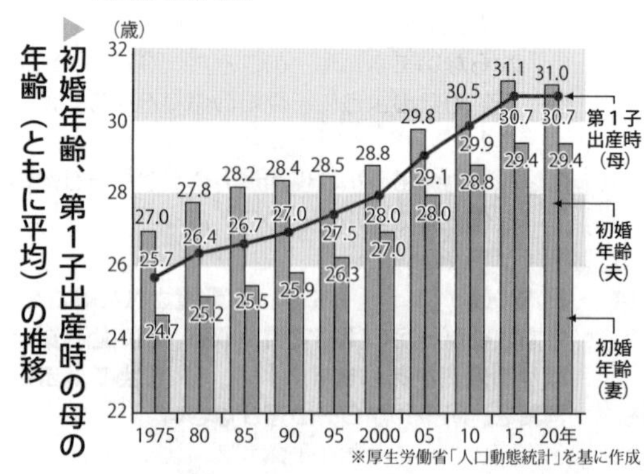

① 妻の初婚年齢が30歳を超えている年がある。
② 初婚年齢はどの年も妻のほうが夫より高い。
③ 2020年の第1子出産時の母の平均年齢は、1975年より5.0歳高い。
④ 第1子出産時の母の平均年齢は、2000年以降はいずれも30歳を超えている。

問2 「合計特殊出生率」とはどのような数値とされていますか。正しいものを①～④から一つ選びなさい。

① 20歳代までに出産する女性の割合
② 生まれてくる赤ちゃんのうち女の子の割合
③ 1人の女性が一生に産む子どもの数
④ 1時間当たりの平均出産数

問3 少子化対策として、国は例えば【　　】ような政策に取り組んでいます。【　　】に当てはまる文言を、①～④から一つ選びなさい。

① 男女とも働く時間が長くなる
② 育児休業（育休）を取る男性が増える
③ 子どもが多いほど、その世帯が支払う税金が多くなる
④ 待機児童が増える

問4 現在の日本のように、高齢化率が21%を超えた社会を何といいますか。正しい言葉を①～④から一つ選びなさい。

① 壮年社会
② 熟年社会
③ 超高齢社会
④ 高学歴社会

問5 「団塊（だんかい）の世代」について、<u>誤っている説明</u>を①～④から一つ選びなさい。

① 一般に、第1次ベビーブームに生まれた人々のことを指す。
② 人口が他の世代に比べて突出して多い。
③ 2025年には全員が75歳を超える。
④ 社会保障制度を支える「働き手世代」と同じ意味で使われる言葉だ。

10 社会保障のこれから

4級

問1 病気になったり、年を取ったりした時、必要なサービスやお金を受け取れる仕組みを「【 A 】保障制度」といいます。【 A 】保障制度に必要なお金は、基本的に国民や企業が納める【 B 】や保険料でまかないます。【 A 】【 B 】に当てはまる言葉の正しい組み合わせを、①～④から一つ選びなさい。

① A－社会　B－税金
② A－社会　B－寄付金
③ A－国家　B－税金
④ A－国家　B－寄付金

問2 日本国憲法は「【　　】最低限度の生活」を営む権利を全ての国民に保障（約束すること）しています。【　　】に当てはまる文言を、①～④から一つ選びなさい。

① 質素で効率的な　② 快活で開放的な
③ 裕福で先進的な　④ 健康で文化的な

問3 日本では今後、高齢者が【 A 】、税金や社会保険料を支払って社会保障制度を主に支える「働き手世代」は【 B 】いくと予想されます。このまま何も手を打たなければ、制度を続けられなくなると心配されています。【 A 】【 B 】に当てはまる言葉の正しい組み合わせを、①～④から一つ選びなさい。

① A－増えて　B－増えて
② A－増えて　B－減って
③ A－減って　B－増えて
④ A－減って　B－減って

問4 一定の年齢に達したら、毎年受け取ることができるお金を【 A 】といいます。国が運営する「国民【 A 】」には、【 B 】歳になると国民全員が加入することになっています。【 A 】【 B 】に当てはまるものの正しい組み合わせを、①～④から一つ選びなさい。

① A－預金　B－20
② A－預金　B－40
③ A－年金　B－20
④ A－年金　B－40

問5 介護保険制度で受けられる「介護サービス」の例に当てはまるものを、①～④から一つ選びなさい。

① 骨折したときに手術を受ける。
② 就職できるように英会話を習う。
③ ホームヘルパーに自宅に来てもらい、生活の手伝いをしてもらう。
④ 生活保護の一環として、食費や住宅費を受け取る。

問6 都道府県などに設置されている保健所は、地域住民の健康を守るための中心的な機関です。例えば、【 A 】や、幼児の健康診断、食中毒の検査などを行い、【 B 】を守るのが仕事です。【 A 】【 B 】に当てはまる言葉の正しい組み合わせを、①～④から一つ選びなさい。

① A－ワクチン接種　B－社会保険
② A－ワクチン接種　B－公衆衛生
③ A－図書館の運営　B－社会保険
④ A－図書館の運営　B－公衆衛生

問7 生活に困っている人が最低限の暮らしを送れるように、食費や家賃などを支援する国の制度を何といいますか。正しい言葉を①～④から一つ選びなさい。

① 生活保護　② 生命保険
③ 国民年金　④ 生活協同組合

3級

問1 次のグラフに関するA～Dのうち、正しい説明の組み合わせを①～④から一つ選びなさい。

▼社会保障給付費の推移と見通し

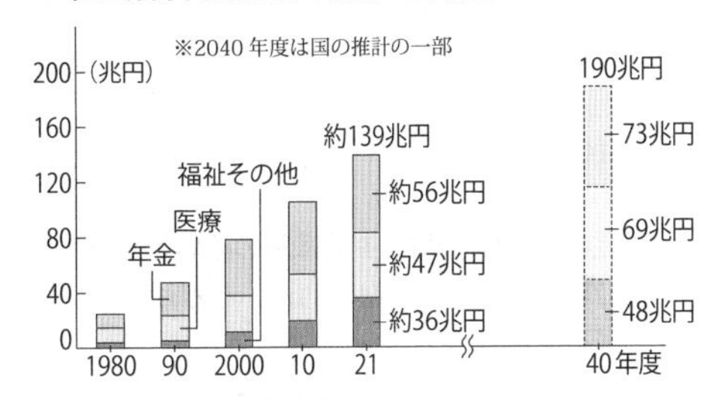

A：社会保障給付費と、国の予算の「社会保障費」は同じ意味だ。
B：2021年度の内訳をみると、「年金」「医療」「福祉その他」の順に多い。
C：2040年度の合計額に占める「年金」の割合は、5割以上になると見込まれている。
D：2040年度の合計額は、2021年度より50兆円以上多くなると見込まれている。

① AとC　② AとD
③ BとC　④ BとD

問2 社会保障制度の維持に向けて、政府は近年、どのような政策に取り組んできましたか。その例に当てはまるものを、①～④から一つ選びなさい。

① 介護保険の財源を全額税金にする。
② 医療や介護などのサービスを受けた人の自己負担を増やす。
③ 高齢者の医療費の自己負担をなくす。
④ 生活保護制度を廃止する。

問3　国の「社会保険」は、民間の保険会社による保険サービスとどのような点が大きく異なりますか。正しい説明を①～④から一つ選びなさい。

①　加入者が納める保険料だけで運営される点
②　個人は加入できない点
③　国や地方自治体もお金を出している点
④　税金は一切使われていない点

問4　現在の公的年金制度は、高齢者の暮らしをどのように支える仕組みですか。正しい説明を①～④から一つ選びなさい。

①　自分が将来受け取る年金を、若いうちに自分で積み立てて準備する。
②　高齢者の暮らしを、その人の子や孫だけで支える。
③　高齢者同士だけで暮らしを支え合い、現在の「働き手世代」は一切協力しない。
④　現在の高齢者が受け取る年金を、現在の「働き手世代」が納める保険料などでまかなう。

問5　介護保険制度について、正しい説明を①～④から一つ選びなさい。

①　昭和時代に導入された。
②　原則65歳以上の人がサービスを利用できる。
③　誰でも自己負担なしに、サービスを利用できる。
④　保険料を支払うのは60歳以上の人だけだ。

問6　生活保護制度や、生活保護の近年の状況について、次のグラフも参考に、正しい説明を①～④から一つ選びなさい。

▼生活保護受給世帯とその内訳の推移

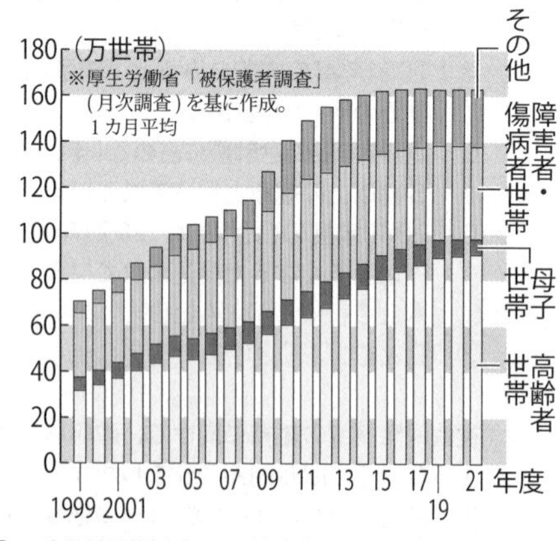

①　生活保護制度は、社会保障制度のうち「公衆衛生」に分類される。
②　生活保護の受給者になると、ホームヘルパーに食事の準備をしてもらえる。
③　受給世帯は1999年度以降増え続けており、200万世帯を超えたことがある。
④　2021年度は、受給世帯の半数強を「高齢者世帯」が占めている。

11　働くということ

4級

問1　労働者を守るうえで基本的な法律である「労働【　　】法」は、労働時間などの働く条件について、会社が必ず守るべき最低限のルールを定めています。【　　】に当てはまる言葉を①～④から一つ選びなさい。

①　環境
②　基準
③　規制
④　強制

問2　職場で、例えば上司が部下に対して必要以上にきつく叱ったり、暴言を発したりすることを何といいますか。正しい言葉を①～④から一つ選びなさい。

①　パワーハラスメント（パワハラ）
②　ドメスティックバイオレンス（DV）
③　ワークシェアリング
④　ワーク・ライフ・バランス

問3　「ブラック企業」の例に当てはまるものを、①～④から一つ選びなさい。

①　労働者や家族のために、生活の補助や休みなどの制度を充実させている企業
②　女性従業員の割合が下がらないよう、基準を決めている企業
③　法律などを無視して、残業代を支払わなかったり、長時間働かせたりする企業
④　文化・芸術活動にお金を出して支援している企業

問4　「テレワーク」について、正しい説明を①～④から一つ選びなさい。

①　通勤時間を利用して、電車の中で電子書籍を読むことだ。
②　インターネットやパソコンなどを使って、出社せずに自宅や外出先で仕事をすることだ。
③　休日に出社して仕事をすることだ。
④　平日に勤務先の会社へ行かず、別の会社でアルバイトをすることだ。

問5　働く人たちは、仲間を集めて【　　】を作り、給料や働く時間などについて、雇い主と対等な立場で交渉できることが、法律で保障されています。【　　】に当てはまる言葉を①～④から一つ選びなさい。

①　会社
②　健康保険組合
③　労働組合
④　政党

問6 一般に、景気が悪くなると、雇用（働き口）は【　A　】傾向にあります。また、3カ月や半年といった短い期間の契約で働く【　B　】の労働者も、契約切れなどを理由に職を失いがちです。【　A　】【　B　】に当てはまる言葉の正しい組み合わせを、①～④から一つ選びなさい。

① A－増える　B－正規雇用
② A－増える　B－非正規雇用
③ A－減る　B－正規雇用
④ A－減る　B－非正規雇用

問7 求人数（働き手を求める件数）と求職者数（仕事を探している人数）が次の①～④の場合、求職者にとって最も望ましいのは普通どれですか。正しいものを一つ選びなさい。

◀仕事を探すためハローワーク（公共職業安定所）を訪れた人々＝愛知県名古屋市で

① 求人が10万件で、求職者が10万人
② 求人が10万件で、求職者が20万人
③ 求人が20万件で、求職者が10万人
④ 求人が20万件で、求職者が20万人

3級

問1 企業が労働者に支払わなくてはならない最低限の時給を「最低賃金」といいます。2023年度の見直し後、全国平均（加重平均）は初めて【　　】円を超えました。【　　】に当てはまる数字を、①～④から一つ選びなさい。

① 2000　② 1500
③ 1200　④ 1000

問2 次のA～Dのうち、パワーハラスメント（パワハラ）に当たる可能性が高いケースはいくつありますか。①～④から一つ選びなさい。

A：上司が、仕事でミスをした部下をたたいたり蹴ったりした。
B：作業現場で事故につながる危険な行為をしていた部下を見て、上司がすぐに止めようと大声で怒鳴った。
C：客観的にみて成績が振るわなかった部下に対し、上司が理由を説明して低い評価をつけた。
D：性的少数者であることについて部下から相談を受けた上司が、本人の同意を得ずに社員全員に事情を話して配慮を求めた。

① 一つ　② 二つ
③ 三つ　④ 四つ（全て）

問3 労働環境を巡る男女差について、正しい説明を①～④から一つ選びなさい。

① 雇われて働く女性の平均給与は近年、男性よりも高くなった。
② 企業などで、管理職（課長、部長など）の半分以上を男性が占めている。
③ 育児休業の取得率は近年、男女ともに8割を超えている。
④ 非正規雇用で働く人の数は、女性より男性のほうが多い。

問4 近年、雇われて働く人（役員を除く）全体に占める非正規雇用の労働者の割合（非正規比率）は【　　】割近くに上っています。【　　】に当てはまる数字を、①～④から一つ選びなさい。

① 2　② 4　③ 6　④ 8

問5 次のグラフは、夫と妻それぞれの「仕事」「家事・育児」にかける時間の変化を示しています。グラフの内容として正しい説明を、①～④から一つ選びなさい。

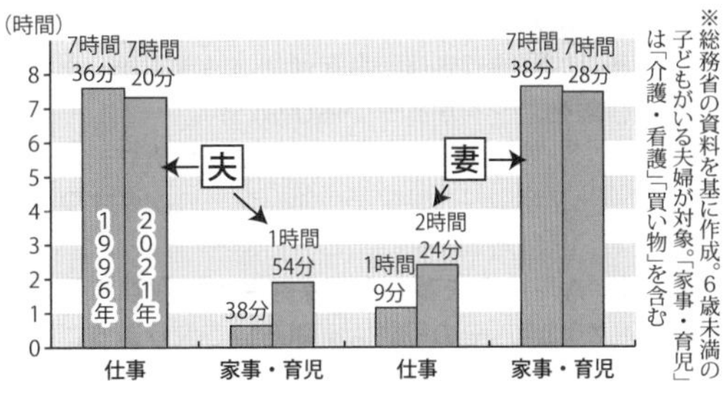

※総務省の資料を基に作成。6歳未満の子どもがいる夫婦が対象。「家事・育児」は「介護・看護」「買い物」を含む

① 夫の「家事・育児」時間
　：2021年は1996年の6倍以上だ。
② 妻の「仕事」時間
　：2021年は1996年より短い。
③ 1996年の「家事・育児」時間
　：夫、妻ともに2時間を上回る。
④ 2021年の「仕事」「家事・育児」の合計時間
　：妻のほうが夫より長い。

問6 「正規雇用か非正規雇用か」などにかかわらず、同じ仕事をしている人には同じ賃金が支払われるべきだ、という考え方を何といいますか。正しい言葉を①～④から一つ選びなさい。

① 出来高払い制
② 同一労働同一賃金
③ 男女雇用機会均等
④ ワーク・ライフ・バランス

問7 労働災害（労災）に当てはまる事例を、①～④から一つ選びなさい。

① 会社から解雇されること
② 休暇中の事故でけがをすること
③ 勤めている会社が倒産すること
④ 長時間労働によって過労死すること

12 消費生活を豊かに

正解と解説 131ページ

4級

問1 次の図は、売買契約の際の「消費者」と「売り手」の関係を示しています。図の空欄のうち、【A】【C】に当てはまる言葉の正しい組み合わせを、①～④から一つ選びなさい。

① A－商品
　C－権利
② A－商品
　C－義務
③ A－代金
　C－権利
④ A－代金
　C－義務

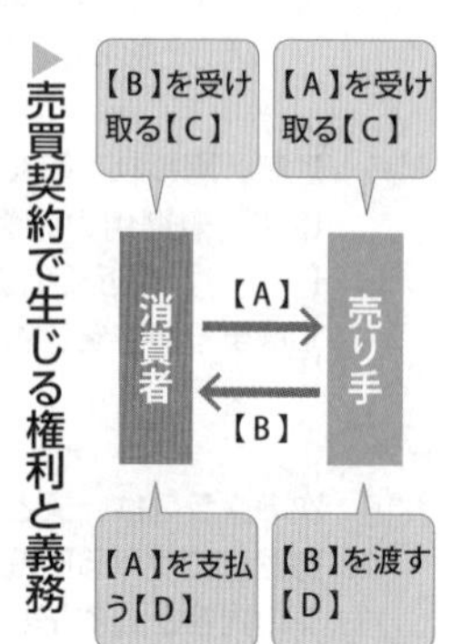

▶売買契約で生じる権利と義務

問2 訪問販売などで契約を結んだ人が、一定期間内であれば解約できる制度を何といいますか。正しい言葉を①～④から一つ選びなさい。

① リサイクル　② キャッチセールス
③ フィルタリング　④ クーリングオフ

問3 【　A　】歳未満の人が保護者の同意なく契約をした場合、その契約は原則として取り消すことができます（未成年者取り消し権）。こうしたルールは【　B　】で定められています。【　A　】【　B　】に当てはまるものの正しい組み合わせを、①～④から一つ選びなさい。

① A－18　B－民法
② A－18　B－刑法
③ A－20　B－刑法
④ A－20　B－民法

問4 買い物をする時、ＩＣカードやスマートフォンを機械にかざして支払う【　A　】＝写真は一例＝が広がっています。これは【　B　】決済の一種です。【　A　】【　B　】に当てはまる言葉の正しい組み合わせを、①～④から一つ選びなさい。

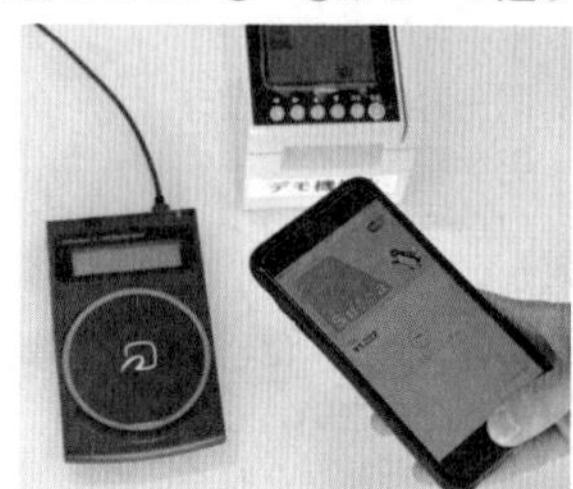

① A－ドナーカード　B－ボーダーレス
② A－ドナーカード　B－キャッシュレス
③ A－電子マネー　B－ボーダーレス
④ A－電子マネー　B－キャッシュレス

3級

問1 消費者を守るため、特定の取引に限って契約から一定期間内であれば消費者が一方的に解約できる「クーリングオフ」という制度があります。クーリングオフの対象になるものを、①～④から一つ選びなさい。ただし、いずれも購入や契約から１週間以内に手続きをするものとします。

① 友達からマンガ本を買ったが、同じ本を持っていたので返品したい。
② 店でセール品のコートを衝動買いしたが、考え直して返品したい。
③ 訪問販売の業者から健康食品を買ったが、高額なので返品したい。
④ 通信販売でバッグを買ったが、気に入らないので返品したい。

問2 キャッシュレス決済について、正しい説明を①～④から一つ選びなさい。

① スマートフォンのＱＲコードを利用した支払いのことで、クレジットカードや電子マネーによる支払いは含まれない。
② 利用できるのは原則18歳以上に限られる。
③ 消費者が支払う金額のうち、キャッシュレス決済の割合は、日本では８割を超えている。
④ 支払い方法によっては、自分が支払える金額を超えた買い物をしてしまうリスクがある。

問3 クレジットカードについて、<u>誤っている説明</u>を①～④から一つ選びなさい。

① 18歳以上は、親の同意なく自分名義のカードを持つことができる。
② 事前に必要な金額を入金（チャージ）しない限り、利用できない。
③ 使った金額を、何回かに分けて支払うことができる場合がある。
④ 消費者は支払いの前に、商品を手に入れることができる。

問4 食品を買ってすぐに食べる場合、商品棚の手前に並ぶものを買う「てまえどり」が呼びかけられています。手前にあるものは通常、販売期限が近く、食品ロス（フードロス）を減らすことにつながるからです。このような地球環境や社会に配慮した消費スタイルの総称を何といいますか。正しい言葉を、①～④から一つ選びなさい。

① フェアトレード
② エシカル消費
③ 地産地消
④ エコツーリズム

▶「てまえどり」を呼びかけるコンビニの商品棚

13 子どもと教育のいま

正解と解説 132ページ

4級

問1 不登校について、正しい説明を①～④から一つ選びなさい。

① 病気で数日、学校を休んだ子どものことだ。
② 不登校の子どもの数は近年、減り続けている。
③ 不登校は、誰にでも起こりうることだ。
④ 国は、不登校の子どもは再び元の学校に登校しなければならない、と法律で定めている。

問2 次のグラフは、学校が把握した全国の「いじめ」の件数の推移を示しています。グラフの内容として正しい説明を、①～④から一つ選びなさい。

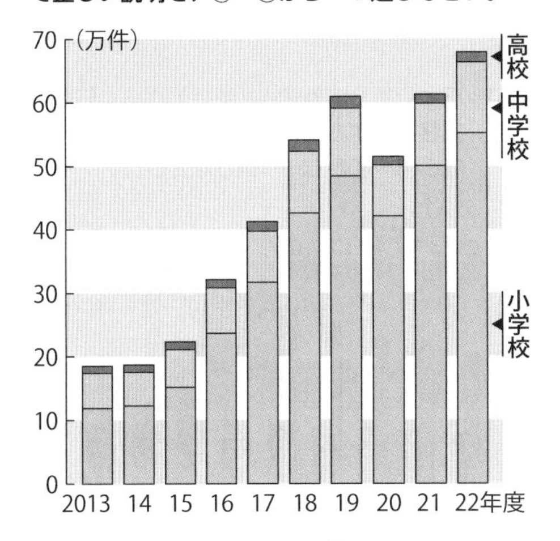

① 2022年度の合計は50万件を下回っている。
② 各年度の合計は、2013年度から一貫して増えている。
③ 2022年度の小学校の件数は、同じ年度の中学校、高校どちらの件数よりも多い。
④ 高校の件数は全ての年度で、小学校、中学校どちらの件数よりも多い。

問3 【　　】は「ヤングケアラー」と呼ばれます。ヤングケアラーを巡っては、学校の勉強や日常生活に支障が出ることなどが心配されます。【　　】に当てはまる文言を、①～④から一つ選びなさい。

① 兄弟や姉妹がいない子ども
② 下校した後、学童保育に通う子ども
③ 親元を離れ、寮生活や下宿をする子ども
④ 介護が必要な祖父母や幼い弟・妹などの世話を、日々行う子ども

問4 親から虐待されたり親が亡くなったりして親と暮らせない子どもを、家庭などに迎えて育てる制度を【　　】制度といいます。【　　】に当てはまる言葉を①～④から一つ選びなさい。

① 医療保険　　② 里親
③ 介護保険　　④ 保育所

問5 子どもの権利条約では、子どもは【 A 】人権を持つ存在で、子どもに関することを決めるときには【 B 】にとって最もよいことは何かを第一に考えること、と定めています。【 A 】【 B 】に当てはまる文言の正しい組み合わせを、①～④から一つ選びなさい。

① A－大人と同様に　　B－その子ども
② A－大人と同様に　　B－子どもの親
③ A－限られた範囲内で　　B－その子ども
④ A－限られた範囲内で　　B－子どもの親

問6 「こども【　　】法」(2022年成立)は、子ども政策に関する方針を定めています。【　　】に当てはまる言葉を、①～④から一つ選びなさい。

① 尊重　　② 基本
③ 敬愛　　④ 防衛

問7 小中学校の英語の授業では、【　　】が2024年度から本格導入されます。【　　】の特徴を生かし、例えば、英文を読み上げて発音練習に役立てる、といった使い方をします。【　　】に当てはまる言葉を、①～④から一つ選びなさい。

① 電子黒板
② デジタル教科書
③ 無線ＬＡＮ
④ ＳＮＳ(ネット交流サービス)

3級

問1 子どもを取り巻く環境について、正しい説明を①～④から一つ選びなさい。

① 「核家族化」が進んだ影響で、祖父母と同居する子どもが増えている。
② 不登校の小中学生の数は、年々減っている。
③ 地域の子どもにボランティアらが無料または安価で食事を提供する活動は「認定子ども園」と呼ばれる。
④ 家族の介護や世話を日常的にしている子どもは「ヤングケアラー」と呼ばれる。

問2 国の新しい役所である「こども家庭庁」が、2023年に発足しました。こども家庭庁の役割として正しい説明の過不足ない組み合わせを、①～④から一つ選びなさい。

A：これまで複数の省庁でそれぞれ行われていた子ども政策の多くを担う。
B：子どもに関わる政策について子どもや若者の意見を聞き、反映させる。
C：これまで遅れていた地方自治体の行政手続きなどのデジタル化を進める。

① AとB　　② AとC
③ BとC　　④ AとBとC(全て正しい)

問3　児童虐待などに関連して、正しい説明を①～④から一つ選びなさい。

①　暴力を振るうだけでなく、世話をせず放っておくこと（ネグレクト）も虐待に含まれる。
②　虐待などで実の親と暮らせない子どものほとんどが、「里親家庭」で暮らしている。
③　全国の児童相談所の虐待相談対応件数は、年々減っている。
④　しつけに必要な範囲であれば、親は子を暴力で懲らしめることが法律で認められている。

問4　「子どもの権利条約」に関する次のA、Bはそれぞれ正しい説明ですか、それとも誤っている説明ですか。正誤の正しい組み合わせを、①～④から一つ選びなさい。

A：日本は条約を批准している。
B：条約で保障されている権利の一つに、「子どもが自由に自分の意見を表す権利」がある。

①　A－正　B－正　　②　A－正　B－誤
③　A－誤　B－正　　④　A－誤　B－誤

問5　学校の現状や教育に関する制度について、正しい説明を①～④から一つ選びなさい。

①　全国の学校（小中学校・高校、特別支援学校）が把握したいじめの合計件数は近年、一貫して減っている。
②　義務教育（小中学校）で使う教科書は、児童・生徒に無料で配られる。
③　大学への進学率は近年、８割を超えている。
④　「フリースクール」とは、国が運営する無料の学習施設のことだ。

問6　学校教育や入試制度に関連して、<u>誤っている説明</u>を①～④から一つ選びなさい。

①　国は「ＧＩＧＡスクール構想」で１人１台、タブレットなどの端末を配っている。
②　小中学校・高校ではデジタル教科書だけを使うことが義務づけられており、全ての教科で既に導入されている。
③　小中学校では、児童・生徒にプログラミング教育を受けさせることが定められている。
④　大学入学共通テストの教科に今後、「情報」が追加されることが決まっている。

問7　特別支援教育について、正しい説明を①～④から一つ選びなさい。

①　障害の有無に関わらず、全ての子どもが同じ教室で教育を受けることだ。
②　障害や病気のある子ども一人一人に合った教育や支援をするために行われている。
③　医学の進歩に伴い、受ける子どもは減っている。
④　発達障害のある子どもは対象外だ。

14　共に生きる社会へ

正解と解説 132ページ

4級

問1　世の中には、自分と同じ性別の人を愛する人や、生まれた時の性別と自分が認識する性別が異なる人たちがいます。こうした人たちに配慮した取り組みの例として<u>誤っているもの</u>を、①～④から一つ選びなさい。

①　性別を問わず、学校の制服をスラックス（ズボン）、スカートから選べるようにする。
②　同性カップルを「結婚に相当する関係」と証明する制度を、地方自治体が作る。
③　企業が採用面接で、同性愛者かどうか尋ね、同性愛者であることを理由に不採用とする。
④　性別を問わずに利用できるトイレを設ける。

問2　日本で暮らす外国人、海外で暮らす日本人の数の推移に関する次のグラフの内容として正しい説明を、①～④から一つ選びなさい。

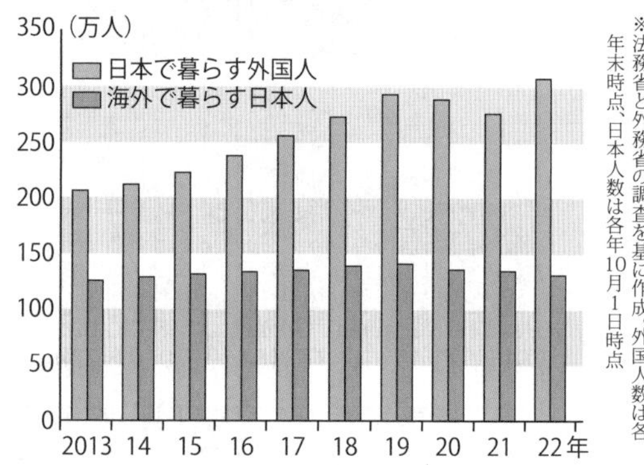

①　2013年から2022年にかけて、日本で暮らす外国人の数は２倍になった。
②　2018年以降は毎年、日本で暮らす外国人の数は250万人を超えている。
③　海外で暮らす日本人の数は毎年、日本で暮らす外国人の数より多い。
④　日本で働く外国人の数は横ばいだ。

問3　「ヘルプマーク」＝写真＝は、外出の際、持ち物や服につけます。どのような人が使うためのマークですか。正しいものを①～④から一つ選びなさい。

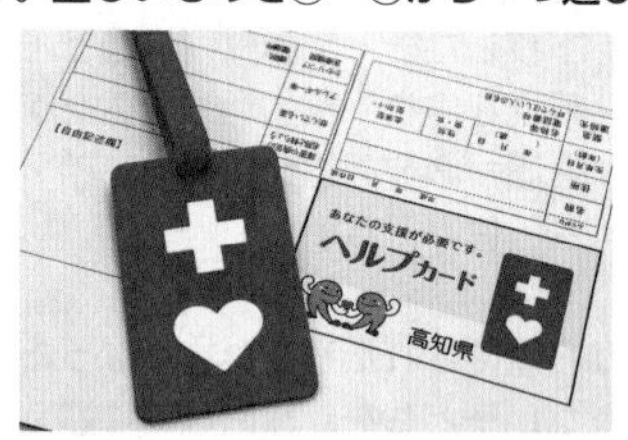

①　外見では分かりにくい障害や病気がある人
②　車を運転し始めたばかりの人
③　日本を訪れた外国人旅行客
④　困っている人を助けるボランティア

問4 障害のある人に対する配慮の例として適切なものを、①～④から一つ選びなさい。

① 耳が不自由な人に、用件を小声で伝える。
② 目が不自由な人に、用件を手話で伝える。
③ 車いすで生活する人のために、段差のある場所にスロープ（緩やかな坂）をつける。
④ 上半身が不自由な人に、点字による資料を渡す。

問5 「やさしい日本語」とは、日本で暮らす外国人などにもわかるようにした、簡単な日本語のことです。やさしい日本語にするための工夫の例に当てはまらないものを、①～④から一つ選びなさい。

① 難しい言葉を使わない
② カタカナの外来語をたくさん使う
③ 文を短くする
④ 伝えたいポイントを絞る

問6 結婚後の夫婦の姓（名字）について、法律ではどのようにすると定められていますか。正しい説明を①～④から一つ選びなさい。

① 夫の姓にそろえる。
② 妻の姓にそろえる。
③ 夫と妻が別々の姓を名乗る。
④ 夫か妻どちらかの姓にそろえる。

3級

問1 ダイバーシティーについて、正しい説明を①～④から一つ選びなさい。

① 肌の色や出身地、性別、年齢、障害の有無、考え方などがさまざまであること。
② 肌の色や性別、年齢などが似通っていること。
③ 障害のある人や高齢者が使いやすい環境を整えること。
④ 地球温暖化防止に積極的に取り組むこと。

問2 性の多様性を巡る現状について誤っている説明を、①～④から一つ選びなさい。

① 性的少数者のことをＬＧＢＴＱと表すことがある。
② 書類の性別欄に、男女だけではなく「その他」などを記す欄を設ける企業が増えている。
③ 戸籍上同性のカップルが役所に婚姻（結婚）届を出しても、受け付けてもらえない（2023年末時点）。
④ 企業は従業員の同性カップルに対して、法律上の夫婦と同じ待遇（結婚の祝い金や休暇を与えるなど）にすることが、法律で義務づけられている。

問3 日本で暮らす外国人に関連して、正しい説明を①～④から一つ選びなさい。

① 出身地域は、アジア以外の地域が８割を占めている。
② 廃止が予定されている外国人技能実習制度は元々、日本の技術を海外に伝え、世界に貢献することを目的に始まった。
③ 日本語を簡単にした「やさしい日本語」は、非常時の情報発信に限って使われている。
④ 日本に来る外国人留学生は、在留資格（日本に滞在する資格）を得る必要がない。

問4 日本の難民政策について、正しい説明を①～④から一つ選びなさい。

① 日本は難民条約に加盟していない。
② 難民を受け入れたことはない。
③ 難民受け入れ数（年間）は、世界で１、２位を争うほど多い。
④ 難民受け入れ数（年間）は、主要７カ国（Ｇ７）の中で少ないほうだ。

問5 障害者差別解消法（2016年施行）は、障害者を暮らしにくくしている世の中の「障壁」を取り除く配慮を、役所や企業に求めています。これに関連して、正しい説明を①～④から一つ選びなさい。

① レストランが点字メニューを用意することは、法律が定める合理的配慮の一例だ。
② 民間企業に、障害者を雇う法的義務はない。
③ 障害のある子どもと、障害のない子どもが同じ場で学ぶ取り組みは「アクティブラーニング」と呼ばれる。
④ 病院は、補助犬を連れた人が来ることを拒んでもよい。

問6 障害の有無や年齢、体格などに関わらず、さまざまな人が利用しやすいようあらかじめデザインすることを何といいますか。正しい言葉を①～④から一つ選びなさい。

① ファクトチェック
② ユニバーサルデザイン
③ デザイナーベビー
④ グラフィックデザイン

問7 男女平等の現状について、正しい説明を①～④から一つ選びなさい。

① 政治や経済分野を中心に、男女格差は世界の中でも大きいほうだと指摘されている。
② 各大学の入学者数を男女同数にすることが、法律で義務づけられている。
③ 役所に出す婚姻（結婚）届で、夫婦の姓（名字）をどちらかにそろえる決まりはない。
④ パスポートなどの公的書類に、結婚前の姓（旧姓）を表示することは一切認められていない。

15 司法と私たちの社会

4級

問1 日本国憲法では【　　】が基本的人権の一つとして保障されています。「争いごとに巻き込まれて自分の権利が脅かされている」といった状況に出くわす可能性は誰にでもあり、公の機関による解決が必要となる場合もあるからです。【　　】に当てはまる言葉を①～④から一つ選びなさい。

① 職業選択の自由　② 学問の自由
③ 教育を受ける権利　④ 裁判を受ける権利

問2 裁判は大きく2種類に分けられます。このうち【 A 】裁判は、例えば【 B 】を扱います。【 A 】【 B 】に当てはまる言葉の正しい組み合わせを、①～④から一つ選びなさい。

① A－民事　B－新しい法律の制定
② A－刑事　B－個人同士のトラブル解決
③ A－民事　B－個人同士のトラブル解決
④ A－刑事　B－新しい法律の制定

問3 【 A 】は「国の最高法規」なので、これに違反する国のルールは無効です。違反していないかどうかを判断する権限（違憲審査権）は【 B 】にあります。【 A 】【 B 】に当てはまる言葉の正しい組み合わせを、①～④から一つ選びなさい。

① A－法律　B－内閣
② A－日本国憲法　B－裁判所
③ A－日本国憲法　B－国会
④ A－内閣の命令　B－裁判所

問4 裁判では【 A 】という仕組みがとられています（次の図）。頂点に立つ最高裁判所はその役割から「【 B 】」とも呼ばれます。【 A 】【 B 】に当てはまる言葉の正しい組み合わせを、①～④から一つ選びなさい。

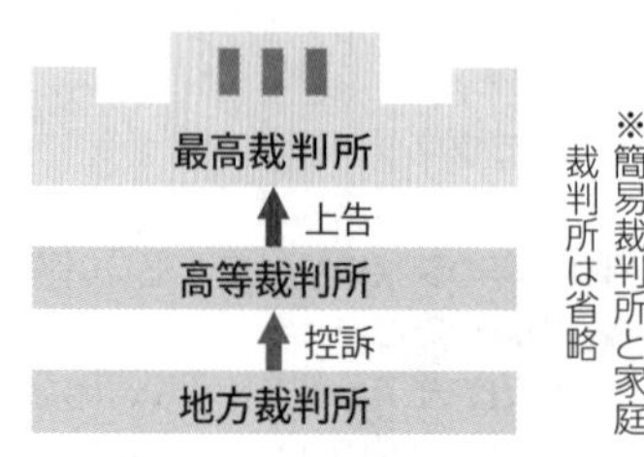

① A－3審制　B－憲法の番人
② A－三権分立　B－憲法の番人
③ A－三権分立　B－民主主義の学校
④ A－3審制　B－民主主義の学校

問5 次の図は刑事事件の捜査と裁判員裁判の主な流れを示しています。【 A 】～【 C 】のうち、【 B 】【 C 】に当てはまる言葉の正しい組み合わせを、①～④から一つ選びなさい。（一部の人の肩書は省略しています）

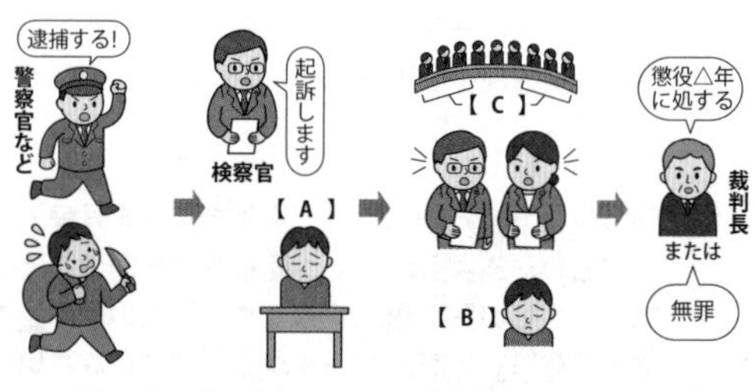

① B－警察官　C－裁判員
② B－容疑者　C－弁護人
③ B－被告　C－裁判員
④ B－検察官　C－弁護人

問6 警察が人を逮捕するには、原則として【　　】の許可を得なくてはならないと日本国憲法で定められています。【　　】に当てはまる言葉を①～④から一つ選びなさい。

① 国会　② 裁判所
③ 都道府県知事　④ 内閣

問7 裁判員制度が導入された主な理由について、正しい説明を①～④から一つ選びなさい。

① 国民の健全な常識を裁判に生かすため。
② プロの法律家を育てるため。
③ 裁判官の負担を軽くするため。
④ 就職に困っている人を助けるため。

3級

問1 次の①～④は、日本国憲法の条文の要約です。これらのうち「裁判所に違憲審査権がある」ことの理由に直接関係するものを、一つ選びなさい。

① この憲法が国民に保障する基本的人権は、将来の国民に永久の権利として信託される。
② 国が締結した条約は誠実に守る。
③ この憲法は国の最高法規で、その条項に反する法律などは効力を持たない。
④ 国会は国権の最高機関だ。

問2 刑事裁判の「再審」について、正しい説明を①～④から一つ選びなさい。

① 有罪が確定した裁判をやり直すことだ。
② 有罪になった人が望めば必ず開かれる。
③ 死刑囚が再審で無罪になった例はない。
④ 再審開始を決める権限は警察官にある。

問3 **刑事裁判で裁判官や裁判員は、検察官による有罪の立証が間違いない時だけ有罪とし、それ以外は無罪とします。こうした鉄則は「【　　　】被告人の利益に」と呼ばれます。【　　　】に当てはまる言葉を①～④から一つ選びなさい。**

① 疑わしきは　　② 謝罪すれば
③ 否認すれば　　④ 自白すれば

問4 **死刑制度について、[A]「維持すべきだ」という意見と、[B]「廃止すべきだ」という意見があります。それぞれの主張の例として<u>誤っているもの</u>を、①～④から一つ選びなさい。**

① A：人を殺した者は自分の命で償うべきだ。
② A：死刑制度があれば、凶悪犯罪を防ぐ効果が期待される。
③ B：裁判所が誤って死刑判決を出した場合、執行されると取り返しがつかない。
④ B：最高裁判所は「死刑は日本国憲法に違反する（違憲だ）」としている。

問5 **国民と裁判の関係について、正しい説明を①～④から一つ選びなさい。**

① 裁判員制度は、一般国民が裁判官とともに「民事裁判」を審理して判決を決める制度だ。
② 「容疑者を起訴しない」という検察官の判断を、一般国民がチェックする制度はない。
③ 「裁判を受ける権利」は、収入の低い人や事件で逮捕された人に限って保障されている。
④ 最高裁判所の裁判官を辞めさせるかどうか、国民の投票で決める制度がある。

問6 **「少年法」の適用を受ける人（20歳未満）が事件を起こした場合、どのような取り扱いを受けますか。次の図も参考に、正しい説明の組み合わせを①～④から一つ選びなさい。**

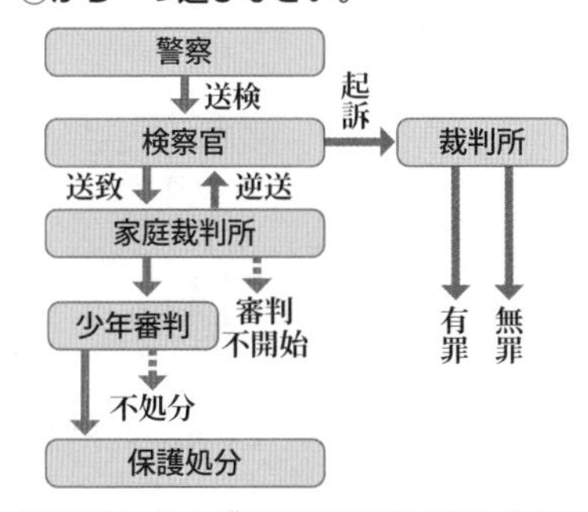

A：検察官からまず高等裁判所に送られる。
B：少年審判を経て保護処分を受ける場合がある。
C：刑事裁判で裁かれて刑罰を受ける場合がある。
D：実名で報道されることは決してない。

① AとB　　② AとD
③ BとC　　④ CとD

16 情報社会に生きる

4級

問1 **人間のような認識や判断をコンピューターにさせる技術を【　　　】といいます。近年急速に発達し、自動運転や天気予報など、多くの分野で活用が進んでいます。【　　　】に当てはまる言葉を①～④から一つ選びなさい。**

① ＩｏＴ　　② ＩＣＴ
③ ＡＩ　　④ ＧＰＳ

問2 **ＳＮＳ（ネット交流サービス）とマスメディア（新聞、テレビなど）の「共通点」と「異なる点」について、正しい説明を①～④から一つ選びなさい。**

① 共通点：どちらも１対１のやり取りができる。
② 共通点：自宅が停電すると、全く使えない。
③ 異なる点：動画と文字情報を同時に発信できるのはマスメディアだけだ。
④ 異なる点：一個人から多くの個人に好きな時に直接発信できるのはＳＮＳだけだ。

問3 **ＳＮＳで「ハッシュタグ＊」のついた投稿を見かけることがあります。ハッシュタグをつけると、例えば【　　　】なります。【　　　】に当てはまる文言を①～④から一つ選びなさい。**

＊ハッシュタグ……例えば「＃ニュース検定」のように、＃（ハッシュマーク）をつけたキーワードのこと。

① 自分の投稿が他人に読まれたかどうか、確認しやすく
② 自分の個人情報が、インターネット上に流出しにくく
③ 自分のスマートフォンが、コンピューターウイルスに感染しにくく
④ 同じキーワードに興味を持つ人に、自分の投稿を見てもらいやすく

問4 **大地震が起きた直後、「動物園からライオンが逃げ出した」という投稿をＳＮＳで読んだとします。その時、どのように行動すべきですか。最も適切なものを①～④から一つ選びなさい。**

① 多くの人に知らせるため、大急ぎで投稿をシェアする。
② 同様の情報を役所や報道機関が発信しているかどうかをまず確かめる。
③ 人命にかかわるので、すぐに１１０番通報する。
④ 本当はほかの動物かもしれないので、自分で「猛獣」と書き換えてすぐに投稿する。

問5 文章や音楽、画像などの作者が、自分の作品を勝手にコピーされたり、インターネットにアップロードされたりしない権利を何といいますか。正しい言葉を①～④から一つ選びなさい。

① 著作権　② 環境権
③ 自由権　④ 選挙権

問6 次のA～Cは、インターネットの利用中に出くわす可能性がある状況と、その際の行動の例です。トラブルや犯罪に巻き込まれないための適切な行動はどれですか。過不足ないものを①～④から一つ選びなさい。

A：見知らぬ人からメールが届いた→送り主を確かめるため、メール本文に書かれたリンクをクリックする

B：身に覚えのないサイトの利用料を請求するメッセージが届き、「支払わなければ裁判を起こす」と書いてあった→無視する

C：ＳＮＳ（ネット交流サービス）で「先着１名でアルバイトを募集。楽に稼げます」という投稿を見つけた→二度とないチャンスなので、すぐに身分証の写真を送って応募する

① Ａのみ　② Ｂのみ
③ ＡとＣ　④ ＢとＣ

3級

問1 人工知能（ＡＩ）や、文章などを生み出すことができる生成ＡＩについて、正しい説明を①～④から一つ選びなさい。

① 囲碁や将棋のようなゲームが苦手で、人間に勝つことはめったにない。
② 読書感想文や映画の脚本のような、創造性が必要とされるものは生み出せない。
③ ＡＩを使って極めて精巧に作られた偽の動画などは「ディープフェイク」と呼ばれる。
④ 生成ＡＩが出力する文章に、事実と異なる内容が含まれることはない。

問2 ＳＮＳ（ネット交流サービス）などで他人を中傷する投稿が絶えません。これに関する次の文章のうち、【　Ａ　】【　Ｂ　】に当てはまる言葉の正しい組み合わせを、①～④から一つ選びなさい。

【　Ａ　】は日本国憲法で保障された重要な権利です。しかし、だからといってこれを振りかざして人の名誉を傷つける行為は許されません。

その一方、国が気に入らない言論を封じ込めるため、出版物などの内容をあらかじめチェックする【　Ｂ　】は憲法で禁じられています。

① Ａ－プライバシー権　Ｂ－拷問
② Ａ－表現の自由　Ｂ－拷問
③ Ａ－表現の自由　Ｂ－検閲
④ Ａ－プライバシー権　Ｂ－検閲

問3 インターネットで得た情報が信頼できるかどうか判断するには、いくつか気をつけるべき点があります。次のＡ～Ｄのうち、その例に当てはまるものはいくつありますか。①～④から一つ選びなさい。

Ａ：情報の発信者は誰なのかを確かめる。
Ｂ：発信者が直接見聞きしたことか、人づてに得た情報かに注意する。
Ｃ：情報が発信されたのはいつなのかを確かめる。
Ｄ：同じ事柄について、報道機関はどのように報じているかを確かめる。

① 一つ　② 二つ
③ 三つ　④ 四つ（全て当てはまる）

問4 ひとたびインターネットに出回った情報は、完全に消し去ることが極めて困難です。このさまは【　Ａ　】と呼ばれます。そこで近年は、自分にとって不都合な情報を検索結果から削除するよう求める【　Ｂ　】が主張されるようになってきました。【　Ａ　】【　Ｂ　】に当てはまる言葉の正しい組み合わせを、①～④から一つ選びなさい。

① Ａ－デジタルタトゥー
　Ｂ－忘れられる権利
② Ａ－デジタルタトゥー
　Ｂ－知る権利
③ Ａ－メディアリテラシー
　Ｂ－忘れられる権利
④ Ａ－メディアリテラシー
　Ｂ－知る権利

問5 ドローン（無人航空機）＝写真は一例＝について、正しい説明を①～④から一つ選びなさい。

① 災害時の人命救助には不向きだとされる。
② 外国で兵器として使われたことがある。
③ 国内でドローンを操縦できるのは、20歳以上の人だけだ。
④ ドローンを使った宅配サービスが、既に日本全国で始まっている。

問6 サイバー攻撃について、正しい説明を①～④から一つ選びなさい。

① サイバー攻撃の手口には例えば「フィルタリング」がある。
② サイバー攻撃が引き起こすトラブルは「ゲーム障害」と呼ばれる。
③ 「マルウエア」を情報端末（パソコンなど）にインストールすればサイバー攻撃を防ぐことができる。
④ 一般家庭の機器がサイバー攻撃の標的になる場合がある。

17 いのちの現場から

正解と解説 134ページ

4級

問1 政府は2023年5月、新型コロナウイルス感染症の法律上の分類を変更し、感染者が行動を厳しく制限されることはなくなりました。政府が法律上の分類を改めた理由の例に当てはまるものを、①～④から一つ選びなさい。

① 新型コロナウイルスが完全になくなったから。
② 国内の感染者がゼロになったから。
③ 感染して亡くなる人の割合が下がったから。
④ ワクチンが効かなくなったから。

問2 【　A　】は所持などが法律で禁止されている「違法薬物」の一種です。一度使うと自分の意思で簡単にはやめられない【　B　】があります。【　A　】【　B　】に当てはまる言葉の正しい組み合わせを、①～④から一つ選びなさい。

① A－大麻　B－アレルギー
② A－大麻　B－依存性
③ A－たばこ　B－アレルギー
④ A－たばこ　B－依存性

問3 臓器移植で「ドナー」とはどのような意味ですか。正しいものを①～④から一つ選びなさい。

① 臓器移植をする医師
② 臓器の提供を受ける人の両親
③ 臓器を提供する人
④ 臓器提供の橋渡しをする団体

問4 細菌やウイルスなどの異物から体を守る働きを何といいますか。正しい言葉を①～④から一つ選びなさい。

① 消化　② 免疫
③ 遺伝　④ 反射

問5 がんについて、正しい説明を①～④から一つ選びなさい。

① 日本人の死因で最も多い。
② 子どもが、がんになることはない。
③ たばこの煙を吸わなければ、決してがんにはならない。
④ がんを早期に発見するには、ワクチン接種を受けることが有効だ。

問6 近年、年を取ったり脳の病気になったりして記憶力や判断力が低下する【　　　】症の人が増えています。【　　　】に当てはまる言葉を①～④から一つ選びなさい。

① 感染　② 熱中
③ 不妊　④ 認知

問7 例えば臓器や組織の細胞のもとになる「幹細胞」を使って、病気やけがで失われた組織・機能を取り戻す医療を何といいますか。正しい言葉を①～④から一つ選びなさい。

① 延命治療
② 心肺蘇生
③ 再生医療
④ 遠隔医療

3級

問1 新型コロナウイルスや、政府の感染対策について、正しい説明を①～④から一つ選びなさい。感染対策は2023年末時点の情報に基づいて考えることとします。

①「新型」と呼ばれるのは、「コロナウイルス」という種類のウイルスが確認されたのが、今回が初めてだからだ。
② 新型コロナの感染者の中には、後遺症に苦しみ続けている人もいる。
③ 政府は新型コロナの感染者数の動き（増減の傾向）を一切把握していない。
④ 政府は新型コロナワクチンについて、「誰でも無料で接種を受けられる仕組みを、ウイルスが根絶されるまで続ける」と決めている。

問2 大麻について、正しい説明を①～④から一つ選びなさい。

① 健康への悪影響はなく、安全だ。
② 依存性は低く、使うことをやめようと思えば簡単にやめられる。
③ 大麻関連で検挙（逮捕など）された人のうち、半数以上が若者（30歳未満）だ。
④ 法律が改正されて、大麻を使っても罰せられなくなった。

問3 熊本県にある「こうのとりのゆりかご」（赤ちゃんポスト）＝写真＝とはどのような施設ですか。正しい説明を①～④から一つ選びなさい。

① 親の事情で育てられない子どもを引き取る施設
② 保育所に入れなかった子どもを預かる施設
③ 不登校の子どもが通う施設
④ 迷子の子どもを預かる施設

問4　臓器提供や、臓器提供数の推移を示した次のグラフに関連して、正しい説明を①～④から一つ選びなさい。

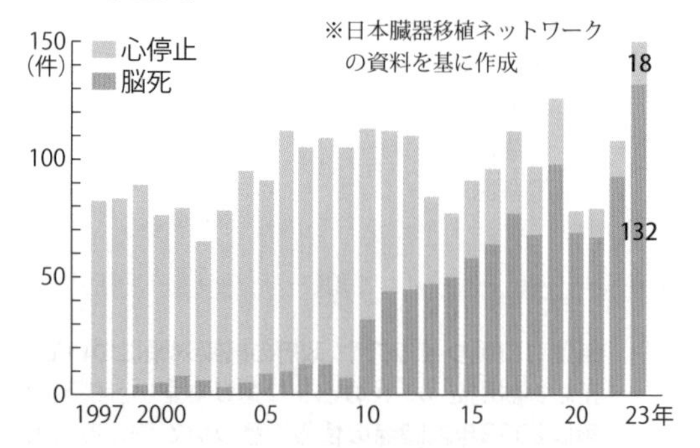

① 本人の生前の意思が不明でも、家族が承諾すれば臓器を取り出して提供できる。
② 脳死とは、心臓が完全に止まった状態（心停止）のことだ。
③ 脳死した人からの提供は、1997年以降一貫して増えてきた。
④ 脳死と心停止を合わせた臓器提供数は2023年までの10年間、増え続けてきた。

問5　「ゲノム編集」に関する次のA、Bについて、正誤の正しい組み合わせを①～④から一つ選びなさい。

A：ゲノム編集を農作物の品種改良に利用すると、交配（異なる品種を掛け合わせること）よりも改良期間を短縮できる。
B：ゲノム編集食品の販売や、ゲノム編集技術の医療への応用は、国内では法律で禁止されている。

① A－正　B－正
② A－正　B－誤
③ A－誤　B－正
④ A－誤　B－誤

問6　がんについて、正しい説明の組み合わせを①～④から一つ選びなさい。

A：がんになる可能性は、若い人ほど高い。
B：がんになることが最も多い部位は、男女によって異なる。
C：がんになるかどうかは、遺伝（家族にがん患者がいるかどうか）だけで決まる。
D：他人のたばこの煙を吸う「受動喫煙」で、がんのリスクが高まるとされる。

① AとC　② AとD
③ BとC　④ BとD

問7　認知症の原因として最も多い病気は何ですか。正しいものを①～④から一つ選びなさい。

① 肺炎　② がん
③ 心臓病　④ アルツハイマー病

18 災害と日本

4級

問1　一般に、豪雨による川の氾濫や周辺の浸水を減らす方法として誤っているものを、①～④から一つ選びなさい。

① 高い堤防を造り、住宅地をかさ上げする。
② できるだけ川幅を広げる。
③ できるだけ川を左右に蛇行させる。
④ 川の上流に治水用のダムを造る。

問2　日本で起きる自然災害に関連して、正しい説明を①～④から一つ選びなさい。

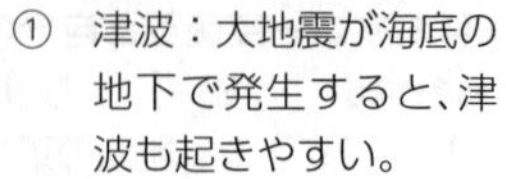

① 津波：大地震が海底の地下で発生すると、津波も起きやすい。
② 台風：日本は北極付近で発生して南下する台風の通り道に位置する。
③ 火山：世界的に見て日本に火山が少ないのは、プレート（岩板）の活動の影響だ。
④ 大雪：冬に大陸から吹く季節風が大雪を降らせる地域は、主に太平洋側だ。

問3　「数十年に１度」の大雨などで重大な災害が差し迫った時、気象庁は【　A　】を発表します。直ちに【　B　】をするよう促すメッセージです。【　A　】【　B　】に当てはまる言葉の正しい組み合わせを、①～④から一つ選びなさい。

① A－特別警報　B－命を守る行動
② A－注意報　B－非常食の買い出し
③ A－特別警報　B－非常食の買い出し
④ A－注意報　B－命を守る行動

問4　自然災害への備えや、災害時に身を守る方法について、次の「警戒レベル」の表（一部）も参考に、正しい説明を①～④から一つ選びなさい。

警戒レベル	防災気象情報（例）		避難情報
5	大雨特別警報	氾濫発生情報	緊急安全確保
	→命が危険な状況。直ちに安全確保		
4	土砂災害警戒情報	氾濫危険情報	避難指示
	→危険な場所から全員避難する		
3	大雨・洪水警報	氾濫警戒情報	高齢者等避難
	→高齢者や障害のある人は危険な場所から避難する		

※警戒レベルは1～5の5段階だが、1と2は省略

① 大きな家具を壁に固定しておくことは、特に大雨に対する備えとして有効だ。
② 日ごろから長持ちする食料を多めに買い求め、食べては買い足す備蓄方法がある。
③ ハザードマップとは、大災害が差し迫った時に気象庁が発表する警告のことだ。
④ 自宅にいて警戒レベル５になった場合、どんな状況でも避難所まで行かなくてはならない。

問5 **日本列島の静岡県沖から宮崎県沖にかけて延びる海底の溝に沿って、将来日本で大きな地震が起き、太平洋側の広い地域が大津波に襲われると予想されています。この地震の名称を①〜④から一つ選びなさい。**

① 熊本地震　② 阪神大震災
③ 首都直下地震　④ 南海トラフ巨大地震

問6 **関東大震災（1923年）について、正しい説明を①〜④から一つ選びなさい。**

① 発生した日付は「海の日」になっている。
② 亡くなった人の大半は津波の犠牲者だ。
③ 都市部を中心に火災が相次いだ。
④ 犠牲者が最も多かったのは東北地方だ。

問7 **東日本大震災（2011年）とそれに伴う東京電力福島第１原子力発電所（原発）事故について、正しい説明の過不足ない組み合わせを①〜④から一つ選びなさい。**

A：現在も行方不明の人がいる。
B：現在も避難している人がいる。
C：事故を起こした原発は、取り壊しが完了した。

① AとB　② AとC
③ BとC　④ AとBとC（全て正しい）

3級

問1 **近年の豪雨災害の原因の一つとして、【　　　】が指摘されています。その発生の仕組みを示す次の図を参考に、【　　　】に当てはまる言葉を①〜④から一つ選びなさい。**

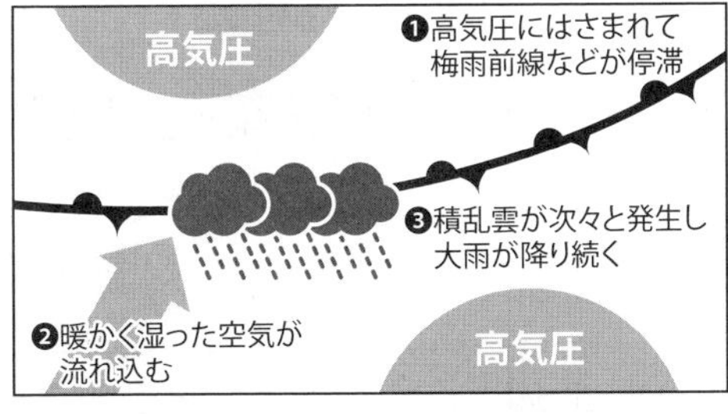

① 高潮　② 線状降水帯
③ 竜巻　④ 熱帯低気圧

問2 **豪雨被害が増えている長期的な背景として<u>誤っている説明</u>を、①〜④から一つ選びなさい。**

① 「滝のように降る雨」の発生回数が、ここ数十年間で増えてきたため。
② 過去の降水量を基に設計される堤防の高さでは、氾濫を防げなくなりつつあるため。
③ 国や都道府県が、費用も時間もかかる治水用ダムの新設を全て中止したため。
④ 戦後、アスファルトなどで舗装された道路が増えて、雨水の行き場が減っているため。

問3 **将来起きると予想される地震と、防災について、正しい説明を①〜④から一つ選びなさい。**

① 北海道の沖合で巨大地震が起きることは想定されていない。
② 沖縄諸島に沿う太平洋の海溝「南海トラフ」で、巨大地震が起こると想定されている。
③ 過去に震災の起きた９月１日にちなんで「防災の日」が制定された。
④ 地震による火災への対策が全国で進み、国内の「危険な密集市街地」はゼロになった。

問4 **自然災害への対策に関連して、正しい説明を①〜④から一つ選びなさい。**

① 「減災」とは、日ごろから災害に備え、いざ災害が起きた時の被害を減らすことだ。
② 建物の「耐震化」は、都市部よりも古い木造住宅が多い地方で進んでいる。
③ 「特別警報」は、豪雨災害による避難指示を出す場合に限って出される。
④ 線状降水帯の発生を予測することは科学的に難しいため、まだ実現していない。

問5 **ハザードマップが作られる主な目的として最も適切な例を、①〜④から一つ選びなさい。**

① 年末年始に渋滞しやすい道路を調べるため。
② 台風などで予測される地元の危険箇所や避難所を事前に知り、非常事態に備えるため。
③ 川が氾濫した後、住民が役所に行って受け取り、避難場所・経路の検討材料にするため。
④ 被災地の復旧を進める際、ボランティアの人たちが被災者の求める支援を把握するため。

問6 **次の①〜④は関東大震災（1923年）▽阪神大震災（1995年）▽東日本大震災（2011年）▽熊本地震（2016年）のいずれかの説明です。このうち、関東大震災に当てはまるものを一つ選びなさい。**

① 就寝中の人が多い早朝に発生した。
② この地震を教訓に、国は最大級の地震、津波を見込んで対策を進めることになった。
③ 揺れや火災による直接の死者数よりも、避難中などの「災害関連死」のほうが多かった。
④ 震災による混乱のなか、朝鮮人や労働運動指導者らが殺害される事件が起きた。

問7 **東京電力（東電）福島第１原子力発電所（原発）事故に関連して、正しい説明を①〜④から一つ選びなさい。**

① 重大事故が起きたのは、原子炉を含む建物が津波に襲われ、停電したためだ。
② 東電は溶け落ちた核燃料に触れた地下水などを、そのまま海に放出している。
③ 原子炉から核燃料などを取り出して施設を解体する「廃炉作業」は、すでに完了した。
④ 原発周辺の「帰還困難区域」に出ていた避難指示は、全て解除された。

19 地球環境を守るために

正解と解説 135ページ

4級

問1 地球温暖化を食い止めるための国際ルール「【 A 】協定」が2020年に本格始動し、各国で取り組みが進んでいます。各国は自国の都合に合わせて決めた【 B 】の排出削減目標の達成を目指します。【 A 】【 B 】に当てはまる言葉の正しい組み合わせを、①〜④から一つ選びなさい。

① A－パリ　B－プラスチックごみ
② A－パリ　B－温室効果ガス
③ A－京都　B－プラスチックごみ
④ A－京都　B－温室効果ガス

問2 新聞やテレビのニュースでは、よく「脱【　　】社会」という言葉が出てきます。これは、地球を暖める「温室効果ガス」の主成分が【　　】などでできた気体だからです。【　　】は英語で「カーボン」といい、「カーボンニュートラル」など「カーボン〇〇」という言葉もよく使われます。【　　】に当てはまる言葉を、①〜④から一つ選びなさい。

① 水素　② 窒素　③ 酸素　④ 炭素

問3 気温や雨の降り方などの天気の特徴が、地球全体で長い時間をかけて変わっていくことを【　　】といいます。人間の活動による地球温暖化も、【　　】の一つとされています。【　　】に当てはまる言葉を、①〜④から一つ選びなさい。

① 地盤沈下　② 水質汚濁
③ 森林破壊　④ 気候変動

問4 日本では2020年から、スーパーやコンビニエンスストアなどでプラスチック製レジ袋が原則有料になりました。その理由や目的として正しい説明を、①〜④から一つ選びなさい。

① プラスチックは材料費が高いから。
② 使う人を少なくして、プラスチックごみを減らすため。
③ お店がもうかるようにするため。
④ プラスチックは自然に分解されやすいから。

問5 地球上で多様な生物がつながり合って存在する状態を【　　】といいます。【　　】に当てはまる言葉を①〜④から一つ選びなさい。

① オゾンホール　② ヒートアイランド
③ 生物多様性　④ 世界遺産

問6 日本では2023年から、外来種のアメリカザリガニ＝左の写真＝とアカミミガメ（ミドリガメ）＝右の写真＝の販売や輸入が法律で禁止されました。ペットとして飼っている人が、野外に逃がすこともできません。こうしたルールができた理由として正しい説明を、①〜④から一つ選びなさい。

① 日本での生息数が少なくなってきたから。
② 高い値段で売買されているから。
③ 元々日本に生息する生物を脅かしているから。
④ 全て元の生息地に返すことにしたから。

問7 「水俣病」などの「四大公害病」の原因は、【　　】から出た有害物質です。【　　】に当てはまる言葉を、①〜④から一つ選びなさい。

① 工場や鉱山　② 周辺の家庭
③ 幼稚園や学校　④ ごみの焼却施設

3級

問1 国際連合（国連）の組織が2023年、地球温暖化に関する最新の報告書を公表しました。グラフも参考にして、温暖化とそれを食い止めるための国際ルール「パリ協定」について、正しい説明を①〜④から一つ選びなさい。

▼世界全体の温室効果ガス排出量の見通しと、必要とされる削減量

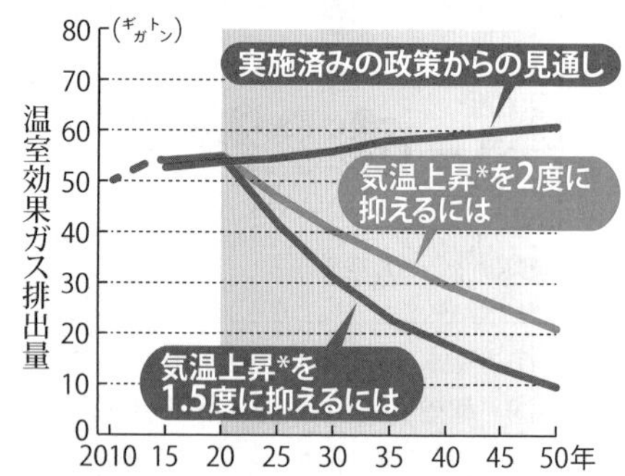

＊産業革命前からの気温上昇
※国連組織の報告書を基に作成。温室効果ガス排出量は二酸化炭素換算値で、1ギガトンは10億トン。2019年までは過去の排出量。2020年以降は予測値

① パリ協定では、各国共通の温室効果ガスの排出削減目標を設定している。
② パリ協定では、排出削減目標を達成できない場合、罰則がある。
③ 実施済みの政策だけで、気温上昇を２度に抑えられる見通しだ。
④ 気温上昇を1.5度に抑えるには、2035年の温室効果ガス排出量を、2019年と比べて５割以上削減しなければならない。

問2 **日本は、【　A　】年までに温室効果ガスの排出量を「実質ゼロ」にするという目標を掲げています。「実質ゼロ」とは、排出量を【　B　】ゼロにするという意味です。【　A　】【　B　】に当てはまるものの正しい組み合わせを、①～④から一つ選びなさい。**

① A－2050　B－実際に
② A－2100　B－実際に
③ A－2050
B－森林などの吸収分で差し引き
④ A－2100
B－森林などの吸収分で差し引き

問3 **プラスチックごみ（プラごみ）による環境汚染が世界的な問題になっていて、企業や国は対策に取り組んでいます。これに関連して、正しい説明を①～④から一つ選びなさい。**

① 日本のプラごみの約８割は企業から出るため、企業のごみを減らす対策が求められる。
② 日本では、プラスチック製のストローを無料で配布することが法律で禁じられている。
③ 一般的なプラスチックは主に石油から作られるため、燃やすと二酸化炭素が発生する。
④ マイクロプラスチックとは、植物由来の原料を使った環境にやさしいプラスチックだ。

問4 **ごみを減らすための行動を表す言葉に「３Ｒ」があります。プラごみを減らすために役立ちそうな次の①～④の方法のうち、「３Ｒ」の「リサイクル」に当てはまるものを、一つ選びなさい。**

① スーパーには、マイバッグを持って行く。
② 飲み終えたペットボトルは、「資源ごみ」に分別して捨てる。
③ 飲食店が、使い捨てプラスチック容器を客に出すのをやめる。
④ 買ってもすぐ使わなくなりそうなプラスチック製品は、買わない。

問5 **さまざまな場所に多様な生き物が適応し、共に生きたり食物連鎖を保ったりできる環境を守る国際的な取り決めを【　　】といいます。【　　】に当てはまる言葉を①～④から一つ選びなさい。**

① バーゼル条約　②京都議定書
③ 気候変動枠組み条約　④生物多様性条約

問6 **かつては建物の耐火材や断熱材などに使われていましたが、吸い込むと肺がんなどになる恐れがあり、「石綿」とも呼ばれる物質は何ですか。①～④から一つ選びなさい。**

① メチル水銀　② アルミニウム
③ アスベスト　④ シンナー

20 平和な世界どうやって

4級

問1 **次の地図のＡ～Ｄのうち、ロシアとウクライナはどれですか。正しい組み合わせを①～④から一つ選びなさい。**

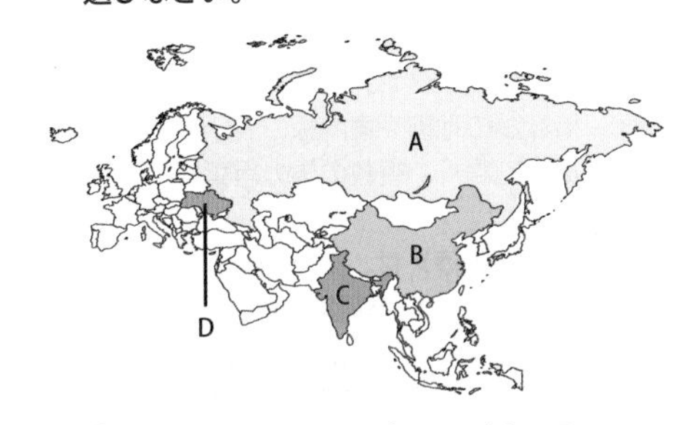

① ロシア－A　ウクライナ－B
② ロシア－A　ウクライナ－D
③ ロシア－B　ウクライナ－A
④ ロシア－B　ウクライナ－C

問2 **ロシアによるウクライナ侵攻について、正しい説明を①～④から一つ選びなさい。**

① 民間人の犠牲者が多く出た。
② ウクライナ軍が反撃してロシア軍を追い出し、戦闘は約１年で終わった。
③ アメリカはロシアを支援した。
④ 日本政府は、ウクライナから避難してきた人の受け入れを拒否した。

問3 **中東の都市エルサレムを「聖地」としている宗教は、ア～エのうちどれですか。正しい組み合わせを、①～④から一つ選びなさい。**

ア：イスラム教　イ：仏教
ウ：ヒンズー教　エ：キリスト教

① アとウ　② アとエ
③ イとウ　④ イとエ

問4 **【　　】人はかつて、ドイツのナチス政権により迫害され、多くの命が奪われました。イスラエルは【　　】人によって造られた国です。【　　】に当てはまる言葉を、①～④から一つ選びなさい。**

① チベット　② クルド
③ モンゴル　④ ユダヤ

問5 **人種や宗教、政治的な考えの違いなどを理由に迫害される恐れがあるため、他国に逃れた人々のことを何といいますか。正しい言葉を①～④から一つ選びなさい。**

① 逃亡犯　② 外交官
③ 永住者　④ 難民

問6 人やもの、お金、情報などが国や地域の境界を越えて自由に行き来し、世界中の国や地域が影響を与え合う状態を「グローバル化」といいます。グローバル化の方向に働く例を、①～④から一つ選びなさい。

① 感染症の拡大を防ぐため、外国からの入国を長期間禁止する。
② 外国産の農産物の輸入を制限する。
③ インターネットの閲覧や通信を制限し、国外の情報にアクセスしにくくする。
④ 街なかの地図や案内板の表示に、自国の言葉だけでなく、複数の国の言葉を使う。

問7 国際連合（国連）は、2030年までに全ての国連加盟国が達成すべき課題として「持続可能な開発目標」（ＳＤＧｓ）を掲げています。ＳＤＧｓは17の目標から成り、次の①～④はその一部です。例えば「プラスチック製レジ袋を減らす」という取り組みは、①～④のうちどの目標を達成することにつながりますか。最も適切なものを一つ選びなさい。

①「飢餓をゼロに」
②「質の高い教育をみんなに」
③「働きがいも経済成長も」
④「つくる責任、つかう責任」

問8 国際連合（国連）について正しい説明を①～④から一つ選びなさい。

① 国際宇宙ステーションを運営している。
② 第一次世界大戦の終結直後に設立された。
③ 安全保障理事会（安保理）は、国連の主な機関の一つだ。
④ 日本は国連に加盟していない。

3級

問1 戦争状態にあるロシアとウクライナについて、正しい説明を①～④から一つ選びなさい。

① ロシア：主要7カ国（G7）の一員だ。
② ロシア：ウクライナ侵攻の責任を問われ、国際連合（国連）を脱退した。
③ ウクライナ：太平洋に面している。
④ ウクライナ：事故を起こしたチェルノブイリ原子力発電所がある。

問2「パレスチナ問題」とは、19世紀末以降この地に移り住み、イスラエルを建国した【　A　】人と、それ以前からこの地方に住み、主に【　B　】教を信仰する人々の、長年続く争いのことです。【　A　】【　B　】に当てはまる言葉の正しい組み合わせを、①～④から一つ選びなさい。

① A－ユダヤ　B－ヒンズー
② A－ユダヤ　B－イスラム
③ A－クルド　B－イスラム
④ A－クルド　B－ヒンズー

問3 中東の都市エルサレムは、キリスト教、イスラム教、ユダヤ教それぞれにとっての聖地です。これらの宗教について、正しい説明を①～④から一つ選びなさい。

① キリスト教、イスラム教、ユダヤ教の三つは一般に、「世界３大宗教」と呼ばれる。
② ユダヤ教の聖典は「コーラン（クルアーン）」と呼ばれる。
③ キリスト教の人々はかつて、ドイツのナチス政権により迫害され、虐殺された。これは「ホロコースト」と呼ばれる。
④ イスラム教の教えに基づく食材や調理法で作った食品は「ハラル（ハラール）フード」と呼ばれる。

問4 難民について、正しい説明を①～④から一つ選びなさい。

① 難民とは、人種や宗教、特定の社会集団に属することなどを理由に迫害される恐れがあるため、国外へ逃れた人のことだ。
② ロシアの侵攻を受けたウクライナでは、多くの国内避難民が生まれた一方、国境を越えて逃れた人はほとんどいない。
③ 世界の難民の大半は、先進国で受け入れられて暮らしている。
④「ＷＨＯ」は、難民の保護や支援のために設立された国際連合（国連）の機関だ。

問5 国際連合（国連）は世界全体で取り組む「持続可能な開発目標」（ＳＤＧｓ）を掲げています。目標達成へ向けた取り組みの例として<u>誤っているもの</u>を、①～④から一つ選びなさい。

① 国々の間の格差をなくす。
② 環境保護よりも経済的な成果を重視する。
③ 誰でも教育を受けられるようにする。
④ 女性が活躍しやすい社会にする。

問6 国際連合（国連）や安全保障理事会（安保理）について、正しい説明を①～④から一つ選びなさい。

① 国連の加盟国数は、世界の独立国の約半数にとどまる。
② 国連は先進国のみに、武力で他国をおどすことや武力を使うことを原則禁止している。
③ 安保理の決議には、国連加盟国を強制的に従わせる力はない。
④ 安保理の常任理事国には「拒否権」が与えられている。

問7 国連安保理の<u>常任理事国ではない国</u>を①～④から一つ選びなさい。

① アメリカ　② 日本
③ ロシア　④ 中国

21 核兵器と向き合う世界

4級

問1 【　　　】の使用や保有を禁じる「【　　　】禁止条約」が2021年、発効（効き目を持つこと）しました。【　　　】を違法とする初めての条約です。【　　　】に当てはまる言葉を、①～④から一つ選びなさい。

① 石油　　② 核兵器
③ プラスチック　　④ 二酸化炭素

問2 「冷戦」とは、第二次世界大戦後、世界の国々が【　A　】を中心とする陣営と、ソ連を中心とする陣営に分かれて対立したことです。現在、ソ連はなくなり、【　B　】などになりました。【　A　】【　B　】に当てはまる国名の正しい組み合わせを、①～④から一つ選びなさい。

① A－ロシア　　B－中国
② A－ロシア　　B－アメリカ
③ A－アメリカ　　B－ロシア
④ A－アメリカ　　B－中国

問3 次の図は、国・地域別の核弾頭数（2023年１月時点）を示しています。核弾頭とは、ミサイルなどの先端に搭載できる核兵器のことです。この図について、正しい説明を①～④から一つ選びなさい。

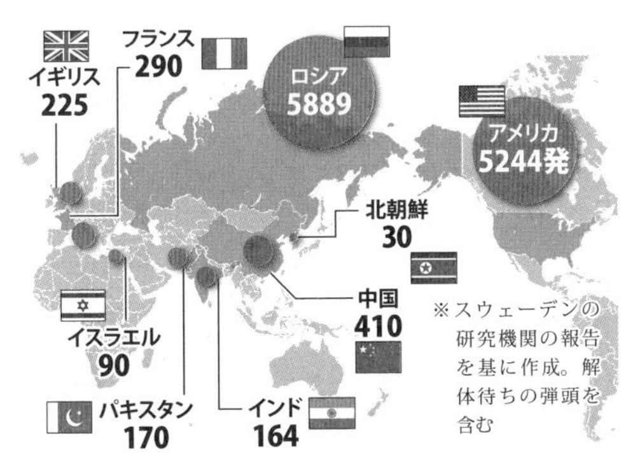

① 日本は核兵器を保有していない。
② 核弾頭を最も多く保有しているのはアメリカだ。
③ 核弾頭を保有しているアジアの国はない。
④ 核弾頭の保有数が３番目に多いのはイギリスだ。

問4 核兵器を持たないA国が核兵器を持つB国に守られている状態を、「A国はB国の核の【　　　】の下にある」と表現します。【　　　】に当てはまる言葉を①～④から一つ選びなさい。

① 傘　② 盾　③ 雲　④ 屋根

問5 原子爆弾（原爆）が1945年８月６日、広島に投下されました。原爆について、正しい説明を①～④から一つ選びなさい。

① 原爆を広島に投下したのはソ連（現在のロシアなど）だ。
② 広島に原爆が投下された３日後の８月９日には、沖縄に原爆が投下された。
③ 日本は世界で２番目に戦争で被爆した国だ。
④ 原爆の放射線を大量に浴びたため、今でも病気に苦しんでいる人がいる。

◀原爆による被害を世界に伝える広島市の原爆ドーム

問6 地図中のA～Dのうち、北朝鮮はどこですか。①～④から一つ選びなさい。

① A
② B
③ C
④ D

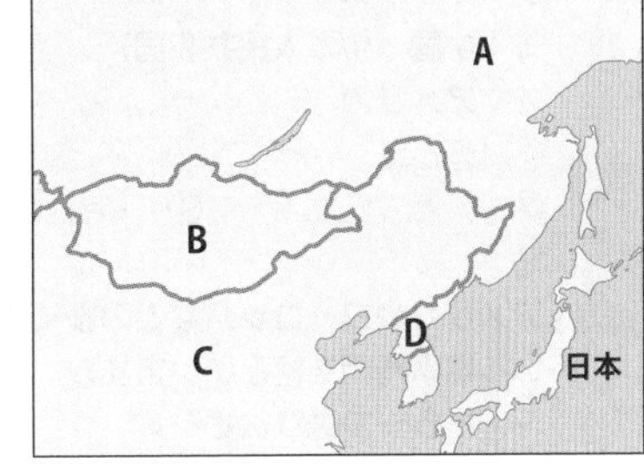

3級

問1 核兵器や核軍縮に関連して、正しい説明を①～④から一つ選びなさい。

① 世界にある核兵器の数は、第二次世界大戦終結時から現在まで増え続けている。
② 原子爆弾（原爆）を日本に投下したアメリカの現職大統領が、被爆地を訪れたことはない。
③ 核兵器禁止条約に、日本は参加していない。
④ 核拡散防止条約（ＮＰＴ）は、いかなる国も核兵器を持ってはならないと定めている。

◀アメリカ・ニューヨークの国際連合本部で開催されたＮＰＴ参加国・地域の国際会議＝２０２２年８月

問2 **世界にある推計約１万2500発の核弾頭の大半は、【　　】の２カ国が持っているとされます。【　　】に当てはまる２カ国を、①～④から一つ選びなさい。**

① アメリカと中国
② ロシアと中国
③ アメリカとフランス
④ ロシアとアメリカ

問3 **核兵器、化学兵器、生物兵器は一般に、まとめて「【　　】破壊兵器」と呼ばれます。【　　】に当てはまる言葉を、①～④から一つ選びなさい。**

① 環境
② 人類
③ 大量
④ 地球

問4 **冷戦時代に「西側（資本主義）陣営」に属していた国々はどれですか。過不足ない組み合わせを①～④から一つ選びなさい。**

ア：日本
イ：ソ連（現在のロシアなど）
ウ：イギリス
エ：中国（中華人民共和国）
オ：アメリカ

① アとイ　② イとエ
③ アとウとオ　④ イとウとエ

問5 **アメリカやヨーロッパなどの多くの国々が結んでいる軍事同盟を何といいますか。正しいものを①～④から一つ選びなさい。**

① 石油輸出国機構（ＯＰＥＣ）
② 北大西洋条約機構（ＮＡＴＯ）
③ 環太平洋パートナーシップ協定（ＴＰＰ）
④ 東南アジア諸国連合（ＡＳＥＡＮ）

問6 **アメリカと北朝鮮は朝鮮戦争以来、長く対立してきました。朝鮮戦争や両者の関係について、正しい説明を①～④から一つ選びなさい。**

① 朝鮮戦争は、第二次世界大戦中に始まった。
② 朝鮮戦争で、アメリカは北朝鮮に原子爆弾（原爆）を投下した。
③ 朝鮮戦争の平和協定は、いまだ結ばれていない。
④ 朝鮮戦争の終結と同時に、アメリカと北朝鮮は国交を結んだ。

22 大国と国際社会の行方

4級

問1 **アメリカの大統領選挙は【　　】年に１度、実施されます。次の大統領選挙は2024年です。【　　】に当てはまる数字を①～④から一つ選びなさい。**

① 1
② 4
③ 6
④ 10

▶前回選挙で勝利したバイデン大統領

問2 **【 Ａ 】さんが国のトップ（国家主席）を務める中国は、【 Ｂ 】を「中国の一部」としています。【 Ａ 】【 Ｂ 】に当てはまる言葉の正しい組み合わせを、①～④から一つ選びなさい。**

① Ａ－金正恩　Ｂ－台湾
② Ａ－金正恩　Ｂ－ハワイ
③ Ａ－習近平　Ｂ－台湾
④ Ａ－習近平　Ｂ－ハワイ

問3 **中国は、漢民族のほかに計55もの【　　】が暮らす多民族国家です。【　　】に当てはまる言葉を、①～④から一つ選びなさい。**

① 外国人　② 少数民族
③ 移民　④ 難民

問4 **アメリカと中国に共通する説明として<u>誤っているもの</u>を、①～④から一つ選びなさい。**

① 日本と国交がある。
② 北半球にある。
③ 現在は核兵器を持っていない。
④ 国際連合（国連）安全保障理事会の常任理事国だ。

問5 **欧州連合（ＥＵ）では加盟国の多くが共通通貨【　　】を使っています。【　　】に当てはまる言葉を、①～④から一つ選びなさい。**

① ドル　② ポンド
③ フラン　④ ユーロ

問6 **「ＡＳＥＡＮ」はどこの地域の国々の集まりですか。正しいものを①～④から一つ選びなさい。**

① 東南アジア　② アフリカ
③ ヨーロッパ　④ 南アメリカ

問7 アフリカやアジア、中東、中央・南アメリカなどの新興国・途上国は近年、経済成長とともに国際社会で注目されています。こうした国々の多くは「グローバルサウス」とも呼ばれています。グローバルサウスの例に当てはまる国を、①〜④から一つ選びなさい。

① アメリカ　② 日本
③ ロシア　④ インド

問8 次のグラフは「各国の軍事費（防衛費）が世界全体に占める割合」（2022年）を示しています。グラフから読み取れる内容として正しい説明を、①〜④から一つ選びなさい。

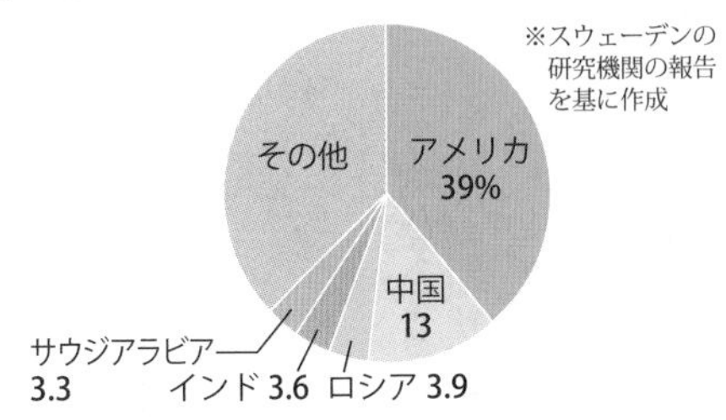

① アメリカと中国で世界全体の半分を占める。
② 中国の割合は全体の４分の１以上だ。
③ 日本の割合は年々減っている。
④ 軍事費（防衛費）が最も多い国は、人口も世界トップだ。

3級

問1 アメリカの大統領選挙は基本的に、【 A 】と【 B 】の２大政党の候補者間で争われます。バイデン大統領は【 A 】、トランプ前大統領は【 B 】の候補者でした。【 A 】【 B 】に当てはまる言葉の正しい組み合わせを、①〜④から一つ選びなさい。

① Ａ－民主党　Ｂ－共和党
② Ａ－民主党　Ｂ－共産党
③ Ａ－共和党　Ｂ－共産党
④ Ａ－共和党　Ｂ－自由党

問2 アメリカでは近年、黒人女性が初めて、副大統領や最高裁判所裁判官に就任しました。アメリカにおける女性や黒人の社会的地位について、正しい説明を①〜④から一つ選びなさい。

① 女性が大統領になった例がある。
② 連邦議会議員の数は、女性が男性を上回っている。
③ 黒人が大統領になった例がある。
④ ワシントン大統領が出した奴隷解放宣言（1863年）によって、多くの黒人が自由の身になった。

問3 中国の経済や社会について、正しい説明を①〜④から一つ選びなさい。

① 国内総生産（ＧＤＰ）は日本よりも少ない。
② 人口を増やすため、かつて「一人っ子政策」を取り入れていた。
③ インターネットの規制が日本より緩やかだ。
④ 漢民族だけでなく少数民族も暮らしている。

問4 香港が1997年にイギリスから返還された際、中国は「香港の制度（イギリス領時代の資本主義制度）を50年間変更しない」と約束しました。中国は、資本主義と社会主義が併存する【　　】を認めたのです。【　　】に当てはまる言葉を、①〜④から一つ選びなさい。

① 直接民主制　② 議院内閣制
③ １国２制度　④ 封建制度

問5 台湾について、正しい説明を①〜④から一つ選びなさい。

① 政治のトップである「総統」は、中国政府が任命する。
② 日本と台湾には外交関係があるが、人や経済の交流はほとんどない。
③ 中国は台湾を独立した国と認めている。
④ 日本は第二次世界大戦で敗れるまで、台湾を統治していた。

問6 近年成長が著しいインドについて、正しい説明を①〜④から一つ選びなさい。

① 人口は世界３位だ。
② 最も多くの人が信仰しているのはイスラム教だ。
③ ＩＴ（情報技術）産業が盛んで、「ＩＴ大国」としても知られる。
④ 公用語として定められているのは英語のみだ。

問7 東南アジア諸国連合（ＡＳＥＡＮ）について、正しい説明を①〜④から一つ選びなさい。

① 域内で共通通貨を導入している。
② 加盟国数は欧州連合（ＥＵ、27カ国）よりも多い。
③ 域内の国内総生産（ＧＤＰ）の総額は日本より多いが、人口は日本より少ない。
④ 加盟国の中で人口、ＧＤＰともに最も多いのはインドネシアだ。

総合問題の例題

■本番の検定では、例題のような思考力、読解力を問う総合問題も出題されます。腕試しで解いてみましょう。（同じ問題が出るわけではありません）

4級 ★2023年に書かれた次の新聞記事を読んで、問１～３に答えなさい。

> **A**
>
> 乳牛を育て、牛乳やチーズ、バターなどの原料になる「生乳」を生産することを、酪農といいます。今、酪農をする人たち（酪農家）の経営は、かつてないほど苦しくなっています。
>
> 主な理由は、乳牛のエサ（飼料）となる穀物の値段が世界的に上がったことです。日本は家畜の飼料の75％を輸入に頼っているため、エサ代がかさむようになりました。
>
> 酪農家は、生乳の値段を引き上げざるを得なくなり、牛乳や乳製品を作って売る乳業会社も、商品の値上げに踏み切りました。
>
> しかし、値上げで全て解決とはなりません。生乳が余っているのです。日本では10年ほど前、夏の暑さで乳牛の乳の出が悪くなり、バターが不足したことがありました。これを解消するため、国が牧場の大規模化を支援し、2019年度から生乳の生産量が伸びました。その直後に新型コロナウイルスの感染が拡大し、外食が控えられたことで、生乳の売れ行きが悪くなってしまいました。
>
> 乳牛は乳を搾らないと病気になる恐れがあります。売れなくても乳を搾らざるを得ず、たくさんの生乳が捨てられるようになりました。値上げによって、消費にさらにブレーキがかかれば、捨てられる生乳が一層増えるのではないかと心配されています。
>
> 国は、今度は生乳の生産量を減らそうと、乳牛を早めに「引退」させて処分すれば酪農家にお金を出す対策を始めました。ただし、乳牛は再び増やすのに3年はかかるといわれます。酪農をやめる人も相次いでおり、再び売れ始めた時に、生産が追いつかなくなる可能性があります。
>
> ▼家畜用飼料の国内価格の推移
> （1トン当たり）※農林水産省の資料を基に作成
>
> 縦軸：(万円) 0, 5, 6, 7, 8, 9, 10
> 横軸：2010 11 12 13 14 15 16 17 18 19 20 21 22年度

問1　記事中の［ A ］に当てはまる見出しとして最も適切なものを、①～④から一つ選びなさい。

① 乳製品値上げ　消費者の生活苦しく
② バター不足　酪農家の生産追いつかず
③ 牧場の大規模化へ　国の支援策始まる
④ 酪農家がピンチ　エサ代上がり経営難

問2　記事中のグラフについて、正しい説明を①～④から一つ選びなさい。グラフに示されていない2010年度よりも前については、考えないこととします。

① 飼料価格が最も高いのは2022年度、最も安いのは2016年度だ。
② 2022年度の飼料価格は、2020年度の約２倍になった。
③ 飼料価格は一貫して値上がりし続けている。
④ グラフからは、飼料価格が世界的に値上がりしているかどうかは分からない。

問3　記事の内容として正しい説明を、①～④から一つ選びなさい。

① 新型コロナウイルスの感染拡大後、生乳の生産が追いつかなくなっている。
② 生乳が余る中で値上げをすれば、牛乳や乳製品が売れなくなり、さらに余って捨てられる恐れがある。
③ 生乳が売れなくなったため、酪農家は乳牛の乳を搾る回数を大幅に減らしている。
④ 国の対策によって酪農家の経営は安定し、生乳の値段が下がってきた。

▲放牧されている乳牛＝茨城県で

3級 **★先生とカナトさんが交わした次の会話を読んで、問１、２に答えなさい。**

カナト：N遊園地のチケット価格は、日によって違っています。なぜですか？
先　生：「価格変動制」が関係しています。この仕組みを使う遊園地は、天気やイベントなどのデータを基に、その日の客の数を予測します。その予測を基に、最も利益が出ると判断したチケット価格を日ごとに決めます。N遊園地がどのような予測で価格を決めたのか、過去の資料を見て推理してみましょう。

▼資料　ある１週間のチケット価格と天気、N遊園地の情報

	7日（月）	8日（火）	9日（水）	10日（木）	11日（金・祝）	12日（土）	13日（日）
価格（円）	5000	4500	【　A　】	5000	7000	【　B　】	7000
天気	晴れ	雨	晴れ	晴れ	晴れ	雨	晴れ
その他	・９日は開園40周年記念日。イベントがある。 ・13日は営業時間を短縮する。 ・雨の場合、一部の施設やショーは営業しない。						

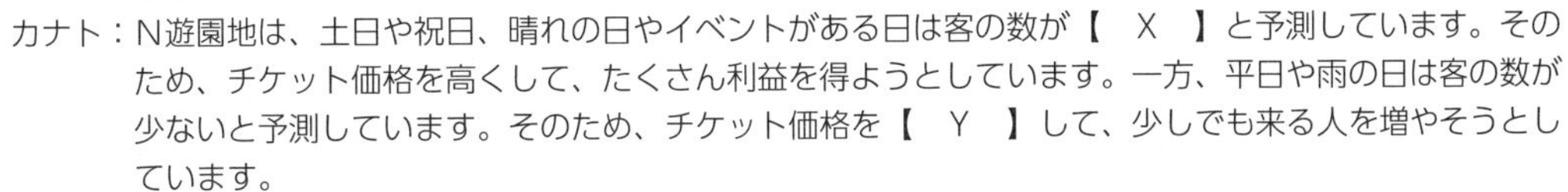

カナト：平日よりも土日や祝日の価格が高いです。ただし、９日はイベントがあるため、他の平日よりも高いです。また、雨の日は晴れの日より安いですね。
先　生：では、価格と客の数には、どのような関係があると考えられますか？
カナト：N遊園地は、土日や祝日、晴れの日やイベントがある日は客の数が【　X　】と予測しています。そのため、チケット価格を高くして、たくさん利益を得ようとしています。一方、平日や雨の日は客の数が少ないと予測しています。そのため、チケット価格を【　Y　】して、少しでも来る人を増やそうとしています。
先　生：こうして細かく価格を決めることで、価格が一定の場合よりも多くの利益をあげることが、価格変動制を使うねらいの一つです。
カナト：でも先生、13日は遊べる時間が短いのに、なぜ価格は11日と同じなのでしょう？　13日に行く人は、きっと不公平に感じます。
先　生：例えば【　Z　】だろうと判断すれば、遊園地は価格を下げる必要がありません。ただ、実際の判断基準は私たち消費者には明かされないことも多いです。価格変動制は航空機の運賃やコンサートの料金などにも導入されていますが、こうした不公平感や不透明さの解消は、課題の一つです。

問1　資料中の【　A　】【　B　】に当てはまるチケット価格の正しい組み合わせを、①～④から一つ選びなさい。
①　A－6000　　B－6500
②　A－6000　　B－7500
③　A－5000　　B－6500
④　A－5000　　B－7500

問2　会話文中の【　X　】～【　Z　】に当てはまる文言の正しい組み合わせを、①～④から一つ選びなさい。

	X	Y	Z
①	多い	高く	営業時間が短いため、客の数は減る
②	多い	安く	土日で天気もいいため、客の数は減らない
③	少ない	高く	土日で天気もいいため、客の数は減らない
④	少ない	安く	営業時間が短いため、客の数は減る

正解と解説

◎ 電子書籍をご利用の場合は、各テーマのタイトル欄から、本編や「問題」のページにジャンプできます。

1 私たちの民主主義

問題 92ページ

4級

問1 ① 社会的な地位や人種などで制限せず、一定の年齢以上の人に等しく選挙権を認めるのが普通選挙の原則です。

問2 ② 街頭で演説をしたり、ビラを配ったりすることが選挙運動の例です。SNS（ネット交流サービス）を使うこともできます。④選挙で投票する権利があるのに投票しないことです。

問3 ③ 2021年に発足しました。ほかには例えば、子育てや医療関係の申請をオンラインでできる仕組みを整える、などの仕事に取り組んでいます。

問4 ② 一つの機関が強い力を持つと国民の権利をおびやかしかねないため、国の働きを三つの機関に分け、監視させ合うことにしています。

問5 ④ 衆議院議員の4年よりも長いです。参議院議員選挙は3年に1回あり、定数の半分を選び直します。

問6 ③ こうした制度を議院内閣制といいます。国による行政の仕事は、国会の信任を受けた内閣が担い、内閣は国会に対して責任を負います。

問7 ① 政権を担う政党（または「連立政権」を担う複数政党の連合体）が与党です。②一般に首相は与党から選ばれます。③与党は内閣と同じ立場で政策などを支えます。④野党は与党以外の政党で、内閣と考えが違うことがよくあります。

3級

問1 ② A：投票率の高い60代、C：投票率が低迷している20代です。B：70代以上、D：2017年から投票が可能になった10代（18～19歳）です。高齢者の投票率が高い一方、若者の投票率が全体平均より大きく低迷していることを知っていれば、正解を導けます。

問2 ④ この仕組みは期日前投票といい、選挙の公示日（または告示日）の翌日から投票日前日まで、各市区町村の「期日前投票所」で投票することができます。②ネットを使った選挙運動はできますが、投票はできません。

問3 ① ②女性議員が一人もいない地方議会は特に町村議会で多く存在します。③超えていません。④罰金が科されることはありません。

問4 ① 「1票の格差」とは、有権者が投じる1票の価値が選挙区の間で異なることです。選ばれる議員数（定数）が同じなら、有権者数が多い選挙区ほど1票の価値は相対的に低くなるため、「法の下の平等に反する」と批判されています。

問5 ④ A：印字されています。B：キャッシュカードとしては使えません。

問6 ② このような仕組みの違いにより、衆議院のほうが、選挙を通じて国民の意見を政治に反映させる機会が多いとされています。

2 日本国憲法の行方

問題 93ページ

4級

問1 ④ ①これは大日本帝国憲法の説明です。②第二次世界大戦直後に施行されました（問5の解説も参照）。③法律の改正よりもハードルが高いです。

問2 ① 「国権の発動たる戦争」「武力の行使」などを、国際紛争を解決する手段としては永久に放棄する――と定められています。

問3 ③ AやBの例のほか、海外で活動することもあります。Cは検察官の仕事です。

問4 ② 良好な環境（きれいな空気や水、静けさ、日照など）の下で生活する権利です。

問5 ③ 日本国憲法は1946年11月3日に公布され、1947年5月3日に施行されました。11月3日は④の「文化の日」になっています。①2月11日、②4月29日です。

問6 ③ 天皇大権とは、大日本帝国憲法の下で天皇が大きな権力を持っていたことをいいます。

問7 ② ①検察庁は「刑事事件の容疑者を起訴するか否か」の判断などを担う国の機関で、このうち最高検察庁は最高裁判所（④）に対応する組織です。③最も高い水準の学問を学ぶ学校で、一般に大学のことです。

問8 ① B：皇位継承の資格がある人は現在、天皇陛下より若い人では、秋篠宮（あきしののみや）さま（天皇陛下の弟）と、その長男悠仁（ひさひと）さまだけです。

3級

問1 ② 憲法96条が定めています（問2の解説も参照）。

問2 ③ 憲法改正のハードルが法律より高く設定されているのは「国の基本方針を定める憲法には安定性が求められる」などの理由からです。

問3 ① 憲法96条に基づく憲法改正手続きについて、改正の是非を問う国民投票の投票年齢、期日などを定めています。

問4 ② ①戦後です。朝鮮戦争を機に1950年に発足した「警察予備隊」が1952年に「保安隊」に改編され、1954年に自衛隊になりました。③海外での「国際平和協力活動」も任務です。④「戦力」には当たらず合憲としています。

問5 ④ このため「憲法を改正し、自衛隊の存在を明記すべきだ」との主張があります。

問6 ④ ①憲法99条はこうした義務を国務大臣などに課す一方、国民には課していません。

問7 ④ Aには「国民」、Dには「天皇の協賛機関」が当てはまります。

問8 ③ 天皇の公務には、憲法で定められた「国事行為」と、国と国民統合の象徴という立場に基づく「公的行為」があります。元号の決定は天皇の公務ではなく、内閣が担います。

3 どうなる 外交と防衛

問題 95ページ

4級

問1　①　新聞やテレビなどでは、アメリカを「米国（べいこく）」「米（べい）」と呼ぶ場合があります。

問2　④　アメリカは第二次世界大戦末期に沖縄を占領し、その後、住民から土地を強制的に取り上げて基地を広げました。こうした経緯から、在日米軍基地が現在も沖縄に集中しています。

問3　③　①②普天間飛行場は、沖縄県にあるアメリカ軍（米軍）基地です。④事実ではありません。

問4　③　2024年度は7.9兆円で、6.8兆円だった2023年度と比べて１兆円以上増えています。①５兆円を下回っています。②一貫して前年度を上回っています。④グラフからは判断できません。政府は増やしていく方針です。

問5　③　外国が勝手に漁や資源の採掘をすることはできません。ただし、外国の船はＥＥＺを自由に通れますし、領海（海岸から12カイリ＝約22キロ＝まで）も沿岸国の平和などを害さなければ通れます。

問6　①　第二次世界大戦で日本が敗北を認めた直後の1945年、ソ連（現在のロシア）が占拠を始めました。それまで暮らしていた日本人は故郷を追われ、住めなくなりました。

問7　①　尖閣諸島について中国と台湾はそれぞれ「自分たちの領土だ」と主張しています。

3級

問1　④　Ｂ：日本政府は「解決済みだ」との立場ですが、現在も償いを求めている元徴用工の人もいます。Ｄ：1970～80年代に起きました。Ａ：韓国ではなく、ソ連（現在のロシア）との問題で、北方領土でこうした事態が起きました（４級問６の解説も参照）。Ｃ：中国や朝鮮半島にいた日本人がソ連に連行されました。この問題は「シベリア抑留」と呼ばれます。

問2　①　段階的に増やし、関連する経費と合わせて従来の２倍の規模にする方針を、政府は2022年末に決めました（４級問４のグラフも参照）。

問3　③　アメリカは1996年、「普天間飛行場を返す」と日本に約束しました。日本政府は代わりの基地を沖縄県名護（なご）市辺野古（へのこ）に造ると決め、工事を進めています。しかし、アメリカ軍基地に関連する事故や事件に苦しむ県民の間では「県外移設」を望む声もあります。

問4　①　Ａ、Ｂ、Ｃの順に領海、ＥＥＺ、公海です。領海は領土、領空（領土と領海の上空）とともに国の領域を構成します。

問5　③　日本とソ連は1956年、国交を回復しました。ソ連はその際、「平和条約を結んだら色丹島と歯舞群島を引き渡す」と約束しましたが、条約締結も返還も実現していません。

問6　④　日本政府は「尖閣諸島は歴史的にも国際ルール上も、明らかに日本の領土だ。だから、中国が自国の領土だといくら主張しても、そもそも領土問題は存在しない」という立場です。

4 地方自治のいま

問題 96ページ

4級

問1　④　就職や進学を機に若者などが地方から都市部へやって来て、そのまま住み続ける人が多いことが、人口が都市部に集中する一因です。①③都市部よりも地方に当てはまる傾向です。②「都市部か地方か」とは関係がありません。

問2　④　過疎化は「人口が極端に減り、生活に必要な地域の仕組みが損なわれること」です。①現実には、高齢化の進行とともに過疎化が進んでいます。②山村や離島で多くみられます。③減ります。税金を納める住民が減るためです。

問3　③　地方自治体の仕事は住民の生活に密着したものが多いです。①②④いずれも国の仕事で、それぞれ国会、内閣、裁判所が担当します。

問4　④　住民が地域の政治に直接参加する「直接請求」の例です。①③首長と議員はそれぞれ住民が選挙で直接選びます。②ありません。

問5　①　都道府県知事のほか、市町村長と東京23区の区長も自治体の首長です。

問6　①　Ａ：条例は地方自治体（都道府県や市区町村）ごとの地域のルールで、各自治体の議会が作ります。国会は国の機関で、国全体のルールである法律を作ります。Ｂ：内閣総理大臣は、国の行政のトップです。

問7　②　任期（４年）を終える時期が近い選挙をまとめます。ただし、首長の辞職や議会の解散で時期がずれる自治体が増え、2023年の統一選で実施された選挙は全体の３割弱でした。

3級

問1　②　Ｂ：都市部に人を集める方向に作用します。実際は、都市部にある大学の入学定員を増やすことは現在、原則として禁じられています。

問2　③　①祖父母が住んでいるかどうかにかかわらず、応援したい自治体にお金を寄付すると、住んでいる自治体などに納める税金がその分、減額される制度です。②増加傾向で、2022年度は9654億円でした。④都市部に集まる税金を、地方に移す狙いがあります。

問3　③　「二元代表制」という仕組みです。首長と議員は互いの仕事をチェックします。

問4　①　②減っています。③近年、増える傾向です。④事実ではありません。

問5　③　「仕事の割に報酬が少ない」などの理由から議員のなり手不足が問題になっています。

問6　④　例えば受動喫煙対策で、罰則つきの屋内禁煙を盛り込んだ条例を、国の法律より早く制定した自治体があります。①提案できるのは首長と議員だけです。②市区町村を含む全ての自治体が制定できます。③法律に違反する内容を条例で定めることはできません。

問7　②　①国が使い道を指定して自治体に配るお金、③国が収入の少ない自治体に手厚く配るお金、④自治体の借金――です。

5 足踏みする日本経済

問題 98ページ

4級

問1 ③ ＧＤＰは、一定期間に国内で新たに生み出された商品やサービスの合計額です。大まかに言えば、国内で使われたお金の総額です。

問2 ① 日本では、1年間の支出（歳出）が税金収入（税収）などよりも多く、不足分は国債を発行してまかなう「財政赤字」の状態が続いています。

問3 ② ほかに、お札（紙幣）を発行したり、一般の銀行にお金を貸したりしています。①内閣、③一般の銀行、④裁判所――の仕事です。

問4 ① Ａ：関税は国外から輸入されるものにかかる税金、Ｂ：相続税は亡くなった人から受け継いだ財産にかかる税金――です。

問5 ② 飲食料品（外食・酒類を除く）と定期購読の新聞は８％です。①消費税（付加価値税）は、150以上の国・地域で導入されています。③④ものやサービスを買った全ての人が負担します。

問6 ③ 日本では2022年以降、円安の影響などを受けて身近な食料品や電気・ガス代などの値上げが続いています。④インフレの逆で、物価が下がり続けることです。日本は長年、デフレに苦しめられてきました。

問7 ② このほか、働く人の給料や輸送費（④）が高くなることも値段が上がる理由になり得ます。

3級

問1 ① これを「個人消費」といいます。ＧＤＰはその国の経済がどのくらい盛んなのかを測るものさしとされるデータで、大まかに言えば、一定期間に国内で使われたお金の総額です。

問2 ④ 予算は、社会保障や教育、防衛などに充てる一般会計（①）と、特定の事業ごとに設ける特別会計（②）に分けられます。③１年間を見通して最初に組まれる予算です。

問3 ① 総額は112兆5717億円です。②③事実ではありません。④高齢化で増え続けています。

問4 ② 景気や物価の安定を図る中央銀行の仕事を「金融政策」といいます。このうち、景気が悪い時は「金融緩和」、景気が良くなりすぎそうな時は「金融引き締め」（③）を実施します。

問5 ① 景気が良い時、日銀は一般の銀行に国債などを売って、銀行から代金をもらいます。すると銀行が持つ資金の量が減るので、家庭や企業がお金を借りにくくなり、世の中に出回るお金の量が減ります。不景気の時は逆のことをします。

問6 ③ 食料品などの生活必需品の購入費が家計に占める割合は低所得者のほうが高いため、消費税の負担感は重くなります。①消費税が日本で1989年に導入された当時、税率は３％でした。その後、５％、８％、10％と引き上げられてきました。②④事実ではありません。

問7 ① 軽減税率の対象は、「外食・酒類を除く飲食料品」と「定期購読の新聞」です。この条件を満たすのはＡだけです。

6 混迷する世界経済

問題 99ページ

4級

問1 ② Ａ：軍事制裁は、武器などで攻撃してダメージを与えることです。Ｂ：例えば、ロシアは原油などの資源をさまざまな国に輸出してお金を得ているので、アメリカなどはこれらを買わないことでロシア経済にダメージを与えました。

問2 ① トランプさんがアメリカの大統領だった2017年以降、貿易や先端技術の分野を巡って中国と激しくいがみ合いました。2021年にバイデン大統領が就任した後も対立は続いています。

問3 ④ 中国が2007年、それまで１位だったアメリカを抜いて１位になりました。

問4 ③ ①②「財政黒字」は政府の支出が税金収入（税収）などよりも少ないことで、その逆を「財政赤字」といいます。

問5 ④ 国内産業を守るといった狙いがあります。

問6 ① ＴＰＰは、参加国同士の関税を引き下げたりなくしたりする「自由貿易」などを進めて、貿易を活発化させることを目指しています。2023年７月には、イギリスが新たに加わることが決まりました。参加国は12カ国になります。

問7 ④ リーマン・ブラザーズという会社の破綻が引き金となって、世界的な大不況になりました。

3級

問1 ③ 金利は、借りたお金にかかる利子（お金を借りる際、そのお金の使用料として借り手が貸手に上乗せして払うお金）の割合のことです。中央銀行は金利を上げ下げ（利上げ／利下げ）することで景気や物価の安定を図ります。一般に、物価が上昇している時は利上げを、物価が下落している時は利下げを実施します。

問2 ④ どちらも加盟しています。①1995年に発足しました。②③本来こうした役割を持ちますが、近年いずれも機能していないことが問題となっています。

問3 ② 関税を上げすぎると貿易が滞り、国々の対立や世界的な不況を招きかねません。このため第二次世界大戦後の世界は、保護貿易とは逆の「自由貿易」を進める方向で歩んできました。

問4 ① ＥＰＡは、関税を引き下げたりなくしたりすることを柱とするＦＴＡ（②）よりも幅広く、著作権保護や相手国からの労働者受け入れなども扱います。

問5 ① Ｂ：どちらも参加していません。アメリカはトランプさんが大統領だった2017年に交渉から抜けました。中国は新たに加わりたいと申し出ており、ＴＰＰ参加国が今後、参加を認めるかどうかが焦点です。Ｃ：新たに加わるのはイギリスです（2023年７月に正式に決定）。ＴＰＰ参加国は12カ国になります。

問6 ② Ｇ20は、先進国から成るＧ７に新興国などを加えた20カ国・地域の集まりです。世界経済では近年、新興国の影響力が大きくなっています。

7 日本産業のいま

4級

問1　③　1ドルと交換するのに必要な円が10円上がったということは、ドルに対して円の価値が下がった(安くなった)ということです。

問2　③　産業の空洞化は、日本企業が海外で「現地生産」を進めることで、日本国内から産業や働く場が失われていくことをいいます。観光産業はすそ野が広いため、観光が盛んになれば、航空や鉄道、飲食店といった関連産業も活気づきます。

問3　③　訪日客が最多だった2019年の約3188万人(②)に対し、2020年は約412万人、2021年は約25万人、2022年は約383万人と、2000万人以上減りました。①新型コロナの流行(2020年〜)ではなく、東日本大震災です。④2023年は約2507万人(推計値)で、2010年以降で4番目です。

問4　②　自動車は日本にとって輸出品の中心で、日本の年間輸出総額(約98兆円)のうち、自動車(部品を含む)が約2割を占めています。

問5　②　ＥＶは、車に積んだ蓄電池に蓄えた電気でモーターを動かして走る車です。地球温暖化を食い止めるため、二酸化炭素を出すガソリン車の販売を制限する動きが世界で広がっています。

問6　①　近年の品目別自給率は、コメが100%に近い一方、②の大豆や③の小麦は10%前後、④の牛肉は40%程度です。食料全体の自給率は近年、40%(カロリーで計算)を下回っています。

3級

問1　③　円安が進むとは、例えば「1ドル＝100円」が「1ドル＝110円」になるということです。この場合、日本の輸出企業や海外からの旅行客が手持ちのドルを円に交換すると、金額が膨らみます。ＡとＤは、円高が進んだ時に起きることの例です。

問2　②　観光分野における「インバウンド」は、訪日客のことを指します。①インバウンドとは逆で、「アウトバウンド」ともいいます。

問3　④　年間輸出総額(約98兆円)のうち、自動車(部品を含む)が約2割を占めていて、最も割合が高いです。①②農業に従事する人は年々減る傾向にある一方、第3次産業で働く人は年々増えています。③国内にある企業全体のうち、9割超を中小企業が占めています。

問4　①　ＡとＢ:ガソリンを使わずに走るので、CO_2を全く出しません。Ｃ:軽油、Ｄ:電気とガソリンの両方——を使うため、CO_2が出ます。

問5　②　①電気を通す「導体」と、通さない「絶縁体」の中間の性質を持ちます。③日本製の世界シェアは1割です(2020年)。④事実ではありません。

問6　③　政府は自給率を高めつつ、農林水産物・食品の輸出額を増やすことを目指しています。

問7　④　株式を買った人(株主)は、企業がもうかれば利益の一部を分けてもらえます(配当)。株式は常に売買され、買った時より高く売れればもうかりますが、安い値段で手放せば損をします。

8 脱炭素社会への道のり

4級

問1　③　①2010年度は約25%を占めていました。②石炭は30%前後で、50%は超えていません。④高くなるのではなく、低くなります。

問2　④　①〜③は、燃やすとCO_2が出る「化石燃料」です。政府は水素のほか、「アンモニア」も次世代エネルギーの一つと位置づけています。

問3　③　こうした方針を2022年末に掲げました。それまでは、「原発にできるだけ頼らないようにしていく」として、「原発を増やしたり建て替えたりすることは考えていない」という立場でした。

問4　①　「規制」とは、ルールを定めて制限することです。原発に対する規制基準は、2011年の東京電力福島第1原発事故後に、厳しい内容(新規制基準)に改められました。

問5　②　石油や天然ガスなどは、地下に埋まっている量に限りがあるので、使い続ければやがて尽きてしまいます。これに対し、自然の力を利用する太陽光や風力は尽きることがありません。

問6　④　再生可能エネルギーを使って発電した電力を決まった値段で電力会社に買い取ってもらい、発電事業者が利益を出せるようにしています。

問7　③　①風が吹けば昼も夜も発電できます。②水力発電、④地熱発電——の説明です。

3級

問1　③　「原発を最大限活用する」と決めました(2022年末)。①約7割です。②2009年度は9%、2021年度は20%です。④発電時に二酸化炭素を出さないため、次世代のエネルギーとして注目されています。

問2　①　エネルギー基本計画(2021年閣議決定)では、原子力や水力、地熱、石炭がベースロード電源に位置づけられています。

問3　②　アとエ:原子力発電は天候などを問わず電力を供給でき、CO_2も出しません。ウ:以前は発電コストが安いとされましたが、福島第1原発事故後、安全対策費が膨らんでいます。イ:原子力発電の特徴ではなく、いずれにも該当しません。

問4　③　②日本に最終処分場はまだ存在しません。北海道の2町村で、最終処分場をつくるのに適しているか否かの調査をしている段階です。④約10万年かかるとされ、半永久的な管理が必要です。

問5　④　このため政府は、電力会社の買い取り価格を段階的に引き下げてきました。しかしその分、発電事業者の利益は減るため、これから再エネを使った発電に取り組もうとする人にとってのメリットが薄れている面もあります。

問6　①　バイオマスを燃やしたりガスを発生させたりして発電します。使い続けても尽きることはないと考えられる点で化石燃料とは区別され、再エネに分類されます。②これは地熱発電の説明です。③天候の影響を受けず、夜間も発電できます。④事実ではありません。

9 減り続ける日本の人口

問題 104ページ

4級

問１ ③ 59.4％で、約６割です。①１億人以上です。円グラフの中心から読み取れます。②1450万人で、2000万人より少ないです。④人口の変化は、設問のグラフからは読み取れません。

問２ ① このような人口の減り方を「自然減」といい、2007年以降続いています。国の推計によると、今後もこの傾向は続き、2056年には総人口が１億人を下回ると予想されています。②と④は人口が増える方向に作用します。

問３ ② 現在は65歳以上ですが、元気な高齢者が増えていることから「年齢の基準を引き上げるべきだ」という意見もあります。

問４ ④ 「高齢化率」は普通、「人口に占める高齢者（65歳以上の人）の割合」を意味します。例えばＡ市の場合、6÷（４＋15＋６）×100＝24（％）です。同様に計算すると、Ｂ市…20％▽Ｃ町…30％▽Ｄ村…40％――と求めることができます。

問５ ④ 世界の人口は2022年11月、80億人を突破しました。国際連合の推計では、2030年に約85億人、2050年に約97億人、2080年代に約104億人でピークに達し、2100年までその水準が続くとしています。

3級

問１ ③ ①このような年はありません。②どの年も夫のほうが妻よりも高いです。④2000、05、10年は30歳未満です。

問２ ③ 世界保健機関（ＷＨＯ）が「出産可能年齢」としている15～49歳の女性の出産動向を示す数値です。日本ではかつて４を超えていましたが、1970年代以降は低下しました。2022年は、過去最低（2005年）と並ぶ1.26となりました。

問３ ② 男性の育児参加が、子どもを産み、育てやすい環境作りにつながると考えられています。①③④働く時間が長くなったり、税金が増えたり、子どもの預け先がなかったり（待機児童の増加は保育所の不足を意味します）すれば、子どもを育てにくくなり、少子化対策になりません。

問４ ③ 日本は1970年、高齢化率（人口に占める高齢者の割合）が７％を超えて「高齢化社会」に、1994年には14％を超えて「高齢社会」に、2007年には21％を超えて「超高齢社会」に入りました。その速さはアメリカやヨーロッパの国々と比べてトップクラスです。

問５ ④ 一般に、1947～49年の第１次ベビーブームに生まれた人たちが「団塊の世代」です。第二次世界大戦の終結（1945年）で平和が訪れ、結婚・出産が急増したことなどが背景です。人口の多い団塊の世代が「後期高齢者」と呼ばれる75歳に入ると、医療や介護が必要な人が増えたり、労働力が減ったりすることが心配されています。

10 社会保障のこれから

問題 105ページ

4級

問１ ① 社会保障制度は、憲法が保障している生存権に基づく仕組みで、代表例は公的年金制度や公的医療保険制度です。国民や企業が税金や保険料を納めて支え合います。

問２ ④ こうした権利を「生存権」といい、憲法25条で保障されています。

問３ ② 社会保障制度とは、病気になったり、年を取ったりして身の回りのことをするのが難しくなった時に、お金や手助け（サービス）を受けられる制度のことです。その費用（社会保障給付費）は高齢化などで年々増えています。

問４ ③ 20歳になると国民年金への加入が義務づけられ、60歳になるまで保険料を納めます。年金の受け取りは原則として65歳からです。

問５ ③ 自宅で入浴やリハビリなどの手助けをしてもらうのは介護サービスの例です。他にも、施設に通って受けるサービスがあります。

問６ ② 病気の予防などによって人々の健康を維持、向上させることを「公衆衛生」（Ｂ）といいます。新型コロナウイルスの流行時には、感染状況の集計やワクチン接種（Ａ）を担いました。ただ、保健所の数は減る傾向にあり、こうした感染爆発が起きると人手不足が問題になりました。

問７ ① 必要な費用の全額が税金でまかなわれます。国が４分の３を、残りを地方自治体が負担します。

3級

問１ ④ Ａ：社会保障給付費は、大まかにいえば「社会保障費と社会保険料の合計」で、年金、医療、介護、子育て支援などに使われるお金の総額です。Ｃ：５割未満だと見込まれています。Ｂ～Ｄはグラフから読み取れます。

問２ ② 所得（収入）が多い人について、自己負担の割合を引き上げてきました。所得に応じて負担してもらう「応能負担」の考え方に基づきます。

問３ ③ 社会保険は、国民から集めた税金や保険料を、病気や高齢の人などに給付する「支え合い」の仕組みです。個人などが任意で加入する民間の保険と比べて支え合いの度合いが強いです。

問４ ④ こうした仕組みを「仕送り方式」あるいは「賦課（ふか）方式」といいます。この仕組みの下では、少子高齢化が進むと高齢者を支える「働き手世代」１人当たりの負担が重くなります。

問５ ② ただし、40～64歳の人が利用できる場合もあります。①平成時代の2000年に導入されました。③原則は１割（一定額以上の所得がある人は２割または３割）負担です。④40歳以上です。

問６ ④ 約164万世帯のうち、約91万世帯を占めます。年金など自分の収入だけでは生活が苦しい人が増えていることが、主な原因とみられます。①「公的扶助」です。②これは介護サービスの例です。③200万世帯を超えた年はありません。③と④はグラフから正誤を判断できます。

11 働くということ

問題 106ページ

4級

問1 ② 労働基準法は労働三法の一つで、「男女同一賃金」や労働時間の決め方などを定めています。

問2 ① ②家庭内暴力、③1人当たりの労働時間を短くして仕事を分け合い、より多くの人を雇う制度、④仕事と、家庭や地域での生活（育児など）を調和させた生き方――のことです。

問3 ③ 労働基準法をはじめ会社が守るべきルールに従わない企業が、ブラック企業と呼ばれます。

問4 ② 情報通信技術（ＩＣＴ）を活用した、時間や場所にとらわれない柔軟な働き方です。

問5 ③ 日本国憲法は、労働組合を作ったり入ったりできる「団結権」▽労働組合が雇い主と交渉する「団体交渉権」▽ストライキなどをする「団体行動権」――を認め、法律でも保障されています。

問6 ④ 仕事自体がなくなってしまうからです。新たに会社に入る人を減らしたり、アルバイトなどの非正規雇用の労働者との契約を打ち切りにしたりする場合があります。

問7 ③ 仕事を探している人1人当たりに何件の求人があるのかを表すデータを「求人倍率」といい、数字が大きいほうが探している人には望ましいです。③は2倍、①④は1倍、②は0.5倍です。

3級

問1 ④ 2023年度の全国平均は1004円で、前年度からの引き上げ額は過去最大の43円でした。最高は東京都の1113円、最低は岩手県の893円です。物価上昇が続いていることが一因です。

問2 ② 国はパワハラを六つのタイプに分けています。Aはこのうちの「身体的な攻撃」、Dは「個の侵害（プライバシーの侵害）」にあたる可能性が高いです。Bは安全確保のための対応で、Cは通常の人事評価とみることができます。パワハラ防止は全ての企業に義務づけられています。

問3 ② 9割近くが男性です。国は、管理職に占める女性の割合を「2020年代の可能な限り早い時期」に30％程度とすることを目標にしています。③男性は2割未満です。①④事実ではありません。

問4 ② 2022年は36.9％（2101万人）でした。

問5 ④ 妻（9時間52分）のほうが夫（9時間14分）より長いです。①2021年（1時間54分）は1996年(38分)の約3倍にとどまります。②2021年(2時間24分)は1996年(1時間9分)より長いです。③2時間を上回るのは妻（7時間38分）だけで、夫は38分です。

問6 ② 働き方改革関連法（2018年成立）でルール化されました。差がつく場合は理由を本人に説明することが企業に義務づけられました。

問7 ④ 仕事中の事故による負傷などのほか、過労死・過労自殺も労災と認められる場合があります。労災に当てはまるかどうかは各地の労働基準監督署(国の役所）が判断します。

12 消費生活を豊かに

問題 108ページ

4級

問1 ③ Bは「商品」、Dは「義務」です。「契約」とは法律上の権利と義務が生じる約束のことです。この設問で取り上げた売買契約は、ある商品について、消費者が「買いたい」、売り手が「売りたい」とそれぞれ考え、合意すれば、成立します。

問2 ④ 訪問販売のほか、電話勧誘販売などについて法的に認められています。インターネットショッピングなどの通信販売は、消費者がよく考えてから契約できるため、法に基づくクーリングオフは適用されません。①不用品やごみを再生して利用すること、②路上で呼び止めて商品の購入を勧誘する商法、③ネット上の有害情報から青少年を守る仕組みのこと――です。

問3 ① A：2022年に成人年齢が20歳から18歳に引き下げられたのと同時に、未成年者取り消し権の対象も20歳未満から18歳未満になりました。B：民法は、人々の日常生活や経済活動の基本的なルールを定めた法律です。刑法では、どんな行為が犯罪に当たり、それぞれの犯罪にどのくらいの刑罰が科されるかが定められています。

問4 ④ 電子マネーを使えば、客も店も、現金（お札や硬貨）を取り出したり管理したりする手間を省けます。「キャッシュ」は「現金」、「レス」は「ない」という意味です。

3級

問1 ③ 特定商取引法は、訪問販売など6種類の取引について、「契約後、一定期間内（法律で定められた書面を受け取ってから8日間または20日間）は無条件で解約できる」としています。①②④個人間や店頭での取引、通信販売は対象外です。

問2 ④ ①クレジットカードや電子マネーによる支払いも含まれます。③日本のキャッシュレス決済比率は、2022年時点で36％でした。キャッシュレス化が進む韓国などと比べて低いです。政府は、この比率を将来的に8割まで引き上げる目標を掲げています。

問3 ② これは、一般的な電子マネーに当てはまる説明です。クレジットカードは、一般的には後日、使った分を月ごとにまとめて支払います。①成人は自ら契約を結べるためです。ただし、支払い能力などの審査があります。③「分割払い」や「リボ払い」という支払い方法です。支払う前に商品を手に入れ（④)、後払いでも、分割でも支払えるため、使いすぎないよう注意しましょう。

問4 ② 途上国から適正な価格で仕入れたフェアトレード（①）製品の購入や、地元の農林水産物を消費する地産地消（③）もエシカル消費の例です。商品を買う時に「何を選ぶか」が、持続可能な社会につながります。④自然や文化など地域の魅力を観光客に伝えつつ、その保全を目指すことです。

13 子どもと教育のいま

4級

問1 ③ ①病気や経済的な理由以外で30日以上休んだ子どもが「不登校」とされます。②毎年増え続けていて、2023年度は約30万人です。④事実ではありません。文部科学省（国の役所）は、単に登校という結果を目標にするのではなく、子どもが社会的な自立を目指せるように、柔軟に支援するとしています。

問2 ③ ①60万件を上回っています。②2020年度は前年度より減っているので、「一貫して増えている」とは言えません。④高校の件数は全ての年度で、小学校、中学校の件数を下回っています。

問3 ④ 料理、洗濯、食事や着替えの手伝いなど、本来は大人が担う家事や家族の世話を、日常的に行っている子どものことを指します。「学校を休みがち」「部活ができない」などの課題を抱えているヤングケアラーも多いとみられます。

問4 ② 日本では、こうした子どもの多くは、里親家庭ではなく児童養護施設などで生活しています。

問5 ① 権利の主体として、自由に意見を表すことなどが保障されています。

問6 ② 子どもの権利条約に基づき、全ての子どもの基本的人権や意見表明権を保障する法律です。

問7 ② 今後、算数・数学でも導入される見通しです。

3級

問1 ④ ①核家族は「夫婦だけ」「親子だけ」の世帯を指します。こうした世帯が増える一方、祖父母と暮らす子どもは減っています。②増えています。③「子ども食堂」です。認定こども園は、小学校入学前の子どもが通う施設の一つです。

問2 ① A：幼稚園や学校教育など、一部扱わない政策もあります。C：デジタル庁の仕事です。

問3 ① ②約８割は施設で暮らしています。③増えています。④こうした「懲戒権」が民法にありましたが、2022年に削除されました。

問4 ① B：意見を表明し、参加する権利が保障されています。

問5 ② 「義務教育は無償」と定める日本国憲法26条を踏まえた制度です。費用は国が負担しています。①新型コロナウイルスによる休校などの影響で減った2020年度を除けば、増え続けています。③近年の大学進学率は５割強です。④民間が運営する施設で、有料の施設もあります。不登校の子どもへの学習支援などを行っています。

問6 ② 紙の教科書や、それと同じ内容が載っているデジタル教科書を使います。また、2023年末時点でデジタル教科書の導入が予定されている教科は、英語（2024年度本格導入）と算数・数学（2025年度以降）の２教科です。

問7 ② ①これは「インクルーシブ教育」の説明です。③④発達障害が知られてきたことなどが要因で、受ける子どもは増えています。

14 共に生きる社会へ

4級

問1 ③ こうした対応は差別に当たります。

問2 ② ①増えましたが、２倍にはなっていません。③どの年も日本で暮らす外国人のほうが多いです。④日本で働く外国人の数は、設問のグラフには示されていません。

問3 ① 見た目で分かりにくい障害や病気のある人が、手助けが必要なことを周囲の人に伝えるマークです。②若葉マークをつけます。

問4 ③ ①用件を手話や文字で伝えます。②用件を声や点字で伝えます。④点字の資料は目の不自由な人に渡します。

問5 ② 「やさしい日本語」は、阪神大震災（1995年）の時に避難情報などが外国人にうまく伝わらず、多くの外国人が被害を受けたことから考案されました。外国人に素早く、わかりやすく情報を伝えるために、文章を短くする▽カタカナの外来語や漢字の多い言葉、難しい言葉を使わない▽語尾に「です・ます」を使う――などの工夫が施されています。

問6 ④ 民法という法律などで定められています。現状では、妻が夫の姓に変えるケースが９割以上です。ちなみに、③の別姓にするか④の同姓にするかをそれぞれの夫婦が選べる「選択的夫婦別姓制度」を導入すべきだという声もあります。

3級

問1 ① 日本語では「多様性」と訳されます。海外では、あらゆる場面でダイバーシティーを重視する傾向が強まっています。

問2 ④ 導入を義務づける法律はありませんが、こうした動きは広がっています。②企業が行う性的少数者への配慮の一例です。③現在の法律は戸籍上の男女による結婚を前提としているためです。

問3 ② ①アジア地域で約８割を占めます（2023年６月末時点）。③近年は、普段の外国人との交流に使う動きもあります。④外国籍の人が日本で暮らすには、原則何らかの在留資格が必要です。

問4 ④ ①1981年に加盟しました。③受け入れてはいますが、世界全体でも数が少ないほうで、批判もあります。

問5 ① ②あります。③「インクルーシブ教育」です。

問6 ② ユニバーサルデザインにはバリアフリーより幅広い意味合いがあります。①世の中に出回っている情報が事実かどうか客観的に検証する活動、③受精卵にゲノム編集を施し、親が望む外見や能力を持って生まれてくる子ども――を指します。

問7 ① スイスのシンクタンク「世界経済フォーラム」の男女平等を示す国別ランキング（2023年）で、146カ国中125位でした。③法律でそろえると定められています。④パスポートなど、一部の書類には併記できる場合があります。

15 司法と私たちの社会

4級

問1 ④ いわば「権利を守るための権利」です。国の機関である裁判所は、公平、公正な立場からトラブル解決を図ります。①～③も基本的人権ですが、「争いごとの解決」に直接関係するわけではありません。

問2 ③ A：刑事裁判では、罪を犯した疑いのある人を裁きます。B：企業の争いごとなども対象です。法律の制定は裁判所ではなく国会の仕事です。

問3 ② 裁判所は違憲審査権を用いて、国会が作った法律や、内閣が出した命令が、憲法に違反して国民の権利を侵害していないかどうかチェックします。

問4 ① A：一つの争いごとについて、最大で3段階の裁判所による裁判を受けられる仕組みです。「三権分立」は国会、内閣、裁判所が役割を分担する仕組みです。B：法律などが日本国憲法に違反していないかどうかを最終的に判断する権限があるためです。「民主主義の学校」は、地方自治の重要性を学校に例えた言葉です。

問5 ③ 容疑者（A）が検察官から起訴されると被告（B、法律では「被告人」といいます）として裁かれます。Cの6人は裁判員、その間の3人は裁判官です。また、検察官と向かい合って発言している人物は、被告の権利を守る弁護人です。

問6 ② 捜査機関がむやみに人の自由を制限しないよう、裁判所が第三者の立場からチェックします。裁判所が警察に出す許可の書面を「令状」というため、こうした仕組みは「令状主義」と呼ばれます。

問7 ① 2009年に導入されました。地方裁判所で開かれる重大な刑事裁判（殺人など）が対象です。

3級

問1 ③ 憲法に違反し、無効と判断すべき条文などがないかを、具体的な裁判の中でチェックします。

問2 ① ②再審開始には新証拠などが必要です。③戦後の死刑確定事件で4例あります（2023年末時点）。④裁判所にあります。

問3 ① この場合の「疑わしきは」は、「疑わしいにとどまり、確実とまではいえない時は」といった意味です。証拠に基づき確実だと断言できない場合は、有罪判決を言い渡せません。

問4 ④ 事実ではありません。最高裁は「憲法に違反しない」という判断を1948年に示しています。

問5 ④ 「国民審査」という制度で、日本国憲法に基づきます。①民事裁判ではなく、刑事裁判です。②くじで選ばれた一般国民が参加する検察審査会制度があります。③憲法が全ての人に保障しており、収入や立場などの資格制限はありません。

問6 ③ B：保護処分（少年院送致など）は立ち直りを目指す手続きです。C：年齢や犯罪によっては刑罰を受けます。A：高等裁判所ではなく、家庭裁判所です。D：少年法の改正により、18、19歳が起訴された場合に限って認められています。

16 情報社会に生きる

4級

問1 ③ AIは「人工知能」の英略語です。①「モノのインターネット」、②情報通信技術、④全地球測位システム――のことです。

問2 ④ SNSでは誰でも情報の発信者になれます。一方、マスメディアは、新聞社やテレビ局などからの発信に限られます。①SNSのような1対1のやり取りは、マスメディアは基本的にはできません。②例えば新聞や雑誌からは、停電しても情報を得られます。③SNSもできます。

問3 ④ 投稿にハッシュタグがついていると、検索しやすくなります。①通信アプリの「既読」機能の説明です。②③こうした効果はありません。

問4 ② 災害が起きると、デマ（誤った情報）やうわさがSNSなどで広がりやすくなります。惑わされないように注意しましょう。

問5 ① 勝手にコピーされるなどして作品が無料で世の中に出回ると、作者は本来得られるはずだった収入を得られなくなる恐れがあります。こうした被害を放置すれば、クリエーターを志す人が減って文化が衰退しかねません。

問6 ② B：「架空請求詐欺」と呼ばれる手口です。無視しても問題ありません。A：不用意にクリックしてはいけません。コンピューターウイルスに感染する恐れがあります。C：犯罪に加担させられる恐れがあるので注意しましょう。

3級

問1 ③ ①こうしたゲーム一つ一つに特化し、人間より強いとされるAIがあります。②④生成AIの代表例である「チャットGPT」は人間が書いたかのような文章も作れますが、内容に誤りがある場合も多く、注意が必要です。

問2 ③ A：プライバシー権も重要な権利ですが、設問文の文脈に当てはまるのは表現の自由です。B：公務員による「拷問」も禁じられていますが、文章中の説明に当てはまるのは「検閲」です。

問3 ④ さまざまな観点から吟味しましょう。

問4 ① A：消すことができない入れ墨（タトゥー）になぞらえて、こう呼ばれます。メディアリテラシーは、さまざまな情報の中から信頼できるものを選び取ったり、使いこなしたりする力のことです。B：忘れられる権利は、プライバシー権などに基づいて主張されています。

問5 ② ドローンは元々、軍事目的で開発されました。①被災状況の確認や情報収集などに適しており、既に活用事例もあります。③年齢制限はありません。④こうしたサービスの「実証実験」は始まっていますが、実用化には至っていません。

問6 ④ ①フィルタリングは、有害サイトへのアクセスを制限する仕組みです。②ゲーム障害は「ゲーム依存」とも呼ばれる病気のことです。③マルウエアは、コンピューターウイルスなど悪意のあるソフトのことです。

17 いのちの現場から

4級

問1 ③　ウイルスの変異やワクチン接種が進んだことが背景にあります。①②根絶されておらず、感染は続いています。④事実ではありません。

問2 ②　A：たばこは違法薬物ではありません。ただし、20歳未満の喫煙は禁止されています。B：アレルギーは、異物（食べ物や花粉など）に対する体の過剰な反応です。

問3 ③　ちなみに、移植のために臓器提供を受ける人のことを「レシピエント」といいます。

問4 ②　①食べ物を吸収しやすい形に体内で変化させる働き、③生物の姿や形が親から子へ伝わること、④外部からの刺激に無意識のうちに反応する現象――です。

問5 ①　４人に１人ががんで亡くなっています。②子どもも、がんになる場合があります。③たばこだけでなく、食生活や感染症などもがんの原因になり得ます。④早期発見には検診が有効です。

問6 ④　高齢化とともに認知症の患者が増えていて、今後さらに増えると予測されています。

問7 ③　骨髄（こつずい）移植などが、幹細胞による再生医療の例です。

3級

問1 ②　①コロナウイルスは以前からあり、風邪の原因の一つです。③一部の医療機関からの報告を基に、増減の傾向を把握しています。④無料接種は2024年３月で終了します。

問2 ③　①幻覚や記憶力の低下、うつ病などの悪影響があります。②依存性があり、一度でも使えば簡単にはやめられません。④法改正によって「使用罪」の創設が決まりました。

問3 ①　いわゆる「赤ちゃんポスト」については、「命を守ることに貢献している」と評価する意見があります。一方で、親は匿名で預けることができ、受け入れた子どもの身元が分からない場合もあるため、「自分のルーツ（出自）を知る子どもの権利が失われる」という批判もあります。

問4 ①　脳死からの臓器移植を増やすため、こうした提供手続きや、15歳未満からの提供が、改正臓器移植法（2010年施行）で認められました。②心臓は動いていても、脳の働きが完全に失われた状態です。③④年によって増減しています。

問5 ②　A：ゲノム編集は、特定の遺伝子をピンポイントで狙えるからです。B：禁止されておらず、例えばゲノム編集食品では、血圧の上昇を抑える成分を多く含むようにしたトマトが販売されています。

問6 ④　A：性別や部位にもよりますが、おおむね年を重ねるほどがんになる可能性が高くなります。C：がんの発症にはさまざまな要因がかかわりますが、生活習慣や感染症が主な原因です。

問7 ④　認知症は病名でなく、記憶力や判断力が下がり日常生活がうまくいかない状態のことです。

18 災害と日本

4級

問1 ③　川が蛇行する場所は、増えた水があふれる危険性が高いです。むしろ、川を改修して直線に近づけるほうが氾濫防止に役立ちます。

問2 ①　図のような仕組みで津波が発生しやすくなります。②台風は熱帯で発生し、発達しながら北上します。③日本には111もの活火山があります。④太平洋側ではなく日本海側です。

問3 ①　A：注意報をはるかに上回る非常事態です。B：外出が危険な場合もあります。どのように行動すれば身を守れるか、冷静な判断が必要です。

問4 ②　「日常と非常」を区別しない備え方です。①主に地震への備えです。③日ごろから危険箇所などを知って備えるため、洪水、地震といった種類ごとに市区町村などが作る地図です。④避難所にこだわらず、より安全な所を探します。

問5 ④　①2016年、②1995年に起きました。③東京都とその周辺で大きな被害が予想される大地震で、建物倒壊や火災により多数の死傷者が出るとみられています。

問6 ③　特に東京の木造住宅密集地域では、消し止められなかった火が合流して大勢の人が火災で亡くなりました。①「防災の日」（９月１日）です。②津波ではなく、火災です。④関東地方や東海地方の一部です。

問7 ①　A、B：現在でも行方不明の人や避難中の人が大勢います。C：2051年ごろの完了を目指して、廃炉作業が行われています。

3級

問1 ②　積乱雲が連なって同じ場所で数時間、大雨を降らせ続けます。①③④は直接関係ありません。台風は熱帯低気圧の一種です。

問2 ③　費用や時間がかかるのは事実ですが、新設が全て中止されたわけではありません。

問3 ③　①日本海溝や千島海溝で大きな地震が起こると想定されています。②南海トラフは、静岡県沖から宮崎県沖にかけて延びる海底の溝です。④首都直下地震などに備え、古い木造住宅密集地域を無くす取り組みが続いていますが、「危険な密集市街地」はまだ残っています。

問4 ①　②都市部に比べて、地方では遅れています。③噴火や地震、津波も含みます。④気象庁が2022年に始めました。

問5 ②　日ごろからマップを見て、危険箇所や避難経路などを家族で話し合っておくことが大切です。

問6 ④　例えば「朝鮮人が襲ってくる」といったデマが広がり、多くの朝鮮人が殺されました。①～③は順に阪神、東日本、熊本の説明です。

問7 ①　停電し全ての電源を失った結果、核燃料を冷却できなくなってしまいました。②溶け落ちた核燃料に触れた地下水など（汚染水）を浄化処理し、放射性物質の濃度を下げた「処理水」を放出しています。④大半の地域でまだ解除されていません。

19 地球環境を守るために

4級

問1　②　A：「京都議定書」は、パリ協定の前の国際的なルールです。B：温室効果ガスの中でも特に影響が大きいのが、急増している二酸化炭素です。

問2　④　温室効果ガスの代表的なものは二酸化炭素（CO_2）やメタン（CH_4）で、炭素原子（C）を含みます。ものを燃やすとCO_2が出るので、火力発電やガソリン車を減らすことも必要です。

問3　④　気温や海水温度が上がり、異常気象が起こりやすくなるなどの影響が出ています。

問4　②　捨てられたプラスチックごみは海洋汚染の原因になるとして、使い捨てプラスチック製品を使わない動きが世界的に広がっています。

問5　③　日本は動植物や昆虫など2000以上の固有種が生息する、世界的に生物多様性の高い地域です。

問6　③　ともに北アメリカ原産で繁殖力が強いのが特徴です。水草や水生昆虫、小魚などを食べ尽くして生態系に悪影響を与えるため、改正外来生物法で規制されました。①増えています。②安く手に入り飼育も簡単とされ、ペットとして人気の生物でした。④外来生物を全て元の生息地に返すことは不可能です。

問7　①　水俣病、新潟水俣病は工場排水中のメチル水銀、イタイイタイ病は鉱山排水中のカドミウム、四日市ぜんそくはコンビナート（工場地帯）周辺の排煙が原因です。

3級

問1　④　グラフから、気温上昇を1.5度に抑えるには、排出量を2035年に約20ギガトンまで減らす必要があります。2019年の排出量は50ギガトン超で、約６割減らす必要があります。①各国が自国の都合に合わせて決めます。②ありません。③実施済みの政策では、排出量は増えてしまい、２度に抑えられません。

問2　③　温室効果ガスの削減を目指す国際ルール「パリ協定」は、産業革命前からの世界の気温上昇を２度未満、できれば1.5度に抑えることを目標とします。日本は「2050年までに実質ゼロ」の達成を目標としています。

問3　③　①企業からは約５割で、残りは家庭からです。②無料配布が原則禁じられているのは、レジ袋です。④大きさが５ミリ以下のプラスチックで、海を汚す一因となっています。

問4　②　リサイクルは再利用のことです。①③④は、３Ｒのうち「リデュース」（減らす）の例です。

問5　④　①国境を越えて廃棄物を移動し、処分することを規制する条約、②先進国に二酸化炭素の排出削減を求めた協定、③地球温暖化防止のための枠組みを定めた条約――です。

問6　③　現在は原則として使用禁止です。しかし、今も古い建物に残っていて、解体・改装で飛び散る恐れがあります。①水俣病の原因物質です。

20 平和な世界どうやって

4級

問1　②　Ｂは中国、Ｃはインドです。

問2　①　②ウクライナ東部と南部を中心に戦闘が２年にわたり続いています。③ロシアではなくウクライナへ多額の支援を行っています。④「避難民」として受け入れました。

問3　②　このほか、ユダヤ教も聖地としています。

問4　④　第二次世界大戦中に行われたナチス政権によるユダヤ人虐殺を「ホロコースト」といいます。

問5　④　母国から逃れ、母国の保護を受けられない人々のことです。仕事などを求めて外国に移り住む「移民」とは区別されます。

問6　④　複数の国の言葉を使うことで、外国人が訪れやすくなります。①～③人やもの、情報が行き来しにくくなるため、グローバル化を押しとどめる方向に働くと考えられます。

問7　④　ＳＤＧｓは自然や資源を守って豊かな生活を実現し、将来へ引き継ぐことが主な目標です。「つくる責任、つかう責任」は、「持続可能な生産や消費のあり方を実現する」目標です。

問8　③　①国連ではなく、アメリカなどによる共同運営です。②第二次世界大戦が終わった1945年に設立されました。④1956年に加盟しています。

3級

問1　④　①Ｇ７の一員ではありません。かつて主要８カ国（Ｇ８）の一員でしたが、2014年、ウクライナ南部クリミア半島を一方的に併合した問題を受けて排除されました。②事実ではありません。国連安全保障理事会の常任理事国として大きな力を持っています。③黒海に面しています。

問2　②　Ａ：第二次世界大戦後にユダヤ人が建国したのがイスラエルです。Ｂ：パレスチナ人の多くがイスラム教徒です。イスラエルの建国以来、イスラエルとパレスチナやアラブ諸国は衝突を繰り返しています。

問3　④　「ハラル（ハラール）」は「許されたもの」を意味します。イスラム教では豚肉などを使った食事が禁じられています。①ユダヤ教ではなく仏教です。②イスラム教の聖典です。③主にユダヤ人（ユダヤ教徒）が迫害されました。

問4　①　②国外に逃れ、難民となった人も多くいます。③難民の多くは近隣の新興国や途上国が受け入れ先となっています。④国連難民高等弁務官事務所（ＵＮＨＣＲ）です。ＷＨＯは世界保健機関で、感染症の拡大防止などに取り組んでいます。

問5　②　ＳＤＧｓは豊かさを追求しながら、地球を守る行動を全加盟国が取ることが主な目標です。

問6　④　常任理事国のうち１カ国でも反対票を投じると、安保理の決議案は否決されます。①ほぼ全ての国が参加しています。②全ての加盟国が対象です。③総会の決議と異なり、法的な強制力があります。

問7　②　日本は2024年末まで非常任理事国です。

21 核兵器と向き合う世界

4級

問１　②　核兵器禁止条約を正式に結んだのは2024年１月時点で70カ国・地域です。ただし、核保有国は一つも参加していません。唯一の戦争被爆国である日本も参加しておらず、被爆者団体などからは批判の声が上がっています。

問２　③　アメリカとソ連が直接戦火を交えることはなかったため、「冷たい戦争」と呼ばれます。

問３　①　②ロシアです。1980年代まで、アメリカとソ連（現在のロシアなど）は核兵器の数で競い合ってきました。③例えば中国は世界で３番目に多くの核弾頭を保有しています（④）。

問４　①　雨を防ぐ傘に例えて表現されます。日本は核兵器を持たない国です。しかし、核兵器を持つアメリカと日米安全保障条約を結び、外国から攻撃を受けた時に守ってもらう約束をしているため、アメリカの「核の傘」の下にあります。

問５　④　原爆が投下された直後に命を落とさなかった人でも、数千度にまで達した熱線で全身にやけどを負ったり、爆風でケガをしたり、大量の放射線を浴びて病気になったりと、多くの人が苦しんでいます。①アメリカです。②沖縄ではなく長崎です。③戦争で被爆した国は、日本だけです。

問６　④　Ａ：ロシア、Ｂ：モンゴル、Ｃ：中国です。

3級

問１　③　①冷戦時代には最大約７万発に上りましたが、ここ35年ほどは減っています。ただ、今も推計約１万2500発に上ります。②2016年にオバマ大統領、2023年にバイデン大統領（いずれも当時）が広島を訪れました。④アメリカ、ロシアなど５カ国だけに認めると定めています。

問２　④　核弾頭の保有数は１位がロシア（5889発）、２位がアメリカ（5244発）とされます（2023年１月時点の推計）。

問３　③　大勢の人間を殺傷し、建物などを大規模に破壊する恐れがあるため、大量破壊兵器と呼ばれます。

問４　③　20世紀の半ばから終わりにかけて、世界の国々がアメリカ中心の西側（資本主義）陣営とソ連（現在のロシアなど）中心の東側（社会主義・共産主義）陣営に分かれて対立しました。アメリカとソ連による直接の武力衝突はなかったことから「冷たい戦争（冷戦）」と呼ばれます。

問５　②　冷戦時代の1949年、ソ連（現在のロシアなど）に対抗するために設立されました。2023年に加盟したフィンランドを含めて31カ国が加盟しています（2024年１月時点）。

問６　③　アメリカや中国、北朝鮮は1953年、「休戦協定」を結びました。ただし、終戦となる平和協定ではないため、法的には戦争が続いています。①第二次世界大戦後の1950年に始まりました。②事実ではありません。④アメリカと北朝鮮の間に国交はありません。

22 大国と国際社会の行方

4級

問１　②　アメリカの大統領は任期が４年で、原則２期まで務めることができます。

問２　③　習近平さんが率いる中国は台湾を「中国の領土の一部」としており、台湾統一を掲げています。ただ、台湾には中国からの独立を望む人たちもいて、近年は中国との対立が特に深まっています。金正恩さんは北朝鮮のトップです。

問３　②　人口約14億人のうち約９割を漢民族が占めますが、ほかに55の少数民族も暮らしています。

問４　③　どちらも核保有国です。経済の大きさも世界１位（アメリカ）と２位（中国）で、どちらも国際社会で大きな影響力を持っています。

問５　④　ユーロを導入している国同士なら、どこでも通貨を両替せずに買い物などができます。ただし、ＥＵ加盟国（27カ国）のうち、ユーロを使っているのは20カ国です（2024年１月時点）。

問６　①　ＡＳＥＡＮは「東南アジア諸国連合」の英略語で加盟国は10カ国です（2024年1月時点）。

問７　④　インドは自らを「グローバルサウス」のリーダー役と称しています。

問８　①　アメリカと中国で半分以上を占めます。ちなみに日本は2.1％で10番目です。③④グラフからは読み取れません。軍事費でトップのアメリカは人口では世界３位で、④はあてはまりません。

3級

問１　①　19世紀後半以降は、民主、共和両党の出身者が、おおよそ交互に大統領に就いてきました。

問２　③　オバマさんが初の黒人大統領でした（2009～17年）。①こうした例はありません。②女性議員の割合は下院29％、上院25％です（2023年12月時点）。④ワシントンではなくリンカーンです。

問３　④　①ＧＤＰはアメリカに次いで世界２位です（2022年時点）。②人口が「増えないように」子どもの数を制限していました。2016年に廃止されましたが、人口は減っています。③規制は日本より厳しいです。

問４　③　中国政府は返還当時、香港に司法や立法の「高度な自治」や、言論などの自由を保障すると約束していました。しかし2020年に国家安全維持法を成立させ、政府に批判的な活動家らを逮捕し、実刑を科すなどしました。

問５　④　①台湾市民が選挙で選びます。②外交関係はありませんが人や経済の交流は盛んです。③認めていません。台湾との統一を掲げています。

問６　③　巨大ＩＴ企業の経営者などを輩出しています。①推計で世界１位です。②ヒンズー教です。④公用語はヒンディー語ですが、英語をはじめ他にも多くの言語が話される多言語国家です。

問７　④　人口、ＧＤＰともに加盟国全体の４割前後を占めています。③ＧＤＰは日本の８割強で、人口は５倍超です。経済も急速に成長しています。

総合問題の例題

4級

問1　④　新聞記事では普通、初めのほうに書き手が最も伝えたい内容がまとめられています。ここでは「酪農家の経営はかつてないほど苦しい」とあります。その後ろでエサ代について書かれています。①消費者への影響は書かれていません。②③10年ほど前の話で、記事の主題ではありません。

問2　④　①最も安いのは2016年度ではなく、2010年度です。②「約２倍」ではなく「約1.5倍」です。縦軸の目盛りの一部が省略されていることに注意しましょう。③2015、16年度は前年度と比べて下がっており「一貫して」ではありません。

問3　②　記事後半の内容です。①「生乳が余っている」と前半にあり、事実ではありません。③「乳牛は乳を搾らないと病気になる恐れがあり、売れなくても乳を搾らざるを得ない」と後半に書かれています。④対策の効果は書かれていません。

3級

問1　①　カナトさんの２回目の発言から、N遊園地は価格を決める際に▽平日か土日・祝日か▽イベントの有無▽天気――を考慮しているとわかります。A：平日・晴れでイベントがあり、他の平日よりも高い▽B：土曜・雨のため、晴れた他の土日・祝日より安い――ことから、正解を導けます。

問2　②　X、Y：客が多いと見込まれる日は「チケットが高くても行きたい」と考える客を、少ないと見込まれる日は「安ければ行きたい」と考える客を狙って、価格を上げ下げします。Z：X、Yから、営業時間が短くても「客が減らない」という予測があれば、価格を下げる必要はありません。

開会式で入場する日本選手団＝建て替え前の国立競技場（東京都）で

即位関連の儀式で「おことば」を述べる天皇陛下（左）と、皇后さま＝皇居（東京都）で

2024年はあれから何年？

130年
◆日清戦争が始まる（1894年）

120年
◆日露戦争が始まる（1904年）

110年
◆第一次世界大戦が始まる（1914年）

東京都内の展示館で保存されている第五福竜丸

70年
◆アメリカが南太平洋ビキニ環礁で水素爆弾（水爆）実験を実施。日本のマグロ漁船「第五福竜丸」が被ばく（1954年３月１日）
◆自衛隊が発足（1954年７月１日）

60年
◆アメリカで人種差別を禁じる「公民権法」が成立（1964年７月２日）
◆東海道新幹線が開業（1964年10月１日）
◆東京オリンピックが開幕（1964年10月10日）

50年
◆佐藤栄作元内閣総理大臣（首相）がノーベル平和賞を受賞（1974年）

30年
◆衆議院議員選挙に小選挙区比例代表並立制を導入することを柱とした「政治改革関連法」が成立（1994年１月29日）
◆南アフリカでマンデラ氏が大統領に就任（1994年５月10日）
◆自民党と社会党などが連立し、村山富市内閣が発足する（1994年６月30日）
◆イスラエルのラビン首相、パレスチナ解放機構（ＰＬＯ）のアラファト議長らがノーベル平和賞を受賞（1994年）

15年
◆衆議院議員総選挙で民主党が勝利（2009年８月30日）。政権が自民党から交代し、鳩山由紀夫内閣が発足（９月16日）

10年
◆消費税率、５％から８％に引き上げ（2014年４月１日。2019年10月１日には10％に）
◆安倍晋三内閣が日本国憲法の解釈を変更し「集団的自衛権の行使は限定的に認められる」と閣議決定（2014年７月１日）

5年
◆現在の天皇陛下が即位し、元号が「令和」に改まる（2019年５月１日）

ニュースのことば

＊ここまでのテーマに出てきた言葉のうち補足が必要な言葉や、最新ニュースを理解するために知っておきたい言葉について簡潔に説明します。

あ

■**ｉＰＳ細胞**　神経や臓器など、体のさまざまな部分に成長する能力を持つ細胞の一種。正式名称は「人工多能性幹細胞」で、皮膚などの細胞に特定の遺伝子を組み込んで作製する。京都大学の山中伸弥（しんや）教授が初めて作製に成功し、2012年にノーベル生理学・医学賞を受賞した。難しい病気の治療や新薬開発などの現場で実用化に向けた研究が進んでいる。

■**アメリカ同時多発テロ**　アメリカで2001年9月11日、旅客機4機が乗っ取られ、うち2機がニューヨークの世界貿易センタービルに突入するなどし、約3000人が亡くなった。アメリカは国際テロ組織アルカイダの犯行と断定し、アルカイダをかくまっているとしてアフガニスタンを攻撃した。

■**安全保障関連法**　2015年に成立。主な内容の一つが「集団的自衛権」に関するものだ。集団的自衛権とは、自国と密接な関係にある国が攻撃された時、自国が攻撃されていなくても反撃できる権利のことを指す。この集団的自衛権について政府は長年、「国際法上は使う権利を持っているが、使うことはできない」との立場だった。その根拠となっていたのが、日本国憲法９条の解釈だ。安倍晋三内閣は2014年、この解釈を変更し、「一定の条件の下で使うことができる」とした。これを踏まえて、集団的自衛権を実際に使うためのルールが安全保障関連法で定められた。政府は「国民の命と平和を守るために必要だ」と説明するが、「日本が他国の戦争に巻き込まれる」「解釈の変更は無理やりで、憲法違反だ」との批判もある。

■**ウラン濃縮**　ウランは自然界にある金属の一つ。核分裂（☞「核分裂」の項目）しやすい「ウラン235」が0.7％含まれ、残りは核分裂しにくい「ウラン238」だ。遠心分離機などでウラン235の割合を３～５％に高めると、原子力発電の燃料になる。90％以上に濃縮すると、核兵器（原子爆弾）をつくれてしまう。

■**オスロ合意**　正式名称は「暫定自治に関する原則宣言」。ノルウェーなどの仲介により、イスラエルと、パレスチナ人の代表機関である「パレスチナ解放機構（ＰＬＯ）」との間で1993年に成立した合意のこと。イスラエルとＰＬＯが互いの地位を認め、ガザ地区とヨルダン川西岸地区でパレスチナ人による自治を始めることなどを定めた。パレスチナのあり方などについて交渉を始めることも盛り込まれたが、国境線や聖地エルサレムの扱いなどを巡って対立が続いている。

■**温室効果ガス**　熱を吸収する性質を持つ、大気中の気体の総称。主に、石炭や石油などを燃やす時に発生する二酸化炭素（CO_2）▽家畜のげっぷや水田などから発生するメタン▽エアコンや冷蔵庫などで使われてきたフロン類――が代表例だ。地球温暖化の原因とされているが、温室効果ガスがなければ地球の平均気温は氷点下18度になるともいわれる。

か

■**カーボンニュートラル**　人間の活動による二酸化炭素（CO_2）など温室効果ガスの「排出量」から、植林や森林の管理による「吸収量」を差し引いて、排出量を実質的にゼロにすること。

■**外来生物**　もともとその国には生息していなかったが、人の活動（飛行機・船での移動や、荷物の輸送など）によって入り込んだ生物のこと。飼育や栽培などの目的で人間が持ち込んだ生物も含まれる。グローバル化で人やものの移動が活発になるにつれて急速に増えた。日本に生息する外来生物の代表例は、アライグマやウシガエルなどだ。

■**核の傘**　核兵器を持たない国が、核兵器を持つ外国に守られている状態を表す言葉。日本は核兵器を持っているアメリカと日米安全保障条約を結び、外国から攻撃を受けた時に守ってもらう約束をしている。このためアメリカの「核の傘」の下にある。

■**核分裂**　物質をつくっている小さな粒「原子」の中心にある原子核が分裂すること。この時大きなエネルギーが生まれる性質を利用し、人工的に核分裂を起こ

多くの分野のニュースでよく出てくる言葉

<国内の「法律や条例」の制定や改正に関する言葉>

●**公布**：新たに制定されたり、改正されたりした法律や条例を、国民や住民に広く知らせること。

●**施行**：制定・改正された法律や条例の効力（ルールとしての効き目）を生じさせること。

(例) 法律が国会で成立すると公布され、一定の期間を経て施行される。

＊施行日の決め方には「法律の中で施行日を定めておく」「後日、内閣が定める」などのパターンがある。

<国際的な「条約」に関する言葉>

●**署名**：各国が条約に賛同して、内容を確定する手続き。

●**批准**：署名した国が、条約を締結していいかどうか自国の議会などにはかり、認められれば、他国に対して条約への参加を正式に約束する手続き。

●**発効**：あらかじめ決めておいた条件（批准した国の数など）を満たして、条約の効力が生じること。発効すると、批准国はその条約に従う義務を負う。

(例) ３カ国以上で条約を結ぶ場合、「各国が署名」→「各国が批准」→「一定の条件を満たせば、条約が発効」――という手順を踏む。

＊条約の制定から発効には、「国際連合（国連）が関係するかしないか」などによって手順に違いもある。

＊日本の場合、条約を締結する権限は**内閣**にある。ただし、**国会の承認**を事前か事後に得る必要がある（日本国憲法73条）。

して発電するのが原子力発電所だ。

■**仮想通貨(暗号資産)** インターネット上でやり取りされ、ものの売り買いなどに使われる。代表例は「ビットコイン」。銀行を通さないため短時間で送金でき、手数料も割安だ。ただし、仮想通貨の価値は、国や中央銀行によって裏づけられておらず、極端に上下することもある。日本政府は2019年、法律上の呼び方を「暗号資産」に改めた。

■**帰還困難区域** 東京電力福島第1原子力発電所の事故(2011年)によって大量の放射性物質(☞「放射線/放射性物質/放射能」の項目)が放出されたことに伴い、立ち入りを制限された区域。「将来にわたって居住を制限する」とされ、避難指示が今も続いている。この区域のうち、2017年に設けられた「特定復興再生拠点区域(復興拠点)」では除染(汚染された土地や建物から放射性物質を取り除く作業)が進められ、2023年11月までに避難指示が解除された。国はそれ以外の区域でも希望者全員が戻れるようにすると約束しているが、全区域の除染が完了する見通しは立っていない。

■**キューバ危機** 冷戦時代の1962年、アメリカの目の前に位置するカリブ海の島国キューバに、ソ連が核ミサイルを持ち込んでいたことが発覚し、アメリカとソ連の間の緊張が一気に高まったこと。キューバ危機によって世界は核戦争寸前の事態に陥った。

■**クラウドファンディング** 英語の「クラウド(群衆)」と「ファンディング(資金調達)」を組み合わせた造語。インターネットを通じて資金を集めることを指す。

■**グローバル化** 政治・経済・文化などさまざまな分野で国境を超えた交流が進み、地球全体が一つになっていくこと。背景には、情報技術や交通手段の発達などにより、人やもの、情報が世界中を行き来しやすくなったことが挙げられる。

■**経済制裁** 国際ルールを破った国などに対して科す罰の一つ。武器などで攻撃してダメージを与える「軍事制裁」とは異なり、貿易を制限するなどして経済的なダメージを与えてルール違反をやめさせることが狙い。

■**原子力規制委員会** 2011年の東京電力福島第1原子力発電所(原発)事故の翌年に発足した国の役所。2013年には、原発の安全対策の基準を厳しく改めた「新規制基準」を作成した。自然災害(大地震や津波)に襲われても、そう簡単に事故を起こさない備えを求めている。国内にある原発の運転や再稼働には、「この新規制基準を満たしている」と原子力規制委員会に認められること▽そのうえで、原発が立地する地元の地方自治体の同意を得ること——が必要だ。

■**(参議院議員選挙の)合区** 参議院議員選挙の「選挙区」で、複数の県をまとめて一つの選挙区にすること。2016年の参院選から、4選挙区(県)が「鳥取・島根」「徳島・高知」の2選挙区に統合された。

■**国際連合(国連)平和維持活動(PKO)** 国際紛争のあった国の治安を守るなどの目的で、国連安全保障理事会の決定により国連加盟国が軍隊や装備を出して実施する活動のこと。日本が自衛隊をPKOに派遣するためには、紛争のあった国が停戦に合意している▽紛争のあった国が日本の受け入れを認めている▽中立的な立場を守る——など法律で定められた5原則を満たす必要がある。

■**国勢調査** 政府が5年に1度、日本に住む全ての人を対象に、名前や性別、生まれた年と月、職業などを調べる調査のこと。国の政策や選挙区の線引きなどを決めるための基礎資料にする目的で実施される。

さ

■**災害関連死** 災害による直接的な被害(例えば、地震による建物倒壊や津波)は免れたものの、その後の避難生活などが原因で亡くなること。衛生環境の悪化や栄養不足、長引く避難生活によるストレスなどによって持病や体調が悪化し、死に至ることがある。国はこれを防ぐため、避難所などへの避難(1次避難)から一定の時間がたった後は、被災地から離れたホテルなどへの「2次避難」に移行することを促している。

■**サブスクリプション(サブスク)** 月額1000円など、決まったお金で豊富なサービスや商品を提供するサービスのこと。例えば、動画が見放題になる「ネットフリックス」などがあり、ほかにも幅広い業界にサブスク型のサービスが広がっている。

■**子宮頸(けい)がん** 性交渉によるヒトパピローマウイルス(HPV)への感染が主な原因となるがんのこと。感染を防ぐため、国は2013年4月から小学6年～高校1年の女子を対象に、HPVワクチンを定期接種にした。しかし、接種後に全身の痛みなどの重い症状を訴えるケースが相次ぎ、同年6月に積極的な接種の呼びかけを中断。その後の調査で「安全性に重大な懸念はない」と判断し、2022年4月から呼びかけを再開した。

■**児童虐待** 児童虐待防止法は、児童虐待を、殴る、蹴る、激しく揺さぶるなどの「身体的虐待」▽子どもへの性的行為などの「性的虐待」▽食事を与えないなど子育てを放棄する「ネグレクト」▽子どもの目の前で家族に暴力を振るう「面前DV」やきょうだい間での差別的扱いなどの「心理的虐待」——に分類している。

■**司法取引** 容疑者や被告が他人の犯罪を明らかにする見返りに、検察官が起訴を見送ったり、求刑を軽くしたりできる仕組みのこと。自白に頼り過ぎない方法として2018年に導入され、対象は贈収賄や詐欺など。アメリカにも似た制度があるが、取引材料が「自分の罪」ではなく「他人の罪」に限られる点で異なる。

■**主要7カ国(G7)** 七つの先進国(アメリカ、イギリス、フランス、日本、ドイツ、イタリア、カナダ)の集まりのこと。原則として年1回、国のトップが集う「首脳会議(サミット)」を持ち回りで開き、安全保障や経済などさまざまな分野の国際問題について話し合う。1970年代に始まり、現在のサミットには欧州連合(EU)のトップも参加している。

■**情報通信技術(ICT)** コンピューターやインターネットで情報を処理(生産や加工)、伝達する技術の総称。情報技術(IT = Information Technology)とほぼ同じ意味で使われるが、「通信」のC(= Communication)を入れて情報の活用を強調する意味合いもある。日本や外国の役所は「ICT」のほうを使う例が多い。

■**食品ロス（フードロス）**　まだ食べられるのに、食べ残されたり売れ残ったりして捨てられてしまう食べ物のこと。日本では１年間で523万㌧発生しているとみられ、国民全員が毎日茶わん１杯分（約114㌘）に近いご飯を捨てている計算になる（2021年度）。

■**新規制基準**　原子力規制委員会（☞**「原子力規制委員会」の項目**）が、原子力発電所（原発）を運転する条件などを定めた基準のこと。東京電力福島第１原発事故の教訓から、津波など自然災害への対策が強化されたほか、テロなどによる重大な事故への対策が盛り込まれた。国内の原発は、原子力規制委員会が新規制基準に適合していると認めない限り、運転や再稼働ができない決まりだ。

■**世界遺産**　国際連合教育科学文化機関（ユネスコ）が人類全体の財産として登録し、守る制度。文化遺産（建物、遺跡など）▽自然遺産▽複合遺産（文化遺産と自然遺産の両方の性質があるもの）――の３種類に分類される。最近では、「奄美（あまみ）大島、徳之島、沖縄島北部及び西表（いりおもて）島」が自然遺産に、「北海道・北東北の縄文遺跡群」が文化遺産に登録された（2021年）。

■**世界貿易機関（WTO）**　貿易のルールを作ったり貿易に関わる国同士の争いを解決したりする国際機関（1995年発足）。164カ国・地域が加盟している（2023年末時点）。加盟国・地域間で争いが起き、当事者間の話し合いで解決できない場合、委員会が審理する。

■**世界保健機関（WHO）**　国際連合に関係する国際機関の一つ。新型コロナウイルスなどの感染症対策のほか、がん対策などのガイドラインや病気の分類の世界的な基準作りなどを担う。1948年に設立され、現在は194カ国・地域が加盟している（2023年末時点）。

■**（第１次）石油危機**　1973年に起きた第４次中東戦争を機に、石油輸出国機構（ＯＰＥＣ）が原油価格を引き上げるなどして、世界が深刻な不況や物価上昇に見舞われたこと。「オイルショック」とも呼ばれる。

■**石油輸出国機構（ＯＰＥＣ）**　サウジアラビアなど原油を多く生産する国の集まりのこと（1960年発足）。12カ国が加盟し、原油の生産量の調整などを担う。ちなみに「ＯＰＥＣプラス」とは、ＯＰＥＣ加盟国に、ロシアなどＯＰＥＣ非加盟の産油国を加えた組織のこと。原油価格の安定を目的として、2016年に発足した。

■**選択的夫婦別姓制度**　夫婦ごとに同姓か別姓かを選べる制度。夫婦が望めば、結婚前の姓をそれぞれ名乗り続けることができる。国の審議会は1996年、制度の導入を答申したが、与党などに「家族の絆が弱まる」といった反対意見が根強くあり、実現していない。

た

■**待機児童**　認可保育所（国の設置基準を満たして地方自治体の認可を受けている保育所）などに申し込んでも定員超過で入れない子どものこと。都市部を中心に2023年４月１日時点で2680人いるが、ピークだった2017年（２万6081人）と比べると約10分の１になっている。

■**団塊（だんかい）の世代**　第１次ベビーブーム（1947～49年）に生まれた世代を指して、このように呼ぶことが多い。2025年には、この世代の全員が75歳以上の「後期高齢者」になる。そうなると「社会保障制度がいっそう揺らぐ」と心配されていて、このことは「2025年問題」と呼ばれる。

■**徴用工問題**　「徴用工」とは第二次世界大戦中、朝鮮半島（当時は日本の植民地）から日本に渡り、工場などで働いた人のことを指す。韓国の最高裁判所は2018年、「強制労働させられた」という元徴用工の人たちの訴えを認め、賠償（償い）をするよう日本企業に命じた。一方で日本は「日本と韓国が国交正常化の時に結んだ取り決め（日韓請求権協定）に基づき、この問題は解決済みだ」と主張。韓国の尹錫悦（ユン・ソンニョル）大統領が2023年、「韓国政府の下にある財団が賠償金を肩代わりする」との解決策を発表した。

■**デジタル庁**　行政手続きのデジタル化などを進める国の役所の一つで、2021年に発足。マイナンバーカードの普及などに取り組んでいる。

■**デジタル通貨**　インターネット上で取引される電子通貨をまとめた呼び方。広い意味では、仮想通貨（☞**「仮想通貨（暗号資産）」の項目**）や電子マネーも含まれる。近年、国の法定通貨（円やドルなど国の中央銀行が発行するお金）を電子化した「中央銀行デジタル通貨（ＣＢＤＣ）」の発行や研究も行われている。

■**特定秘密保護法**　国の安全保障に関わる「特定秘密」を国が４分野（防衛、外交、スパイなどの防止、テロ防止）で指定している。秘密を漏らした公務員や民間業者（省庁と契約を結んで特定秘密を知った防衛産業の従業員など）に、最高で懲役10年の罰則を科すことが盛り込まれている。

な

■**日ソ共同宣言**　日本とソ連（現在のロシア）が第二次世界大戦後の1956年に交わしたもの。この宣言によって、両国は戦争状態を終わらせて国交を回復し、日本は国際連合への加盟を果たした。宣言には北方領土に関する項目もあり、歯舞（はぼまい）群島と色丹（しこたん）島について「（将来）平和条約を結んだ後にソ連が日本に引き渡す」と明記されている。しかし、いまだに実現しておらず、国後（くなしり）島、択捉（えとろふ）島については宣言に明記されていない。

は

■**バブル経済（バブル景気）**　1980年代後半から1990年代初頭にかけての日本で、土地や株式が異常なまでに値上がりした好景気のこと。円高が進んで輸出が減ったため、日本銀行（日銀）が世の中に多くのお金が出回るよう仕向け、土地や株式にも多くのお金がつぎ込まれたことが背景にある。その後、異常な値上がりを食い止めようとした国や日銀の施策によって1990年代初め、土地や株式は急激に値下がりし、好景気は「バブル」（泡）のように消え、一気に不景気になった。

■**万博**　正式名称は「国際博覧会」。世界の国々が文化や科学技術の成果を展示する。2025年の大阪・関西万博は、大阪で開かれる万博としては55年ぶり。ただ、会場の建設費が当初の予定から約２倍に増えたほか、建設工事が大幅に遅れるなど、さまざまな課題がある。

■**5Ｇ**　第５世代の通信規格（携帯電話など持ち運べる端末で通信できる仕組み）のこと。これまでの４Ｇと比べて、「高速・大容量・低遅延」などの特徴がある。日本では2020年から本格的にサービスが始まり、利用可能範囲は徐々に拡大している。

■**物流の2024年問題**　トラック運転手の残業時間の上限規制が2024年４月から適用されることで人手が不足し、輸送の遅れなどが心配される問題のこと。

■**プラットフォーマー（ＰＦ）**　インターネット検索やＳＮＳ（ネット交流サービス）などで、サービスの土台（プラットフォーム）を提供するＩＴ（情報技術）企業のこと。中でも、グーグル、アップル、フェイスブック（現在は「メタ」）、アマゾン・コムの４社（ＧＡＦＡ＝ガーファ）は、ＰＦの代表格だ。４社は、インターネットを通じて世界中で商売をして巨額の利益を上げている。影響力も大きいため、近年はＰＦへの規制を強める動きが世界中で広がっている。

■**フリースクール**　不登校など何らかの理由で通学していない子どもに、学習や生活の支援を行う民間の施設のこと。主な運営元は、ＮＰＯやボランティア団体、個人など。法律で定められた「学校」とは違って学習内容などの決まりが無いため、施設によって活動内容は異なる。子ども一人一人の関心や能力に合わせた活動や支援を行う施設も多い。

■**平均寿命**　その年に生まれた０歳児が平均して何歳まで生きられるかを推測した数値。2022年の日本人の平均寿命は、女性87.09歳、男性81.05歳。新型コロナウイルスで死者が増えたことが影響して、男女ともに２年続けて前年を下回った。日本人の平均寿命は、女性は世界で最も長く、男性も４番目だ。

■**放射線／放射性物質／放射能**　放射線とは、核分裂（☞「**核分裂」の項目**）などによって出るエネルギーを持つ電磁波などのこと。強い放射線は人体に害を与える。放射線を出す物質を「放射性物質」、放射線を出す力を「放射能」と呼ぶ（放射線と放射性物質も放射能と呼ぶ場合がある）。放射能の強さは「ベクレル」、放射線による人体への影響は「シーベルト」という単位で示される。

ま

■**マイナス金利政策**　一般の銀行は中央銀行にお金を預けていて、通常は利子を受け取ることができる。逆に、中央銀行が利子を払わずに、銀行からお金（手数料）を取るのが「マイナス金利政策」だ。一般に、不景気の時、景気を刺激するために実施される。銀行は日銀にお金を預けるほど損をするため、個人や企業への貸し出しに回る▽そうなれば、消費や投資が盛んになる――という狙いがある。

■**マグニチュード（Ｍ）と震度**　マグニチュードは地震のエネルギーの大きさ（地震の規模）を示し、Ｍが１大きくなるとエネルギーは約32倍になる。震度はそれぞれの場所での揺れの強さを示し、０から７まで10段階で表す。

■**南シナ海**　中国の南にあり、フィリピン諸島やインドシナ半島に囲まれた海のこと。中国は南シナ海の大半を「九段線」という見えない線で囲い、自分たちが優先的な権利を持つと主張しているが、ベトナムなども一部の島の権利を主張し、対立している。アメリカも艦船を定期的に送り込み、中国をけん制している。

■**無形文化遺産**　国際連合教育科学文化機関（ユネスコ）が、芸能や儀式、祭礼、伝統工芸技術などを登録し、保護する制度。国内では22件が登録されている。

や

■**有効求人倍率**　ハローワーク（公共職業安定所）を通じて仕事を探している人（新卒は除く）１人につき、企業からの求人がどれだけあるのかを示す数値。倍率が高いほど仕事に就きやすい状況だとされる。

ら

■**（北朝鮮による日本人の）拉致（らち）問題**　1970～80年代に、北朝鮮の工作員と呼ばれる人たちが、日本人を北朝鮮に拉致（無理やり連れ去ること）した問題のこと。2002年、当時の北朝鮮トップの金正日（キム・ジョンイル）総書記が拉致を認めて謝罪し、５人の被害者が帰国した。日本側は他に12人の被害者を確認しているが、北朝鮮側は「８人は亡くなり、４人は北朝鮮に来ていない」と主張している。日本側は全ての被害者の一刻も早い帰国を求めている。

■**リーマン・ショック（世界金融危機）**　アメリカの大きな金融機関リーマン・ブラザーズが2008年９月、経営に行き詰まったのを機に、悪い影響が世界中に広がったこと。多くの国で金融機関が経営に行き詰まり、株価も大きく値下がりした。アメリカだけでなく、各国の景気が悪くなり、世界で失業者が続出した。

■**リニア中央新幹線**　磁力で車体を浮かせて走らせる技術を使う新幹線のこと。最高速度は時速500㌔を超え、品川（東京）から大阪を約１時間で結ぶ。まずは品川から名古屋（愛知）を2027年までに開業することを目指してきたが、沿線地域の反対で工事が難航し、開業時期が「2027年以降」に変更された（2023年12月）。

■**レアメタル（希少金属）**　埋蔵量が少なかったり、地下からとり出すのが難しかったりする31種類の金属元素をまとめた呼び方。スマートフォンなどの製造に欠かせない重要物資の一つだが、とれる場所が特定の国に偏っており、日本は大半を輸入に頼っている。レアメタルの一種に「レアアース（希土類）」がある。

■**労働基準法**　労働者を守る基本となる法律のこと。労働条件などで企業が必ず守るべき最低限のルールを定めている。労働基準法に、労働組合法（労働者が団結して労働時間や賃金などを企業側と交渉することを保障）と労働関係調整法（労働者と企業側の対立を予防・解決する）を加え、「労働３法」と呼ばれる。

わ

■**ワーク・ライフ・バランス**　「仕事と生活の調和」を意味し、仕事と家庭などでの生活（育児や介護、余暇など）を両立させたバランスのとれた生き方を指す。

索　引《ニュース検定公式テキスト＆問題集 3・4級》（人名の敬称・肩書は省略）

あ

ｉＰＳ細胞――138
赤ちゃんポスト――69
アスベスト（石綿）――79
新しい人権――14
アメリカ同時多発テロ――138
アルツハイマー病――71
暗号資産（仮想通貨）――139
安全保障関連法――13,138
（国連の）安全保障理事会（安保理）――80,81,83
育児休業（育休）――41,49
違憲審査権――60
意見表明権――54
いじめ――52
イスラム教――82
イタイイタイ病――79
１票の格差――10
遺伝子組み換え――70
（公的）医療保険――42,43,44
インバウンド（外国人旅行客）――33
インフレーション（インフレ）――24,25,28
（消費税の）インボイス（適格請求書）制度――27
（ロシアによる）ウクライナ侵攻――80
（ロシアによる）ウクライナ侵攻の影響――6,17,25,28,29,35,36,80,82,83,84,87,88,91
ウラン濃縮――138
エシカル消費――51
エネルギー基本計画――36
M字カーブ――49
エルサレム――81,82
ＬＧＢＴ理解増進法――57
（インターネットの）炎上――65
円安――24,25,32,33
欧州連合（ＥＵ）――91
応能負担――43
オスロ合意――81,82,138
オゾン層――78
温室効果ガス――36,76,78,138

か

カーボンニュートラル――138
外国人技能実習制度――57
介護保険――42,43,45
（特定）外来生物――79,138
核拡散防止条約（ＮＰＴ）――84,85
核の傘――85,138
核のごみ――37
核分裂――138
核兵器禁止条約――84,85
（パレスチナ自治区）ガザ地区――81
化石燃料――36,38,76,78
仮想通貨（暗号資産）――139
株式／株主／株価――35
がん――71
関税――29,30,31
間接民主主義／間接民主制――8,22
環太平洋パートナーシップ協定（ＴＰＰ）――29,30
関東大震災――74
議院内閣制――11
帰還困難区域――75,139
（国連）気候変動枠組み条約――76,78
期日前投票――9
北大西洋条約機構（ＮＡＴＯ）――80,87
基本的人権の尊重――15
キャッシュレス――51
キューバ危機――87,139
京都議定書――78
（国連安保理常任理事国の）拒否権――83
緊急事態条項――13,14
金融緩和――25,26
金融引き締め――25,26,28
金利――25,26,28
クーリングオフ――50,51
クラウドファンディング――139
グローバル化――88,139
グローバルサウス――16,80,88
（消費税の）軽減税率――27
経済安全保障――35
経済制裁――17,28,80,139
経済連携協定（ＥＰＡ）――30
刑事裁判――62
刑法――61
ゲノム編集――70
検閲――65
減災――74
検察審査会制度――63
原子爆弾（原爆）――86
原子力規制委員会――37,139
原子力発電所（原発）――16,29,37,39,75
公海――18
（参院選の選挙区の）合区――10,14,139
合計特殊出生率――41
合理的配慮――58
高齢化（「少子高齢化」を含む）――9,40,41,42,45,53,71
国債――25,26,27
国際連合（国連）――88
（天皇の）国事行為――15
国勢調査――41,139
国内総生産（ＧＤＰ）――17,26,91
国民主権――15
（最高裁判所裁判官の）国民審査――63
（日本国憲法改正手続きの）国民投票――12
国連環境開発会議（地球サミット）――6,78
国連平和維持活動（ＰＫＯ）――139
国連ミレニアム開発目標（ＭＤＧｓ）――6
（香港）国家安全維持法――89
国会――11
（再エネの）固定価格買い取り制度（ＦＩＴ）――39
こども家庭庁――53
こども基本法――54
子どもの権利条約――54

さ

災害関連死――73,139
再審――61
財政――27
再生可能エネルギー（再エネ）――36,38,39,76
最低賃金――46
在日米軍（アメリカ軍）基地――18
サイバー攻撃――67
裁判員制度――63
裁判所――11,60,61,62,63
サブスクリプション（サブスク）――139
参議院／参議院議員選挙――9,10,11,14
三権分立――11
３審制――61
酸性雨――78
Ｊアラート（全国瞬時警報システム）――16
自衛隊――13
ジェンダー――7,59
子宮頸がん――139
死刑――62
（人口の）自然減――40
持続可能な開発目標（ＳＤＧｓ）――6,7
（温室効果ガスの排出）実質ゼロ――36,78
児童虐待――53,139
司法――11,60,63
司法取引――139
社会保険――42,43,44
社会保障給付費――42
社会保障制度――42,43
衆議院／衆議院議員選挙――9,10,11,14,63
衆議院の優越――11
習近平――89
自由貿易協定（ＦＴＡ）――30
住民投票――23
受動喫煙――23,71
首都直下地震――73
主要７カ国（Ｇ７）――17,31,85,87,89,139
主要20カ国・地域（Ｇ20）――31
障害者――58
少子化（「少子高齢化」を含む）――40,41,42,43
肖像権――66
（国連安保理の）常任理事国――83,91
少年法――63
消費者物価指数――24,28
消費者ホットライン（１８８）――50,67
情報通信技術（ＩＣＴ）――47,55,67,139
条例――22,23
食品ロス（フードロス）――51,140
食料自給率――35
（福島第１原発の）処理水――16,29,75
新型コロナウイルス感染拡大からの回復――24,33
新型コロナウイルス感染拡大の影響――6,35,47,48,51,52,68,88
新型コロナウイルス感染症――68
（原発の）新規制基準――37,140
新疆ウイグル自治区――89
人口減少――21,40,41
人工知能（ＡＩ）――55,64,65
深層学習（ディープラーニング）――64
震度――141
水力（水力発電）――38
３Ｒ――77
生活保護――42,43
正規雇用――48
政治分野における男女共同参画推進法――9
成人年齢――8,50
生成ＡＩ――55,64
生態系――79
性的少数者（ＬＧＢＴＱ）――56
政党――8,9,10,11
生物多様性（条約）――79
世界遺産――140
世界貿易機関（ＷＴＯ）――30,140
世界保健機関（ＷＨＯ）――68,140
（第１次）石油危機――140
石油輸出国機構（ＯＰＥＣ）――140
ゼロエミッション車――34
尖閣諸島――19
選挙――8,22
選挙権――8
全国人民代表大会（全人代）――90
線状降水帯――72

全世代型社会保障―― 42
選択的夫婦別姓制度―― 59,140
全地球測位システム（ＧＰＳ）―― 67
(国連)総会―― 83
臓器移植―― 69
ソーシャルメディア―― 66
ソ連―― 87

た

大学入学共通テスト―― 55
待機児童―― 140
大統領制―― 90
(アメリカの)大統領選挙―― 88,90
大日本帝国憲法(明治憲法)―― 15
大麻―― 69
太陽光(太陽光発電)―― 36,38
大量破壊兵器―― 85
台湾―― 89
竹島―― 16,19
団塊の世代―― 41,140
地域的な包括的経済連携（ＲＣＥＰ）協定―― 30
地球温暖化―― 36,39,72,76,78
地球サミット（国連環境開発会議）―― 6,78
地産地消―― 51
知的財産(権)―― 31,66
地熱(地熱発電)―― 38
地方自治―― 22,23
中国共産党―― 89,90
超高齢社会―― 40
徴用工問題―― 16,140
直接民主主義／直接民主制―― 8,23
著作権―― 31,64,66
ディープラーニング(深層学習)―― 64
デジタル教科書―― 55
デジタルタトゥー―― 67
デジタル庁―― 11,140
デジタル通貨―― 140
デフレーション(デフレ)―― 25,46
テレワーク―― 47,67
電気自動車(ＥＶ)―― 34
典型７公害―― 79
統一地方選挙―― 22
同一労働同一賃金―― 48
東京一極集中―― 20
同性婚―― 56,57
東南アジア諸国連合（ＡＳＥＡＮ）―― 30,91
特定秘密保護法―― 140
(大雨などの)特別警報―― 72,74
特別支援教育―― 55
トランプ―― 31,88,90

な

内閣―― 11,60
南海トラフ巨大地震―― 73
難民―― 57,82,83
新潟水俣病―― 79
２院制―― 11,90
二元代表制―― 22
二酸化炭素（ＣＯ₂）―― 34,36,38,39,51,77,78
日米安全保障条約―― 16,18
日ソ共同宣言―― 19,140
日本銀行(日銀)―― 25,26
日本国憲法―― 12,14,15,60
認知症―― 71
ネット交流サービス（ＳＮＳ）―― 65,66
(公的)年金―― 42,43,45
脳死―― 69
能登半島地震―― 73

は

バイオマス(バイオマス発電)―― 38
排他的経済水域（ＥＥＺ）―― 18
バイデン―― 31,88,90
廃炉―― 75
ハザードマップ―― 74
働き方改革関連法―― 48,49
発達障害―― 55
バブル経済(バブル景気)―― 28,48,140
ハラスメント―― 47
バリアフリー―― 58
パリ協定―― 76,78
パレスチナ―― 36,81,82
阪神大震災―― 73,74
半導体―― 35
万博―― 140
東日本大震災―― 73,75
非正規雇用―― 47,48
表現の自由―― 65
５Ｇ―― 31,141
プーチン―― 80,84,87
フードロス(食品ロス)―― 51,140
夫婦同姓―― 59
風力(風力発電)―― 36,38
フェアトレード―― 51
フェイクニュース(偽ニュース)―― 66
(東京電力)福島第１原子力発電所の事故―― 16,29,37,39,75
不在者投票―― 9
物価―― 24,25,26
物流の2024年問題―― 141
普天間飛行場―― 18
不登校―― 52
プライバシー権―― 14
プラスチック―― 7,23,77
プラットフォーマー（ＰＦ）―― 141
フリースクール―― 52,141
ふるさと納税―― 21
プログラミング(教育)―― 55
平均寿命―― 40,41,141
平和主義―― 13,15
ベースロード電源―― 39
ヘルプマーク―― 58
ベルリンの壁―― 87
防衛費―― 16,17
防災の日―― 74
放射線／放射性物質／放射能―― 37,75,86,141
法の下の平等―― 10,56
北方領土(北方四島)―― 17,19

ま

マイクロプラスチック―― 77
マイナス金利政策―― 141
マイナンバーカード―― 11,59
マグニチュード(M)―― 73,75,141
マスメディア―― 66
未成年者取り消し権―― 50
水俣病―― 79
南シナ海―― 141
民事裁判―― 60,61
民主主義―― 8,16,22
民法―― 50,54
無形文化遺産―― 141
明治憲法(大日本帝国憲法)―― 15
メディアリテラシー―― 66
免疫―― 70
モノのインターネット（ＩｏＴ）―― 67

や

やさしい日本語―― 58
野党―― 11
闇バイト―― 67
ヤングケアラー―― 53
有効求人倍率―― 141
ユニバーサルデザイン（ＵＤ）―― 58
予算―― 17,22,24,25,27
四日市ぜんそく―― 79
与党―― 11

ら

(北朝鮮による日本人の）拉致問題―― 16,141
利上げ(政策金利の引き上げ)―― 25,28
リーマン・ショック（世界金融危機）―― 31,141
リサイクル―― 7,77
利下げ(政策金利の引き下げ)―― 25
リニア中央新幹線―― 141
領土／領海／領空―― 17,18,19
レアメタル(希少金属)―― 141
冷戦―― 31,80,84,87
労働基準法―― 46,49,141
労働災害(労災)―― 47
労働三権―― 46
ロシアによるウクライナ侵攻―― 80
ロシアによるウクライナ侵攻の影響―― 6,17,25,28,29,35,36,80,82,83,84,87,88,91

わ

ワーク・ライフ・バランス―― 141
ワクチン―― 68,70,88
忘れられる権利―― 67

AtoZ

ＡＩ(人工知能)―― 55,64,65
ＡＳＥＡＮ（東南アジア諸国連合）―― 30,91
ＢＲＩＣＳ―― 89
ＣＯ₂(二酸化炭素)―― 34,36,38,39,51,77,78
ＥＥＺ(排他的経済水域)―― 18
ＥＰＡ(経済連携協定)―― 30
ＥＵ(欧州連合)―― 91
ＥＶ(電気自動車)―― 34
ＦＩＴ(固定価格買い取り制度)―― 39
ＦＴＡ(自由貿易協定)―― 30
Ｇ７(主要７カ国)―― 17,31,85,87,89,139
G20（主要20カ国・地域）―― 31
ＧＤＰ(国内総生産)―― 17,26,91
ＧＰＳ(全地球測位システム)―― 67
ＩＣＴ(情報通信技術)―― 47,55,67,139
ＩｏＴ(モノのインターネット)―― 67
ＬＧＢＴＱ(性的少数者)―― 56
M(マグニチュード)―― 73,75,141
ＭＤＧｓ（国連ミレニアム開発目標）―― 6
ＮＡＴＯ(北大西洋条約機構)―― 80,87
ＮＰＴ(核拡散防止条約)―― 84,85
ＯＰＥＣ(石油輸出国機構)―― 140
ＰＦ(プラットフォーマー)―― 141
ＰＫＯ(国連平和維持活動)―― 139
PM2.5―― 78
ＲＣＥＰ（地域的な包括的経済連携）―― 30
ＳＤＧｓ(持続可能な開発目標)―― 6,7
ＳＮＳ(ネット交流サービス)―― 65,66
ＴＰＰ（環太平洋パートナーシップ協定）―― 29,30
ＵＤ(ユニバーサルデザイン)―― 58
ＷＨＯ(世界保健機関)―― 68,140
ＷＴＯ(世界貿易機関)―― 30,140

最新ニュースはこちらから

この本の発売後、2024年秋までに起きた重要ニュースのポイントは、ニュース検定公式サイト内の「News ピックアップ」でご覧いただけます。

スマートフォンやタブレット端末で左の二次元コードからアクセスできます。2024年6、11月に実施する検定のそれぞれ約1カ月前に更新します。
ID：newsfile.basic
PW：uofi2024

※こちらからもアクセスできます。
URL：https://www.newskentei.jp/newsfile/basic/

ニュース検定公式サイトでは、過去問題や模擬問題も紹介しています。
https://www.newskentei.jp/question.php

2024年度版ニュース検定
公式テキスト＆問題集「時事力」基礎編（3・4級対応）

編者：ニュース検定公式テキスト編集委員会
監修：日本ニュース時事能力検定協会

2024年3月20日　初版　第1刷発行

発行　株式会社毎日教育総合研究所
〒100-0003
東京都千代田区一ツ橋1-1-1
TEL：03-3212-1406（編集）

株式会社朝日新聞社
〒104-8011
東京都中央区築地5-3-2

発売　毎日新聞出版株式会社
〒102-0074
東京都千代田区九段南1-6-17
TEL：03-6265-6941（営業）

編集　株式会社毎日教育総合研究所
大和田妙司／糟谷実枝／桒本夏希／塩田彩／田村佳子／村田泰博／山野由貴

編集協力　毎日新聞社

写真提供　朝日新聞社　毎日新聞社

印刷・製本　株式会社リーブルテック

DTP・編集協力　アート工房／カバーイラスト　フクイヒロシ／カバーデザイン　リーブルテック　宮嶋忠昭

ISBN 978-4-620-90760-4